KB153368

츠바이크 선집 1

감정의 혼란

츠바이크 선집 1

감정의 혼란

초판 1쇄 찍은 날 2024년 5월 20일
초판 1쇄 펴낸 날 2024년 5월 27일

지은이 슈테판 츠바이크
옮긴이 정상원

발행인 정인회
발행처 하영북스
등 록 2024년 1월 3일(제2024-000003호)
팩스 050-8901-1430
전자우편 hayoungbooks@naver.com

디자인 책은우주다

ISBN 979-11-986508-2-5 (04850)

• 책값은 뒤표지에 있습니다.

초바이크 선집 1

Stefan Zweig

슈테판 츠바이크의 대표 소설집

감정의 혼란

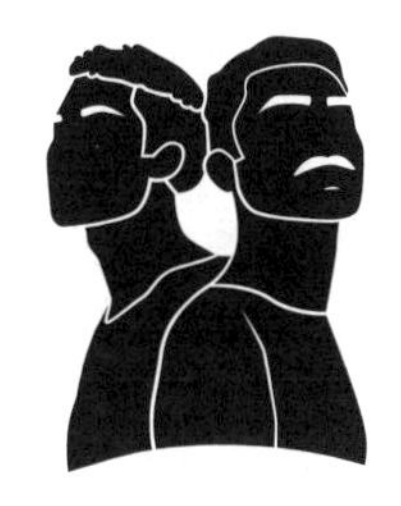

슈테판 츠바이크 지음·정상원 옮김

하영북스

슈테판 츠바이크

감정의 혼란

추밀고문관 R.v.D의 개인 기록

■■■

내 제자와 동료 교수들의 의도는 좋았다. 이들 어문학자들이 30년에 걸친 내 교수 활동을 기리기 위해 환갑을 맞은 내게 엄숙히 헌정한 기념 문집 첫 권이 호화 양장본의 형태로 여기 놓여 있다. 내 소소한 논문이나 축하 연설, 어딘지도 모를 학술지에 실린 대단치 않은 평론까지 빠짐없이 담겨 있다는 점에서 이 문집은 진정한 전기라고 할 만하다. 아무리 부지런히 서고를 뒤졌다 해도 어마어마한 종이 더미에서 그것들을 죄다 끄집어내기는 쉽지 않았을 것이다. 이 문집 안에서 나의 발전 과정은 말끔히 닦아놓은 계단처럼 차례차례 깔끔하고 명료하게 쌓이며 현재로 이어지고 있다. 뭉클하리만치 철저한 그들의 노력에 기뻐하지 않는다면 나는 배은망덕한 사람일 것이다. 나 자신조차 하도 오래되어서 소실되었다고 생각했던 것들이 가지런히 정리되어서 이 문집 속으로 돌아왔으니까 말이다. 정말이지, 노인이 되어 문집의 책장을 넘기자니 학창 시절 학자의 능력과 자질을 처음으로 증명하는 성적표를 받아든 학생처럼 뿌듯한 기분이 드는 걸 부정할 수 없다.

그렇지만 빼곡한 200쪽의 책장을 넘기며 거기에 담긴 내 정신의 초상을 찬찬히 들여다보자니 피식 웃음이 나오는 걸 참을 수 없었다. 정말 나의 삶은 문집의 소개 글이 밝히듯이, 처음부터 오늘날까지 흔들림 없이 하나의 목표를 향해 오르막길을 올라온 것일까? 축음기를 통해 나 자신의 목소리를 처음 들었을 때 내 목소리인 줄도 몰랐는데 지금이 딱 그런 기분이었다. 분명 내 목소리이긴 했지만 다른 사람이 듣는 소리일 뿐, 내 존재 깊숙이에서 울리는 목소리가 혈관을 통해 들리는 것은 아니었기 때문이다. 남들이 쓴 작품에 근거해 그들을 서술하고, 그들이 살았던 세계의 정신적 틀을 밝혀내는 데 평생을 바쳤던 나이건만, 어떤 운명을 다루든 본연의 핵심을, 다시 말해 모든 성장의 원천인 명징한 세포를 꿰뚫어 보기가 얼마나 어려운지를 새삼 나 자신의 경우에서 깨닫게 된다. 우리는 무수히 많은 순간을 겪지만, 우리의 내부 세계를 끓어오르게 하는 건 늘 단 하나, 오직 하나의 순간뿐이다. 그 순간 온갖 엑기스를 빨아들인 꽃은 순식간에 응축되어 결정結晶을 이룬다고 스탕달은 말했다. 그것은 생명이 생성되는 순간이 그러하듯, 마법의 순간이며 몸속 따뜻한 곳에 웅크리고 있기에 볼 수도, 만질 수도, 느낄 수도 없으며 비밀스럽게 체험할 수 있을 뿐이다. 인간 정신에서 나온 대수학代數學은 결코 그 순간을 계산해 낼 수 없고 예감에 근거한 연금술로도 그 순간을 알아맞힐 수 없으며 감정이 그 순간을 포착하는 일도 드물다.

내 정신이 살면서 어떻게 만개하였는가 하는 최고의 비밀에 관해 이 문집은 아무 언급이 없다. 그래서 나는 피식 웃지 않을 수 없었다. 책에 실린 것은 죄다 맞지만, 본질이 빠져 있다. 이 책은 나를 서술할 뿐, 내 목소리를 들려주진 않는다. 나에 관해 말할 뿐, 나를 제대로 드러내지 않는다. 꼼꼼히 모아놓은 색인에는 200개의 이름이 실려 있다. 그런데 한 이름이 빠져 있다. 모든 창조적 충동의 원천이었으며 나의 운명을 결정지었던 사람의 이름 말이다. 그가 지금 다시 곱절의 힘으로 나를 내 젊은 시절로 불러내고 있다. 온갖 사람들이 다 거론되었지만 정작 내게 언어를 주고, 내 언어에 자신의 숨결을 불어넣은 사람은 거론되지 않는다니! 문득 이처럼 비겁하게 침묵해 온 것이 죄스럽게 느껴진다. 나는 평생 사람들의 초상을 그려 왔고 수백 년 전 인물들을 현대적 감각에 맞게끔 생명력을 불어넣었다. 그런데 내게 그 누구보다도 가까이 있는 그를 나는 단 한 번도 기리지 않았다. 그런 만큼 나는 그에게, 그리운 그림자가 되어버린 그에게, 호메로스 시절에 그랬듯이, 나 자신의 피를 먹여 그가 다시 내게 말을 걸게 만들어서 오래전에 고인이 된 노인을, 마찬가지로 노인이 된 내 곁에 모시려고 한다. 학술서를 옆에 두고 감정을 토로함으로써 이 공적인 문집에 비밀문서를 끼워 넣으려 한다. 그를 위해 내 청춘의 진실을 이야기하려 한다.

이야기를 시작하기 전에 다시 한번 내 삶을 담고 있다고 표방하는 책을 들춰본다. 다시금 웃음이 피식 나온다. 출발점을 잘못 택했는데 어떻게 내 내면의 참된 본질에 도달할 수 있겠는가? 첫 걸음부터 벌써 틀렸지 않은가! 나처럼 추밀고문관이 된 동창생은 나를 위한답시고, 내가 고교 시절부터 인문학에 대한 열렬한 사랑을 품고 있었기에 다른 학생들보다 빼어났다는 황당한 이야기를 하고 있다. 여보게 추밀고문관, 자네 기억이 틀렸네! 내게 인문학이라는 것은 죄다 이를 갈고 거품을 물며 힘겹게 견디어 내야 하는 속박이었네.

북부 독일 소도시의 인문 고등학교 교장 선생이신 아버지가 자나 깨나 교양을 생업으로 삼아 몰두하는 걸 보아온 나는 어린 시절부터 어문학이라면 진저리가 났다. 자연은 항상 창조성을 유지하려는 본연의 과제에 걸맞게, 자식이 아버지의 성향을 거부하고 조롱하게끔 만든다. 자연은 고분고분하고 나약한 상속자가 가업을 이어받아 한 세대에서 다음 세대로 계속 유지해나가는 것을 원치 않는다. 늘 자연은 같은 부류의 사람들이 초반에는 대립하게끔 부추기고는 후계자가 우회로를 힘겹게 거친 후에야 선조가 닦아놓은 길에 들어서도록 허락한다. 학문을 신성시하는 아버지와는 달리 나는 학문이란 개념들로 궤변을 늘어놓는 것에 불과하다고 여겼다. 아버지는 일류 문호들을 규범으로 떠받드셨지만 내 눈에 그들은 훈계만 늘어놓는 가증스러운 존재였다. 온통 책으로 둘러싸였던 나는 책을 경멸했다. 항상 아버지는 정신을 연마하라고 강요하셨지만 나는 문자로 전해 내려온 온갖 형태의 교양에 반발했다. 그렇게 가까스로 고등학교 졸업 시험까지 버텨낸 나는 당연하게도 학업을 계속할 것을 격렬히 거부했다. 나는 장교나 선원, 아니면 엔지니어가 되고 싶었다. 그중 어느 하나에도 대단한 호감을 품고 있지는 않았지만, 종이에 쓰인 글과 학문의 가르침에 대한 반감 때문에 대학 공부보다는 실용적인 활동을 하려 들었다. 하지만 대학교육에 대해 광적인 경외심을 품으신 아버지는 대학 공부만큼은 마쳐야 한다는 주장을 굽히지 않으셨다. 그래서 나도 고집을 꺾고 고전 어문학 대신 영어영문학을 전공하기로 타협하는 수밖에 없었다. 내가 이 절충안을 받아들인 것은 해양 활동에 쓰이는 영어를 배워두면 간절히 원하는 선원 생활을 시작하기가 수월할 거라는 꿍꿍이속에서였다.

그런 만큼 내가 베를린 대학 첫 학기에 훌륭한 교수진의 지도 덕분에 어문학의 기초를 닦았다는 호의에 찬 소개문처럼 황당한 말은 또 없을 것이다. 당시의 나는 자유에의 열망에 마냥 들떠 있었으니 강의나 교수 따위를 거들떠보기나 했겠는가! 처음으로 대학 강당에 들어가 보니 공기에서는 곰팡내가 났고 거들먹대는 교수가 따분한 설교조로 강연을 하고 있었다. 절로 나른해지며 졸음이 밀려드는 바람에 머리를 꼿꼿이 세우려고 안간힘을 써야 했다. 운 좋게 학교를 빠져나왔다고 믿었는데 다시금 높은 교단이 있는 교실에서 글자 하나하나를 따지고 드는 옹졸한 무리를 마주하다니! 높으신 교수님의 우물대는 입술에서는 너덜너덜한 공책에 적힌 말들이 마치 모래알처럼 찔끔찔끔 한결같은 속도로 새어 나와 둔탁한 공기와 뒤섞였다. 소년 시절 내가 어쩌다가 사상가들의 시체를 모아둔 장소에 걸려들어서 시체들이 아무런 감정도 없는 손에 의해 이리저리 헤집어지며 해부당하는 것을 보고 있다는 의심을 한 적이 있었는데, 이미 골동품이 된 고리타분한 학문을 다루는 공간에 들어서니 그 의심이 다시 들며 등골이 오싹했다.

가까스로 수업을 마치고 베를린 거리로 나서자마자 나의 방어본능이 후끈 달아올랐다. 당시의 베를린은 놀라울 만큼 급속도로 성장 중인 도시였다. 갑자기 솟구치는 남성성에 우쭐해진 청년처럼 거리의 돌조각 하나까지 불꽃을 튀겼기에 베를린에 사는 사람 모두는 어지러울 만치 요동치는 속도에 적응해야 했다. 기세등등해서 욕망에 넘치는 이 도시는 얼마 전에야 자신이 남자임을 깨닫고 거기에 흠뻑 취한 나와 똑 닮아 있었다. 베를린과 나, 이 둘은 개신교의 질서가 지배하는 숨통 막히는 소시민 세계를 단숨에 뛰쳐나와, 원하는 것을 할 수 있는 권능을 처음 만끽하며 너무 빨리 거기 심취해버렸다는 공통점이 있었다. 충동적 젊은이였던 내가 그랬듯, 베를린 역시 조바심치며 동력 발전기처럼 부릉대고 있었다. 그때처럼 베를린을 이해하고 사랑한 적은 또 없었다. 인간군상이 서로 녹아드는 뜨끈뜨끈한 벌집과도 같은 이 도시에서 내 안의 모든 세포는 단숨에 팽창하려고 아우성쳤다. 강인한 청춘은 조급한 법이다. 뜨겁게 달아오른 거대한 여자인 양 꿈틀대는 이 도시, 초조해하며 힘을 뿜어내는 베를린의 품 안이야말로 성급한 청년이 마음껏 날뛸 수 있는 최적의 장소가 아니었던가!

베를린은 단숨에 나를 잡아당겼고, 나는 온몸으로 이 도시의 혈관 깊숙이까지 파고들었다. 나는 호기심에 가득 차서 온통 돌로 지어졌으면서도 따듯한 도시의 몸뚱이를 성급히 더듬고 다녔다. 이른 아침부터 한밤중까지 거리를 쏘다녔고 호수들을 찾아 나섰고 베를린의 으슥한 구석들을 염탐하고 다녔다. 정말이지 정신 나간 사람처럼 공부는 아예 제쳐두고 새로운 것을 찾아 활기찬 모험에 빠져든 것이다. 내가 이토록 과도하게 몰두했던 건 내 유별난 천성 때문이다. 어릴 적부터 난 두 가지를 동시에 하는 능력이 없어서 하나를 잡는 순간 다른 일은 전혀 눈에 들어오지 않았다. 언제 어디서건 격렬히 일직선으로 파고드는 성격이라서 지금도 연구를 할 때면 광적으로 한 문제에 집착하며 마지막까지, 그 문제의 궁극적인 핵심을 거머쥐기 전까지는 내려놓지를 못한다.

베를린 시절의 나는 자유의 감정에 흠뻑 취한 상태라서 잠시 강의 시간에 갇혀 있는 것은 물론이고 내 방에 틀어박혀 있는 것조차 견딜 수 없었다. 모험으로 이어지지 않는 일은 죄다 시시해 보였다. 이제 막 굴레를 벗어난 풋내기 시골 청년은 제대로 사내 대접을 받으려고 힘껏 자신을 옥죄었다. 지인들의 모임에 끼어들어서는 본래 소심한 성격을 감추고 뻔뻔하고 유들유들한 건달행세를 하려 들었다. 베를린에 온 지 채 여드레가 못 되어서 대도시에 사는 대독일제국 시민이 되어버린 나는 카페 구석에 죽치고 앉아 상스럽게 기지개를 켜는 법을 놀랄 만큼 빨리 배웠다. 한마디로 저질 코미디에 나오는 으스대는 바보 병정 노릇을 익힌 셈이었다. 이처럼 사내답게 군 건 당연히 여자들 때문이었고, 굳이 오만방자한 대학생의 표현을 쓰자면 계집들 때문이었다. 운 좋게도 나는 빼어나게 잘생긴 청년이었다. 훤칠한 키에 날씬한 데다가 빰은 바닷물에 씻긴 청동처럼 은은히 빛났고 몸놀림은 운동선수처럼 날렵했기에 실내의 탁한 공기에 찌들어 삐쩍 마르고 얼굴이 누렇게 뜬 상점 점원들 따위는 내 경쟁상대가 되지 못했다. 그들 역시 우리 대학생들처럼 일요일마다 – 당시에는 교외였던 – 할렌제나 훈데켈레에 있는 댄스홀로 여자를 찾아 나서곤 했다. 한번은 메클렌부르크 출신의 하녀를 알게 되었는데 우윳빛 피부에 금발 머리였다. 휴가를 받아 고향으로 가기 전 내 춤 상대가 되었는데 춤에 몸이 후끈해진 나는 그녀를 내 하숙방으로 끌어들였다. 포젠 출신의 자그마한 유대 여자도 사귀었는데 티츠 백화점의 양말 판매원이었고, 다소 부산스럽고 예민한 성격을 가진 아담한 유대인 여자를 만난 적도 있었다. 대개는 쉽게 정복한 여자들인 만큼 가볍게 즐기다가 친구들에게 넘기곤 했다. 얼마 전까지만 해도 겁 많던 생도는 예상 밖으로 쉽게 여자를 얻을 수 있다는 사실이 경이롭고 황홀했다. 대단치 않은 성공에 나는 점점 대담해졌고 어느새 길거리는 재미 삼아 닥치는 대로 여자를 낚는 사냥터가 되어버렸다.

한번은 웬 예쁜 아가씨를 따라가다 보니 운터덴린덴• 거리였고 정말 우연히 대학교 앞에 서게 되었다. 얼마나 오랫동안, 이 존엄한 문턱에 발을 들여놓지 않았나 생각하니 웃음이 나왔다. 장난기가 든 나는 뜻이 맞는 친구와 함께 안으로 들어갔다. 슬며시 문을 열고 들여다보니 150명가량의 학생이 앞으로 몸을 숙이고 앉아서 공책에 끄적거리고 있었는데 그 꼴이 마치 암기한 경전을 지루하게 읊조리는 백발노인을 앞에 두고 기도를 드리는 것 같아서 우스꽝스럽기 그지없었다. 나는 다시 문을 닫고는 교수의 혼탁한 언변이 부지런한 학생들에게 스며들도록 내버려 둔 채 친구와 함께 기세 좋게 햇빛 넘치는 거리로 나섰다.

당시의 나처럼 몇 달을 허송세월한 젊은이는 둘도 없을 거라는 생각이 종종 든다. 나는 책 한 권 읽지 않았고 이치에 맞는 말 한마디 한 적이 없으며 제대로 된 생각도 하지 않았고 교양과 관련된 모임은 죄다 본능적으로 피했으니까 말이다. 잠에서 깨어난 나의 몸은 여태 금지되었던 신선한 자극을 더욱 강렬히 느끼고 싶어 했다. 이처럼 제멋에 흠씬 취해서 자신을 망가트리며 난동을 부리느라 시간을 허비하는 것은 어찌 보면 원기 왕성한 청춘이 갑자기 자유를 누리는 경우 필연적인 일일 수도 있다. 하지만 나는 지독한 광기로 방탕한 생활을 이어갔기에 위험한 상태였다. 어떤 우연이 단번에 정신의 몰락을 멈추지 않았더라면 완전히 신세를 망치거

• 베를린의 중심가에 있는 이 거리에는 1809년부터 훔볼트 대학이 자리잡고 있다.

나 아니면 멍청이가 되어 살아갔을 것이다.

우연히도 – 오늘날 나는 그 우연을 행운이었다고 감사해한다 – 아버지는 예정에 없이 교장 회의 참석차 베를린 교육청에 오시게 되었다. 아버지는 교육 전문가답게 출장을 핑계로 아무런 통보 없이 무방비 상태의 나를 덮쳐서 내 행실을 점검하려 하셨다. 기습은 대성공이었다. 나는 북쪽에 있는 싸구려 하숙방에 살았는데 방에 들어오려면 주인아주머니의 부엌을 거쳐야 했고 커튼 하나가 부엌과 통로를 나누고 있었다. 저녁에는 여자를 데려와 은밀한 시간을 보내는 일이 잦았는데 그날도 여자와 함께였다. 그런데 문 두드리는 소리가 들렸다. 친구가 왔거니 싶어서 통명스럽게 대꾸했다. "방해하지 말라고." 그런데도 잠시 후 문 두드리는 소리가 한 번, 두 번 반복되더니 급기야는 더는 참을 수 없다는 듯 누군가가 문을 또 두들겼다. 나는 화가 잔뜩 나서 뻔뻔한 훼방꾼을 야멸차게 쫓아버리려고 바지를 꿰어 입고는 셔츠를 대강 걸쳤다. 바지 멜빵을 아래로 덜렁대며 맨발로 문을 열어젖히는 순간, 어두컴컴한 현관에 아버지의 실루엣이 보였다. 주먹으로 정수리를 얻어맞은 듯이 정신이 번쩍 들었다. 아버지의 얼굴은 그늘져 있어서 빛을 받아 반짝이는 안경 말고는 아무것도 보이지 않았지만, 아버지의 실루엣을 본 순간 훼방꾼에게 내뱉으려 했던 거친 말은 날카로운 가시처럼 내 목구멍에 박혔다. 잠시 나는 꼼짝을 못하고 서 있었다. 얼마나 끔찍한 순간이었던가! 그러고는 아버지께 방을 정리할 때까지 잠시 부엌에서 기다려 달라고 공손하게 부탁했다. 이미 말했듯이 아버지의 얼굴을 볼 수는 없었지만, 상황을 이해하셨음을 느낄 수 있었다. 아버지는 아무 말씀 없이 자제하시며 내게 손도 건네지 않은 채 불쾌한 표정으로 커튼을 들추고 부엌으로 들어가셨다. 늙으신 아버지는 커피를 데우고 무를 졸이는 냄새가 풀풀 나는 철제 화덕 앞에 10분을 서서 기다리셔야 했다. 나와 아버지 모두에게 굴욕스러운 10분이었다. 나는 침대 속 여자를 독촉해 옷을 입게 하고는 방 밖으로 몰아냈는데 아버지는 어쩔 수 없이 그 소리를 들으셨을 거다. 여자가 발걸음을 떼며 서둘러 나가느라 커튼 주름이 찰랑거리는 걸 놓치셨을 리 없다. 그러고 나서도 나는 늙은 아버지를 그 치욕적인 은닉처에서 모셔올 수 없었다. 침대 꼴이 한눈에 보아도 무얼 하던 중인지 알아차릴 정도여서 정돈을 해야 했다. 그런 후에야 아버지께 갔다. 내 평생 그토록 수치스러웠던 적은 없었다.

아버지는 그 힘든 순간에도 자제력을 잃지 않으셨다. 지금도 그러셨던 아버지께 진심으로 감사드린다. 학생 시절의 나는 아버지가 오류를 수정하는 기계 같은 존재이며, 끊임없이 흠을 잡으며 정확성에 목을 매는 좀생원이라고 무시하곤 했지만, 이제 오래전에 별세하신 아버지를 떠올릴 때면 그런 면모를 기억하지 않으려 한다. 대신에 아버지가 가장 인간적이었던 순간을, 몹시 역겨우신 것을 꾹 참으시며 나를 따라 어수선한 방으로 들어오시던 그때의 모습을 떠올린다. 모자를 쓰시고 손에는 장갑을 끼고 계셨는데 습관처럼 모자와 장갑을 벗어서 내려놓으려 하시다가 역겹다는 듯 움츠리셨다. 당신의 일부분이 더러운 것들과 닿는 일을 못 견뎌하시는 듯했다. 앉으시라고 권했지만, 아버지는 아무런 대답 없이 이 방에 있는 것들과는 털끝도 스치고 싶지 않다는 듯이 손을 내저으셨다.

한동안 등을 돌리고 싸늘하게 서 계시던 아버지는 마침내 안경을 벗으시더니 꼼꼼히 닦으셨다. 당황했을 때 하시는 행동이었다. 다시 안경을 쓰시면서 손등으로 눈을 닦으시는 게 언뜻 보였다. 아버지는 내 앞에서 부끄러워하셨고 나도 아버지 앞에서 부끄러웠기에 아무도 말을 꺼내지 못했다. 사실은 아버지가 낭랑한 목소리로 미사여구가 가득한 장황한 설교를 시작하실까 봐 겁이 났다. 학생 시절 그런 설교를 얼마나 증오하고 비웃었던가! 하지만 아버지는 고맙게도 아무 말씀도 하지 않으셨고 나를 보려고도 하지 않으셨다. 잠시 후 내 교재가 꽂혀 있는 허름한 책장으로 가셔서는 책을 펼치셨다. 손때가 전혀 타지 않았고 대부분 펼쳐본 적도 없다는 걸 단번에 알아채신 게 분명했다. "강의 노트를 보자!" 아버지가 처음으로 입을 여셨다. 나는 떨면서 노트를 건넸다. 거기에는 딱 한 시간 분량의 강의 내용만이 갈겨쓴 글씨로 적혀 있었다. 아버지는 두 쪽짜리 필기를 대강 훑어보시고는 조금도 흥분한 기색 없이 공책을 책상 위에 올려놓으셨다. 그러고는 의자를 당겨 앉으시더니 진지하게 나를 보시며, 나무라는 대신 이렇게 물으셨다. "자, 너는 이 일을 어떻게 생각하니? 이제 어떻게 할 작정이냐?"

이 차분한 물음에 나는 무너져 내렸다. 내 안의 모든 것이 경련을 일으켰다. 아버지가 나를 꾸짖으셨더라면 버릇없이 대들었을 것이고, 감상적인 훈계를 늘어놓으셨다면 비웃었을 것이다. 하지만 곧장 핵심을 파고드는 물음에 내 반항심은 꺾여버렸다. 진지한 물음에는 진지하게 대답해야 했고, 애써 평정을 유지하시는 아버지를 존중하고 마음의 각오를 다질 수밖에 없었다. 내가 어떻게 대답했는지 기억을 되살릴 엄두가 나지 않고, 그러고 나서 이어진 대화를 여기 옮겨 적는 것도 무의미하다. 갑작스러운 충격 내지는 감정의 폭발 같은 것에 관해 보고하면 감상적으로 들릴 게 분명하고, 돌연 감정이 격앙된 상태에서 두 사람이 은밀히 나눈 말들은 오직 그 상황에서만 진실로 와닿기 때문이다. 내가 아버지와 대화다운 대화를 나눈 것은 그때가 처음이었다. 나는 몸을 낮추고 주저 없이 모든 결정을 아버지께 맡겼다. 하지만 아버지는 내게 조언만 하셨다. 베를린을 떠나서 다음 학기부터 작은 대학에서 공부하라고 권하시며 이제부터 열심히 공부하면 그동안 놓친 것을 따라잡을 수 있다고 날 위로하기까지 하셨다. 아버지가 보여주신 신뢰에 마음이 뭉클했다. 이 짧은 순간, 차가운 격식 속에 갇혀 살아온 늙은 아버지를 지금껏 오해하며 잘못을 저질렀다는 걸 깨달았다. 두 눈에서 뜨겁게 솟아나는 눈물을 막으려고 나는 입술을 질끈 깨물어야 했다. 아버지도 비슷한 감정을 느끼셨던지 갑자기 내게 손을 내미시더니 잠시 떨면서 내 손을 쥐고 계시다가 황급히 밖으로 나가버리셨다. 나는 감히 따라 나가지도 못하고 어쩔 줄 몰라 당황하며 손수건으로 입술에 묻은 피를 닦았다. 감정을 억누르느라 이빨로 입술을 꽉 깨물고 있었기 때문이다.

이렇듯 나는 열아홉 살에 최초로 충격적인 일을 경험했다. 3달에 걸쳐 수컷의 성욕과 대학생의 치기, 그리고 자만심이라는 재료로 쌓아 올린 나의 휘황찬란한 모래성은 꾸지람 한번 듣지 않고도 이 일로 인해 와르르 무너져 내렸다. 이제는 내 의지력으로 저급한 향락을 포기할 수 있으리라는 확신이 들었다. 헛되이 낭비한 힘을 정신적인 것에 쏟아 보고 싶어서 조바심이 났다. 진지함과 냉철함, 규율과 엄격함이 몹시도 그리웠다. 이 무렵 나는 몸 바쳐 헌신하는 수도승처럼 학문에 전념하겠다고 맹세했다. 학문 안에서 고귀한 향락이 나를 기다리고 있으며, 정신의 드높은 세계에서도 무절제한 사람은 모험과 위험을 맞닥뜨리게 된다는 걸 전혀 예감하지 못한 채 말이다.

아버지의 동의를 받고 다음 학기를 보내기로 선택한 곳은 중부 독일에 있는 소도시였다. 학계에서는 알아주는 대학이 있었지만, 그 명성에 전혀 어울리지 않게도 몇 채 안 되는 볼품없는 건물들이 대학 캠퍼스를 빙 에워싸고 있는 곳이었다. 나는 일단 역에 짐을 맡겨놓고 물어물어 쉽사리 대학을 찾아갔다. 고색창연하고 널찍한 건물에 들어서니 이곳에서는 혼잡한 베를린에 비해 신경 쓸 일이 훨씬 적을 거라는 느낌이 들었다. 두 시간 만에 수강 신청을 마치고 교수들 대부분을 찾아뵈었지만 내가 공부할 영어영문학의 정교수만은 뵙지 못했다. 알아보니 오후 4시 세미나 시간에 그분을 뵐 수 있다고 했다.

이전에 학문을 어떻게든 멀리하려 했던 나는 이제는 학문을 향해 매진하려는 열정에 사로잡혔기에 단 한 시간도 허수히 보내지 않으려 조바심을 쳤다. 베를린과 비교하면 잠에 취해 있는 듯한 소도시를 대충 돌아본 후 4시 정각에 지정된 장소로 갔다. 수위가 세미나실을 알려 주었다. 문을 두드리자 안에서 대답하는 소리를 들은 듯해서 안으로 들어갔다.

하지만 그건 내 착각이었을 뿐, 아무도 내게 들어오라고 하지 않았다. 내가 들은 불분명한 소리는 열정적으로 연설을 하는 교수의 음성일 뿐이었다. 교수는 빽빽이 선 20여 명의 학생에 둘러싸여서 즉흥 연설을 하는 듯했다. 착각하고 허락 없이 들어선 나는 난처해하며 조용히 다시 나가려고 했지만 그러다가는 외려 눈에 띌까 봐 겁이 났다. 지금까지는 청중 중 아무도 내가 들어온 것을 알아채지 못했기 때문이었다. 그래서 나는 문 옆에 서서 어쩔 수 없이 연설을 듣게 되었다.

선생과 학생들이 격식 없이 아무렇게나 자리 잡은 모양새로 보아서 학문적 대화를 나누며 토론을 벌이다가 자연스럽게 선생의 연설로 이어진 듯했다. 교수는 멀찍이 놓인 소파에 앉아 강의하는 대신 소년처럼 책상 위에 턱 걸터앉아 다리를 가볍게 덜렁거리고 있었고 주변에는 젊은이들이 무심한 자세로 삼삼오오 모여 있었다. 느슨히 선 젊은이들은 흥미롭게 연설을 듣느라 그만 조각처럼 부동의 자세로 굳어진 듯했다. 다들 대화를 나누며 서 있다가 갑자기 선생이 책상 위로 올라앉아서는 높아진 위치에서 언어로 된 올가미를 던져서 학생들을 자신에게로 당기며 그 자리에서 꼼짝 못하게 만들었다는 걸 짐작할 수 있었다. 나 역시 불과 몇 분 만에 불청객이라는 사실을 까맣게 잊고서 자석에 끌리듯 그의 연설의 강렬한 매력에 빨려들었다. 말을 하는 동안 양손을 뻗어 아치를 그리는 그의 독특한 제스처를 보고 싶어서 나는 어느새 가까이 다가갔다. 어떤 단어를 강조하며 내뱉을 때 그는 마치 날개를 펼치듯 양손을 꿈틀대며 들어 올렸다가, 고조된 음악을 진정시키는 지휘자처럼 천천히 율동적으로 내려놓았다. 연설이 점점 더 격정적으로 흘러가자, 고무된 연사는 질주하는 말 등을 딛고 일어서듯, 딱딱한 책상 위에 날렵하게 올라섰다. 그리고는 섬광과도 같은 비유들을 쏟아내며 쉴 새 없이 사상의 세계를 폭풍처럼 날아다녔다. 이제껏 이토록 열광적으로, 진정 황홀하게 말하는 사람을 본 적이 없었다. 처음으로 고대 로마인이 랍투스•라고 부르는 것, 다시 말해 한 인간이 누군가에 안겨 자신의 경계를 넘어 이동하는 상태를 체험한 것이었다. 그의 바삐 움직이는 입술은 자신이나 다른 사람을 위해서 말하지 않았다. 그 입술에서 나오는 말들은 내면에 불이 붙은 사람이 뿜어내는 불꽃이었다.

연설이 황홀경일 수 있다니, 열정적 연설이 대자연의 웅대한 힘을 뿜어내다니! 전혀 경험한 적이 없는 일이었다. 이런 뜻밖의 경험에 나는 단번에 매료되었다. 호기심 이상으로 강렬한 힘에 이끌린 나는 최면에 걸린 듯 나도 모르게 몽유병자처럼 휘청대며 모여선 사람들에게 다가갔다. 그러다가 문득 정신을 차리고 보니 어느새 교수와 10인치 거리였고, 학생들 한가운데 서 있었다. 그들은 나처럼 연설에 넋이 빠진 나머지 누군가가 끼어든 것을 전혀 알아채지 못했다. 나는 원래 내용이 뭔지도 모른 채 강연에 빠져들어서 그 흐름에 나를 온통 내맡겼다. 학생 중 하나가 셰익스피어를 돌연 혜성처럼 나타난 존재라고 칭송하자 우뚝 선 교수는 그 말에 발끈해서는 셰익스피어는 한 시대를 가장 강력히 표현하며 시대의 영혼을 대변하는 존재이며 열정이 넘치던 시대를 구체적으로 구현하고 있음을 보여주고자 했다. 한달음에 그는 잉글랜드의 위대한 시대를 단 한 번 있는 절정의 순간으로 그려냈다.

“모든 인간의 삶에서 그렇듯, 한 민족의 삶에도 예고 없이 절정

• raptus 라틴어. 정신병리학적 증상으로 순간적으로 밀려드는 긴박한 흥분 상태를 뜻한다.

의 순간이 단 한 차례 들이닥치곤 합니다. 그러면 온갖 힘들이 한데 뭉쳐서 강력한 한 방을 날리게 되고 그렇게 해서 그 순간은 영원성을 획득합니다. 신대륙이 발견되고 가장 오래된 권력인 교황권이 무너질 위기에 처하면서 지구는 갑자기 넓어졌습니다. 스페인의 무적함대 아르마다가 풍랑에 산산조각이 난 후 드넓은 바다가 잉글랜드의 것이 되면서 새로운 가능성이 꿈틀댑니다. 세계가 늘어나면서 인간의 영혼 역시 거기에 맞춰 늘어날 채비를 합니다. 영혼 역시 늘어나려 하고 선악을 불문하고 갈 데까지 가보려 합니다. 스페인의 신대륙 개척자들이 그랬듯이 발견하고 정복하려 듭니다. 이제 새로운 언어와 새로운 힘이 필요하게 됩니다.

새 언어를 구사하는 시인들이 불과 10년 사이에 50명, 아니 100명이나 불쑥 등장합니다. 이전의 고분고분한 궁정 시인들과는 달리, 목가적인 정원을 가꾸며 고매한 신화를 읊조리려 들지 않는, 거친 말썽꾸러기들입니다. 예전의 극장은 짐승을 몰아대는 잔인한 오락을 위해 판자때기로 지은 가설무대였는데 시인들은 그런 극장을 차지하고는 장렬한 싸움을 보여줍니다. 그들의 작품에서는 피비린내가 코를 찌릅니다. 인간의 감정이 굶주린 맹수처럼 사납게 날뛰며 서로를 덮친다는 점에서 그들의 희곡이 곧 고대 로마의 키르쿠스 막시무스• 인 셈입니다. 열정에 불타는 심장은 사자처럼 날뛰며 거칠고 사납게 상대를 제압하려 듭니다. 그들이 다루지 않는 것은 없습니다. 근친상간, 살인, 배신, 강도를 비롯하여 인간의 온갖 무절제한 행위들이 작품 안에서 득실대며 광란의 축제를 벌

• Circus maximus, 로마에 있는 최대의 전차 경기장이자 대중오락 시설을 말한다. 6세기 말까지 운영되었다.

입니다. 굶주린 야수들이 철창을 뚫고 뛰쳐나오듯, 인간의 열정이 무시무시하게 으르렁대며 판자때기로 에워싼 원형 경기장을 덮칩니다. 딱 한 번 불이 붙으며 50년 동안 폭죽이 터진 셈입니다. 인간의 열정은 피를 철철 흘리며 정액을 흩뿌리는 야수가 되어 전 세계를 거머쥐고 갈가리 찢어놓습니다. 완력이 난무하는 이 축제에서는 개인의 목소리나 형상은 두드러지지 않습니다. 모두 상대를 부추기고 상대에게서 배우고 훔치며 상대를 능가하고 제압하려고 싸우지만, 모두가 단 한 차례의 축제에 동원된 정신의 검투사에 불과합니다. 사슬에서 풀려난 노예들이 시대정신이 휘두르는 채찍에 내몰려 앞으로 돌진한 겁니다.

시대정신은 변두리의 허름하고 침침한 방구석이건 궁전이건 가리지 않고 사람들을 죄다 끌어냅니다. 미장이의 손자 벤 존슨, 신발 수선공의 아들 말로, 시종의 후예인 매신저, 부유하고 박식한 정치인 필립 시드니 같은 이들을 그렇게 끌어냅니다. 이 시인들은 모두 엄청난 소용돌이에 휘말리게 됩니다. 키드나 헤이우드처럼 오늘은 칭송받다가 다음날에는 몹시도 비참한 죽음을 맞이하는 이들도 있고 스펜서처럼 킹스트리트에서 굶어 죽는 이도 있습니다. 다들 깡패, 뚜쟁이, 어릿광대가 아니면 사기꾼 같은 견실하지 못한 인물들이지만 모두가 시인입니다. 하나같이 시인이고 속속들이 시인입니다. 셰익스피어는 그들의 중심에서 '시대 그 자체와 시대의 몸통'• 을 구현하고 있을 뿐입니다. 하지만 그를 별도로 취급할 여유가 없을 정도로 소란스러운 일들이 연이어 벌어지고 정열

• 셰익스피어의 비극 『햄릿』, 제3막 2장에 나오는 대사이다.

에 넘치는 작품이 풍성하게 쏟아집니다.

그런데 이토록 장엄하게 솟아올랐던 인류는 갑자기 비틀대더니 도로 쓰러져버립니다. 연극은 끝나고 잉글랜드는 지쳐 주저앉습니다. 다시금 백 년을 템스강의 잿빛 안개가 뿌옇게 정신을 흐려놓습니다. 한 세대 전체가 달려들어 가장 숭고한 정열과 가장 비천한 정열을 모조리 겪은 후, 끓어 넘치는 광기 서린 영혼이 가슴에서 피를 토해낸 후-이제 잉글랜드는 지쳐 쓰러집니다. 철자 하나하나를 따지고 드는 청교도들이 극장을 폐쇄함으로써 열정적인 연설도 끝이 납니다. 성경이 다시 언어를 지배하며 언어는 곧 신의 언어가 되어버립니다. 모든 시대를 통틀어 가장 인간적인 언어로 가장 통렬한 참회가 행해졌고 정열에 불타는 한 세대가 수천 세대의 삶을 한꺼번에 살았던 바로 그 땅에서 말입니다."

연사는 갑자기 우리에게 직접 말을 걸며 불꽃 튀는 연설을 이어갔다. "어째서 내가 이 수업을 역사적 순서대로 출발점에 있는 아서왕과 초서•에서 시작하지 않고 통례를 거스르며 엘리자베스 여왕 시대부터 시작하는지 여러분은 이제 이해합니까? 여러분이 이 시대의 작가들과 친숙해지고 가장 생동감 있는 작품들을 몸소 체험하기를 내가 절실히 바란다는 것을 이해합니까? 체험이 없으면 인문학적 이해는 없으며, 가치를 깨닫지 못하면 단어의 문법을 따지는 것은 무의미합니다. 젊은 여러분은 당신들이 정복하고자 하는 나라와 언어를 우선 가장 아름다운 형태로 만나야 합니다. 힘에 넘쳐 극도의 정열을 내뿜는 청년의 모습을 한 잉글랜드를 보

• Geoffrey Chaucer(1342~1400). 영국의 작가이며 대표작으로 『캔터베리 이야기』가 있다.

아야 합니다. 여러분은 먼저 시인의 언어를 들어야 합니다. 언어를 창조하고 완성하는 건 시인들이니까요. 시문학을 해부하기 전에 먼저 그것을 호흡하며 가슴으로 뜨겁게 느껴야 합니다. 그런 까닭에 나는 항상 문학의 신들부터 다룹니다. 잉글랜드는 곧 엘리자베스 여왕이고, 셰익스피어이며, 셰익스피어의 추종자이기 때문입니다. 이전의 모든 것은 준비 단계에 불과하며 이후의 모든 것은 무한을 향한 대담한 도약을 따라잡으려고 절뚝거리며 뒤쫓는 행위에 불과합니다. 이 세계에서 가장 생동감이 넘치는 청춘을 셰익스피어 시대에서 몸소 느껴보십시오. 모든 현상과 모든 인간은 불타오를 때만, 정열에 휩싸일 때만 인식될 수 있습니다. 모든 정신은 피를 먹고 자라며 모든 사상은 정열에서, 모든 정열은 열광에서 솟아나기 때문입니다. 그러니 셰익스피어와 그의 동시대인들을 먼저 다룹시다. 그들은 젊은 제군들을 진정한 의미로 젊게 만들 것입니다! 먼저 감동하고 그러고 나서 열심히 공부하시오! 단어 공부에 앞서서 이 세계가 보유한 가장 찬란한 경전인 바로 그분, 최고 존엄이신 셰익스피어를 체험하시오!"

"자, 오늘은 이만합시다. 안녕히들 가시오!" 그는 손으로 아치를 그려 돌연 마무리 제스처를 취하며 위풍당당하게 단숨에 흐름을 끊고는 책상에서 뛰어내렸다. 빽빽이 모여 꼼짝 않던 학생들이 마치 보이지 않는 끈에서 풀려난 듯 다들 몸을 뒤척이며 흩어졌다. 의자가 삐걱대고 덜컹거렸고 책상이 밀려났다. 굳게 닫혀 있던 스무 명의 입이 한꺼번에 말하고 헛기침을 하며 마음껏 숨을 들이마시기 시작했다. 마법의 힘이 학생들의 입술을 봉해놓을 정도로 대단했다는 것을 알 수 있었다. 모두가 비좁은 공간에서 이리저리 움직이면서 이제 분위기는 더욱더 뜨겁게 달아올랐다. 몇몇 학생은 감사의 말 따위를 하기 위해서 선생에게 다가갔고 나머지는 상기된 얼굴로 자신들이 받은 인상에 관해 이야기했다. 맹숭맹숭 서 있는 사람은 아무도 없었다. 다들 전기에 감전된 듯 충격에서 헤어나지 못한 상태였다. 전류가 갑자기 끊겼는데도 그 숨결과 열기가 압축된 공기 안에서 바스락거리는 듯했다.

나는 꼼짝도 할 수 없었다. 심장을 찔린 느낌이었다. 나는 천성이 열정적이어서 온갖 감각이 맹렬히 작동해야만 무엇이든 깨우치곤 했는데, 처음으로 한 인간에게, 한 선생에게 사로잡혀서는 그의 탁월한 권능 앞에 고개를 숙임이 나의 의무이자 기쁨임을 느꼈다. 혈관이 달아올랐고 호흡이 점점 가빠지더니 빠른 박자의 진동이 내 몸을 탕탕 때리며 마디마디를 빠르게 파고들었다. 드디어 나는 더는 참지 못하고 그의 얼굴을 보려고 천천히 맨 앞줄로 갔다. 이상하게 들리겠지만 그가 말하는 동안에는 연설이 그의 얼굴을 삼켜버렸기에 그의 이목구비는 내게 낯설었다. 앞줄에서도 그의 옆모습만 흐릿하게 보였다. 그는 저무는 햇살이 비치는 창가에 서서 한 학생에게 몸을 반쯤 돌리고는 학생의 어깨 위에 다정하게 손을 올려놓았다. 이런 사소한 동작에도 교직원에게서는 도저히 찾아볼 수 없으리라 여겼던 진정성과 품격이 서려 있었다.

그러는 사이 몇몇 학생들이 나의 존재를 알아챘다. 나는 무례한 불청객으로 오해받지 않으려고 교수 쪽으로 몇 발짝 다가가서 대화가 끝나기를 기다렸다. 이제야 그의 얼굴을 제대로 볼 수 있었다. 대리석으로 조각된 로마인의 머리인 양 둥그런 이마는 빛났고 희끗희끗한 머리카락이 양편으로 풍성하게 물결치고 있었다. 얼굴

윗부분은 사상가다운 골격이고 대담한 인상을 물씬 풍겼지만 깊이 팬 눈 밑부터는 매끄러운 곡선으로 된 턱과 바르르 떨리는 입술 때문에 여인처럼 여려 보였다. 입술은 미소를 머금은 듯하다가 불안한 듯 신경질적으로 일그러지곤 했다. 이마에서 풍기는 남자다운 아름다움은 조금 처진 뺨과 경련하는 입술 때문에 아래로 내려올수록 그 명징함을 잃고 있었다. 그의 얼굴은 첫눈에는 위풍당당해 보였지만 가까이에서 보니 애써 평정을 유지하고 있는 듯했다. 그의 몸가짐 역시 비슷하게 이중적 면모를 보여주었다. 왼손은 얼핏 보면 편안히 책상 위에 놓여 있는 듯했지만, 손가락 마디마디는 파르르 떠는 물결 위에 얹힌 듯 쉴 새 없이 진동하고 있었다. 남자 손 치고는 지나치게 섬세하고 부드러운 손가락이 횅한 책상 위에 뭔지 모를 형상을 초조하게 그리는 동안, 묵직한 눈꺼풀로 덮인 두 눈은 관심을 표명하며 대화 상대를 향하고 있었다. 그가 초조해하는지, 아니면 흥분이 가라앉지 않아서 신경이 가만있지 못하는 것인지는 알 수 없었지만 어쨌든 산만하게 멋대로 요동치는 손은, 지쳤어도 학생과의 대화에 몰두해서 조용히 경청하며 상대의 말이 끝나기를 기다리는 얼굴과는 전혀 어울리지 않았다.

드디어 내 차례가 되자, 나는 다가가서 이름을 말하고 나의 의도를 밝혔다. 그러자 곧 파란 눈동자가 별빛처럼 환히 나를 향해 빛났다. 2, 3초 정도 이 별빛은 무언가를 물어보듯이 내 얼굴을 턱에서 머리카락까지 맴돌았다. 부드럽게 파고들며 관찰하는 그의 눈빛에 내 얼굴이 빨개졌었나 보다. 그는 얼른 미소를 지으며 내가 당황하지 않게끔 말을 이었다.

“그러니까 학생은 내 수업에 등록하겠다는 얘기군요. 그렇다면 자세한 얘기를 나누어야겠는데 미안하게도 지금은 곤란합니다. 당장 처리할 일이 좀 있어서요. 잠시 정문 앞에서 기다리다가 함께 집으로 가며 이야기합시다." 그는 내게 악수를 청했다. 부드럽고 가는 손은 장갑처럼 살포시 내 손가락에 감기더니 곧 다음 차례인 학생을 향했다.

나는 두근거리는 심정으로 정문 앞에서 10분을 기다렸다. 그 동안 공부한 것에 대해 질문을 받으면 무어라 말해야 하나? 일할 때나 놀 때나 문학 따위는 신경조차 쓰지 않았다는 걸 어떻게 털어놓지? 그가 나를 경멸하지는 않을까? 어쩌면 오늘 나를 단번에 사로잡은 불꽃 튀는 모임에서 아예 쫓겨나는 건 아닐까? 그러나 그가 환한 미소를 지으며 서둘러 내게 다가오자마자 모든 걱정은 눈 녹듯이 사라졌다. 그가 캐어묻지도 않았는데 – 그에게는 무엇이든 숨길 수 없었기에 – 나는 첫 학기를 허송세월하며 보냈다고 고백했다. 따듯한 관심이 담긴 시선이 다시금 나를 감쌌다. "휴식도 악곡의 한 부분이죠." 그는 웃으며 용기를 북돋아 주었다. 내가 무식함을 부끄러워하지 않게끔 배려하려는 듯 그는 내게 고향이 어디며 어디에 숙소를 정했냐는 등 내 신상에 관한 것들만 물었다. 아직 방을 구하지 못했다고 말하자 도와주겠다고 나서며 우선 자신이 사는 건물에서 찾아보라고 조언했다. 반쯤 귀가 먹은 노부인이 아늑한 방을 세놓는데 거기 세 들었던 학생들은 죄다 만족해했다는 얘기였다. 그 밖의 일들은 몸소 보살펴 주겠다며, 내가 진지하게 공부를 할 결심이라면 어떻게든 나를 돕는 것을 가장 즐거운 의무라고 여긴다고 말했다.

집에 도착하자 그는 내게 다시 악수를 청하고는 다음 날 저녁 함께 학업계획을 짜게끔 자기 집으로 오라고 했다. 전혀 예상치 못한 호의가 너무나 고마워서 겸손히 그의 손을 맞잡고 당황해하며 모자를 벗어들었지만, 정작 감사 인사를 드리는 것을 잊고 말았다.

당연히 나는 그 건물의 작은 방을 당장 세내었다. 방이 내 맘에 전혀 들지 않았다 하더라도 선생님께 감사하는 순수한 마음만으로 세내었을 것이다. 선생님은 불과 한 시간 동안 다른 사람 모두가 내게 준 것보다 더 많은 것을 주셨기에 이토록 멋진 선생님 가까이에서 살고 싶었기 때문이다. 하지만 방은 마음에 쏙 들었다. 선생님이 사시는 아파트 위층의 다락방인데 박공판이 앞을 막아서 좀 어둡긴 했지만, 창문으로는 이웃집 지붕들과 교회 탑이 시원하게 보였다. 멀리 초록빛 목초지와 그 위를 떠다니는 구름은 고향을 생각나게 했다. 귀가 들리지 않는 자그마한 노부인은 어머니처럼 자상하게 하숙생을 돌봐주었다. 2분 만에 나는 노부인과 합의했고 한 시간 후에 트렁크를 들고 삐걱거리는 나무계단을 올랐다.

그날 저녁 나는 밥 먹는 것도, 담배 피우는 것도 잊은 채 방에 틀어박혔다. 별생각 없이 트렁크에 꾸려 넣었던 셰익스피어의 책을 급히 꺼내 들고는 몇 년 만에 처음으로 바삐 읽기 시작했다. 오후에 들은 강연 때문에 호기심이 활활 타올랐기에 이전과는 다른 태도로 시문학을 읽게 된 것이다. 이제부터의 변화를 어떻게 설명해야 할까? 돌연 글로 된 세계가 내게 활짝 열리며, 단어들은 수백 년 동안 나를 찾아 헤매었다는 듯이 나를 반기며 달려들었다. 셰익스피어의 시구가 넘실대는 불길처럼 나를 휘감으며 내 혈관까지 스며들자 마치 날아다니는 꿈을 꾸듯 몸이 가뿐해지는 느낌이 었다. 나는 경련을 일으키며 몸을 떨었다. 열병에 걸린 듯 피가 점점 더 뜨겁게 요동치는 걸 느꼈다. 지금껏 이런 적은 단 한 번도 없었다. 열정적인 강연을 들은 것 말고는 아무런 일도 없었는데 어찌 된 셈인가! 그의 강연에서 받은 감흥이 아직도 내 속에 남아 있는 게 확실했다. 한 줄을 소리 내어 읽자 내가 나도 모르게 교수의 목소리를 흉내 내고 있음을 알았다. 문장은 똑같이 저돌적인 리듬으로 흘러나왔고 내 손은 그의 손처럼 아치를 그리는 제스처를 취하려 움찔거렸다. 나는 겨우 한 시간 만에 지금껏 나와 정신세계 사이를 가로막던 장벽을 마법의 힘이라도 빌린 듯 허물어트리고는 새로운 열정을 발견했고 그것은 오늘날까지 내 곁을 떠나지 않고 있다. 영혼이 담긴 언어를 통해 현세적인 온갖 것을 누리려는 갈망이 바로 그것이다.

우연히 『코리올란』[•]을 잡고 읽게 되었는데 생소하기 그지없는 이 로마인이 지닌 특성들을 내게서 발견하고는 머리가 어찔했다. 자부심, 오만, 분노, 경멸, 냉소와 같은 껄끄럽고 묵직하면서도 고귀하고 강인한 감정들이었다. 마법에 걸린 듯 이런 감정들을 단번에 예감하고 이해하다니, 이 무슨 새로운 즐거움인가! 눈이 따가워질 때까지 나는 읽고 또 읽었다. 시계를 보니 3시 반이었다. 새로운 열정은 거의 여섯 시간 동안 내 모든 감각을 자극하는 동시에 마비시키는 위력을 행사한 것이다. 나는 섬뜩해져서 불을 껐다. 하

• 코리올라누스Coriolanus는 기원전 5세기 고대 로마의 무장이었다고 전해진다. 탁월한 영웅이지만 오만했던 그는 집정관이 되려는 자신을 평민들이 비난하자, 격노한 나머지 조국을 배신하고 적군의 수장이 되어 로마를 공격하다가 비극적 몰락을 맞았다. 1607년 셰익스피어가 그를 주인공으로 한 비극 『코리올란』을 발표한다.

지만 이런저런 형상들이 머릿속에서 계속 작열하며 꿈틀댔다. 내일에 대한 갈망과 기대 때문에 잠이 오지 않았다. 살포시 열린 마법의 세계가 내일 내 앞에서 활짝 펼쳐질 것이고 그 세계는 온전히 내 것이 될 테니까 말이다.

하지만 다음 날 아침 나는 실망을 맛보아야 했다. 조바심치며 나는 내 선생님(앞으로 그분을 이렇게 부르련다)이 영어 음운론 강의를 하시는 강당에 제일 먼저 도착했다. 그런데 선생님이 강당에 들어온 순간 나는 소스라치게 놀랐다. 이분이 정말 어제 그 사람이란 말인가? 아니 어쩌면 흥분에 들뜬 내가 어제의 그를 코리올란으로 격상시켜 기억했던 걸까? 포럼에 서서 번갯불처럼 번뜩이는 언어를 구사하며 영웅처럼 대담하게 상대를 때려눕히고 제압하던 코리올란은 어디로 사라졌는가? 조용히 발을 질질 끌며 들어온 건 늙고 지친 남자였다. 초점을 맞추지 않고 찍은 사진처럼 그의 얼굴은 흐릿했다. 맨 앞줄에 앉아 그의 얼굴을 보니 움푹 팬 주름투성이였고 환자처럼 지쳐 보였다. 축 늘어진 잿빛 뺨에 퍼렇게 그늘이 지면서 주름은 밭고랑처럼 도드라졌다. 강의원고를 읽는 선생님의 눈은 묵직이 내려오는 눈꺼풀에 파묻힐 듯했다. 빛바랜 얄팍한 입술에서 힘찬 음성은 나오지 않았다. 힘차게 환호하던 그 쾌활함은 어디로 갔는가? 목소리조차 낯설게 들렸다. 문법을 주제로 삼아서 그런지, 그의 목소리는 메마른 사막을 힘겹게 걸어가듯 지루하고 딱딱했다.

불안이 나를 덮쳤다. 이 사람은 오늘 내가 눈을 뜨자마자 보고 싶어 했던 선생님이 결코 아니었다. 어제 나를 향해 별처럼 환히 빛나던 얼굴은 어디로 갔는가? 여기 이 사람은 사무적으로 자신의 주제를 우려먹는 구닥다리 교수에 불과하지 않은가! 나는 점점 더 불안해져서 그의 말에 귀 기울였다. 혹시 어제의 그 목소리가, 마치 손이 악기를 연주하듯 내 감정을 부여잡고 열정을 일깨운 그 따듯한 울림이 되돌아오지나 않을까 하고 말이다. 실망을 누르며 불안에 찬 시선으로 낯선 얼굴을 살펴보니 여기 보이는 얼굴은 분명 어제 본 얼굴이었지만 온갖 창조력이 빠져나간 텅 빈 얼굴이었다. 늙고 지친 남자가 케케묵은 문헌을 얼굴 삼아 얹고 있는 꼴이었다. 어떻게 이런 일이 일어날 수 있을까? 한 시간 내내 청년 같던 사람이 바로 다음 날 폭삭 늙을 수 있단 말인가? 정신이 돌연 솟구쳐 오르면 말뿐 아니라 용모까지도 바뀌어서 수십 년을 젊어진다는 게 가능하단 말인가?

이런 의문에 머리가 깨질 것 같았다. 이토록 이중적인 사람에 대해 더 많이 알고 싶은 마음이 맹렬히 치솟았다. 선생님이 우리에게 눈길도 주지 않고 강당을 나서자마자 문득 떠오른 영감을 좇아 도서관으로 달려가서 그가 쓴 저술을 열람하려고 신청했다. 어쩌면 선생님이 오늘따라 피곤하거나 몸이 편치 않아서 기운이 없었을지도 모른다. 그렇다면 영구히 보존되게 집필해놓은 저서에는 나를 뒤흔든 이 기이한 인물에게 다가갈 문을 여는 열쇠가 분명 있으리라는 생각에서였다. 사서가 책들을 가져왔는데 놀랍게도 분량이 얼마 되지 않았다. 노학자는 20년 동안 얄팍한 연작물 몇 권, 서론과 머리말 몇 편, 셰익스피어의 희곡 『페리클레스』의 진위성에 관한 논문, 횔덜린과 셸리의 비교론(물론 두 시인 모두 자기 나라에서 천재로 인정받기 전에 쓰인 것이긴 하다)과 소소한 어문학 논문들 말고는 쓰지 않았단 말인가? 이 모든 저술에는 『글로브 극장•: 극장의 역사와 상연작들, 작가들』이라는 제목의 두 권짜리 저서가 출간될 예정이라는 공지가 있었다. 하지만 처음 공지된 지 이미 20년이 지났는데도 사서는 나의 문의에 그런 책은 출간된 적이 없다고 단언했다. 의기소침해진 나는 주저하며 논문들을 들추었다. 선생님의 황홀한 목소리가 통통 튀면서 휘몰아치는 걸 다시 느끼고 싶어 애가 탔다. 그러나 그의 글들은 우직하고 진중하게 한 발 한 발 나아갈 뿐, 그 어디에서도 어제의 감동적인 연설에서처럼 뜨겁게 고동치며 파도처럼 밀어닥치면서 도도히 흘러가지 않고 있었다. 이게 뭐람! 탄식이 절로 나왔다. 나 자신을 두들겨 패고 싶었다. 너무 빨리 선생에게 마음을 바친 경솔한 내가 한심해서 화가 치밀며 몸이 부들부들 떨렸다.

그러나 오후 세미나에서 나는 그의 진면모와 다시 마주했다. 이날 그는 처음에는 직접 말하지 않았다. 잉글랜드의 수업 방식대로 학생들은 12명씩 두 그룹으로 나뉘어 찬반 토론을 벌였는데 주제는 선생님이 사랑하는 셰익스피어였다. 그가 제일 좋아하는 작품인 『트로일러스와 크리세이드』의 두 주인공을 패러디의 인물로 보며 나아가 작품 자체를 사티로스 극••으로 보아야 할지, 아니면

• 글로브 극장Globe theatre은 1599년 런던에 설립된 극장인데 도심 외곽의 유흥지대인 템스강 남쪽 사우스워크Southwark에 위치했다. 윌리엄 셰익스피어의 작품 대다수가 여기서 초연되는 등 엘리자베스 여왕 시대의 극장 중 가장 중요한 역할을 했다. 1642년에 청교도가 혁명으로 집권하며 폐쇄되었다가 1644년에 철거되었다.

•• 사티로스 극은 고대 그리스의 디오니소스 축제에서 공연된 것으로서, 먼저 3부작으로 이루어진 '비극'이 끝난 후 네 번째로 공연된 짤막한 희극이었다. 디오니소스의 추종자인 사티로스들을 소재로 해서 쓰였기에 사티로스 극이라 불린다. 주색을 밝혔던 사티로스들에 걸맞게 사티로스 합창단들은 자주 외설적 내용을 노래하곤 했다.

조소의 이면에 비극이 숨어있다고 보아야 할지가 관건이었다. 그는 능숙한 솜씨로 순전히 지적인 대화에 전류가 흐르며 불똥이 튀게끔 이끌었다. 누군가가 그저 주장을 내놓으면 상대는 설득력 있는 논증으로 반박했다. 가시 돋친 야유가 터져 나오며 토론은 뜨거워졌고 젊은이들은 적개심에 차서 상대를 향해 덤벼들다시피 했다. 분위기가 과열되며 폭발할 지경이 되어서야 비로소 선생님은 중간에 뛰어들어 지나치게 격앙된 싸움을 누그러뜨리고 능숙하게 토론을 주제에 관한 내용으로 돌려놓으셨다. 그러면서 넌지시 시대를 초월한 요소를 거론함으로써 사상적 측면이 드러나게 유도하셨다. 돌연 유쾌한 흥분에 휩싸인 그는 토론의 불꽃 한복판에 서서는 의견들이 격돌하도록 부추기기도 하고 제지하기도 했다. 선생님은 거장다운 솜씨로 젊은이들이 열광하면서 거센 파도에 휩쓸리게 만들고는 자신도 기꺼이 그 파도에 몸을 내맡겼다. 책상에 기대어 팔짱을 끼고는 학생들 하나하나에 때로는 웃어 보이고 때로는 은근한 눈짓으로 반박하라고 격려했다. 흥분한 그의 눈은 어제처럼 반짝였다. 학생들의 말을 가로채지 않으려고 그가 꾹 참고 있다는 게 느껴졌다. 팔짱 낀 양손은 가슴 속 말을 가둬두려는 덮개처럼 단단히 가슴을 조였고 입은 튀어나오려는 말을 삼키려고 실룩거렸기에 그가 얼마나 힘겹게 자제하는지를 알 수 있었다.

그러다가 더는 참을 수 없어지자 선생님은 마치 다이빙하는 수영선수처럼 불쑥 토론에 뛰어들어서는 지휘봉을 휘두르듯이 힘찬 손짓으로 소란을 잠재웠다. 순식간에 다들 침묵했고 그는 특유의 방식으로 모든 논의를 요약했다. 말하는 동안 어제 보았던 그 얼굴이 되살아났다. 신경이 휙휙 꿈틀대더니 주름이 사라졌고 꼿꼿이 세운 목과 몸은 대담무쌍한 군주다운 제스처를 취했다. 몸을 움츠리고 귀담아듣던 그가 콸콸 흐르는 물에 몸을 내맡기듯 연설을 시작했다. 즉석연설에 빠져든 것이었다. 이제야 나는 그가 혼자 있으면 아무런 열정도 느끼지 못하는 사람임을 알아챘다. 지금처럼 우리 학생들이 홀린 듯 그와 함께하는 경우 기폭제가 터지며 그의 내부의 벽을 헐어버리지만, 그가 사무적으로 강의를 하거나 홀로 서재에 있으면 그런 기폭제는 터지지 않을 것이다. 그는 열광하려면 우리의 열광이 필요하며, 자신을 움직이려면 우리의 호응이 필요한 사람이란 걸 나는 느꼈다. 열광하며 젊어지려면 우리 젊은이들이 필요한 것이다! 심벌즈 연주자가 격렬해진 리듬에 절로 취해 더욱더 부지런히 손을 놀리듯이, 열렬한 말들이 쏟아지면서 선생님의 연설은 더욱더 멋지고 뜨겁고 찬란하게 피어올랐다. 우리가 깊이 침묵에 잠길수록 (우리는 저도 모르게 숨을 죽이고 있었다) 선생님의 연설은 활짝 날개를 펴고 천공을 향해 날아올랐다. 우리는 모두 그 비상을 온갖 감각을 동원해 쫓았고 그 순간 온전히 그와 하나가 되어 있었다.

그가 괴테의 셰익스피어 연설을 인용하며 지난번처럼 불쑥 연설을 마치자 우리는 열광한 상태에서 졸지에 깨어났다. 선생님은 어제처럼 지쳐서 책상에 몸을 기댔다. 얼굴은 창백했지만 모든 신경이 꿈틀대며 요동치는 듯 살며시 떨고 있었다. 눈은 희한하게도 넘치는 쾌락에 흠뻑 취한 듯 반짝였는데 그 모습이 마치 격렬한 포옹에서 막 풀려난 여인 같았다. 나는 선생님께 말을 걸 엄두가 나지 않았다. 하지만 우연히 그의 시선이 나를 스쳤고 선생님은 내가 감격하며 감사하고 있음을 느끼셨을 것이다. 그는 친절히 내게 미소를 지으며 몸을 조금 숙이고는 내 어깨에 손을 얹으며 약속한 대로 오늘 저녁에 자기 집으로 오라고 말씀하셨다.

나는 7시 정각에 그의 집에 도착했다. 아직 어리던 내가 얼마나 떨며 그 집 문턱을 처음 넘었던가! 그 무엇도 소년의 숭배심보다 더 열정적일 수는 없고, 그 어떤 여자도 불안에 떨며 부끄러워하는 소년보다 더 겁을 먹지는 않았으리라. 나는 안내를 받아 그의 서재로 들어갔다. 어둑어둑해서 처음에는 책장의 반짝이는 유리 너머로 온갖 색깔의 책이 가득 꽂힌 것만 보였다. 책상 위에는 라파엘의 그림 「아테네 학당」이 걸려 있었는데 선생님이 특히 사랑하는 그림이었다. 가르침의 온갖 방식과 정신의 온갖 형상들이 이 안에 상징적으로 완전한 종합을 이루며 하나가 되었기 때문이라고 선생님은 나중에 설명해 주셨다. 이 그림을 본 것은 그때가 처음이었다. 소크라테스의 고집스러운 얼굴은 왠지 모르게 선생님의 이마와 비슷해 보였다. 뒤를 돌아보니 파리에 있는 가뉘메데스•의 흉상을 축소한 흰 대리석상이 빛나고 있었고 그 옆에는 어떤 중세 독일의 거장이 만든 성 세바스티아누스•• 상이 서 있었다. 비극적 아름다움이 향락적 아름다움 옆에 서 있다는 게 우연만은 아닌 듯했다. 주변의 예술품들이 고상하게 침묵하는 가운데 나 역시 숨을 죽

• 그리스 신화에 등장하는 트로이의 왕자로 아름다운 용모로 인해 제우스의 사랑을 받게 된다. 제우스는 그를 올림포스로 유괴한 후 신들의 연회에서 술 따르는 일을 맡긴다. 여기서 언급된 가뉘메데스의 흉상은 프랑스의 조각가 피에르 쥘리엥Pierre Julien(1731~1804)의 작품으로 루브르 박물관에 소장되어 있다.

•• 세바스티아누스Sebastianus는 로마의 젊은 군인으로 황제 디오클레티아누스Trajan Decius(244~311)의 호위병이었는데 아름다운 용모 덕분에 황제의 총애를 받았다고 전해진다. 기독교도임이 발각된 후 개종을 거부하며 288년 순교했고 이후 성자로 추앙받게 된다. 사슬에 묶이고 수많은 화살에 찔린 그의 형상은 오랜 세월에 걸쳐 기독교 미술에서 사랑받는 모티브이다. 영어권에서는 세바스찬으로 불린다.

이고 두근거리는 마음으로 기다렸다. 이 형상들은 내가 결코 예감한 적이 없는 새로운 종류의 정신적 아름다움을 상징하고 있었다. 비록 내가 그 형상들을 형제처럼 친근히 느끼기 시작했지만 그런 아름다움은 아직도 내게는 막연하기만 했다.

그러나 둘러볼 시간은 길지 않았다. 기다리던 분이 들어와 내게 다가왔으니까 말이다. 다시금 그 포근하게 감싸면서, 숨은 불꽃이 이글대는 듯한 시선이 나를 향하자 놀랍게도 내 마음 가장 깊숙이 숨긴 비밀이 녹아내렸다. 나는 곧 친구를 대하듯이 선생님과 거리낌 없이 대화했다. 베를린에서의 학업에 관해 질문을 받자 아버지가 방문하셨던 일화가 내 입에서 불쑥 튀어나오는 바람에 나는 몹시 놀랐다. 그러고는 아직 낯선 인물인 선생님께 앞으로 진지한 마음으로 학문에 매진하겠다던 당시의 은밀한 맹세를 힘주어 되풀이했다. 그는 감동한 듯 나를 보며 말했다.

"진지함뿐 아니라 열정을 가지는 게 중요하네. 열정을 품지 않는 사람은 고작해야 교사가 될 뿐이네. 무엇이든 마음에서 우러나서 다가가야 하는 걸세. 언제나 열정에서 출발해야 하지. 언제나 말일세."

선생님의 목소리가 따듯해질수록 방은 차츰 어두워졌다. 선생님은 자신의 젊은 시절에 대해 많은 이야기를 했다. 그 역시 어리석게 시작했고 한참 지나서야 자신의 적성을 발견했다는 것이다. 내게 필요한 건 오직 용기이며, 자신이 할 수 있는 일이라면 기꺼이 도울 테니 바라는 게 있거나 물어볼 게 있으면 망설이지 말고 찾아오라고 말씀하셨다. 여태껏 사는 동안 이토록 내게 관심을 가지고 나를 깊이 이해하며 말을 건넨 사람은 아무도 없었다. 고마운 마음에 몸이 떨렸다. 어두웠기에 다행히도 물기 서린 눈을 감출 수 있었다.

나직이 문 두드리는 소리가 나지 않았더라면 나는 시간이 가는 줄 모르고 몇 시간이고 그렇게 머물러 있었을 것이다. 문이 열리고 훌쭉한 사람이 그림자처럼 들어왔다. 선생님이 일어서시더니 소개해 주었다. "내 아내일세." 날씬한 그림자가 조금 다가서서는 가느다란 손을 내게 건네고는 곧 선생님 쪽으로 몸을 돌리며 독촉했다. "저녁 식사 시간이에요." "그래, 그래. 알겠어요." 그는 짜증 섞인 소리로(적어도 내 귀에는 그랬다) 서둘러 대답했다. 그의 목소리가 갑자기 냉랭해졌다. 전깃불이 켜지자 그는 삭막한 강의실에서 보았던 늙은 남자로 돌아와서는 무심한 몸짓으로 내게 작별 인사를 했다.

이어지는 2주를 나는 독서와 공부에 흠뻑 빠져서 보냈다. 방을 나서는 일이 드물었고, 시간을 허비하지 않으려고 선 채로 식사를 하며 쉴 새 없이 공부했다. 휴식도 취하지 않았고 잠도 거의 자지 않았다. 동방의 마술 동화에 나오는 어느 왕자는 닫힌 방의 봉인을 차례차례 여는데, 방 하나를 열 때마다 수많은 보물과 보석을 발견하면서 그의 탐욕은 커져만 간다. 왕자는 한 줄로 늘어선 여러 방을 모조리 열어젖히면서 마지막 방에 도달하려고 초조해하는데 내가 바로 그랬다. 이 왕자처럼 나는 한 책에서 다른 책으로 달려들었다. 읽는 책은 모두 감동적이긴 했지만, 내 굶주림을 채우는 책은 단 한 권도 없었다. 나의 무절제한 성정은 이제 정신을 향했다. 정신세계가 길조차 없는 광활한 곳이며, 모험 가득한 도시들만큼이나 유혹적임을 처음 예감했고 동시에 이 세계를 정복할 수 없을 것 같아 아이처럼 겁이 덜컥 났다. 그래서 난생처음 시간의 소중함을 깨닫고는 시간을 아껴 쓰려고 잠을 줄이고 오락이나 대화 등 모든 기분 전환 거리를 줄였다. 무엇보다도 내가 그토록 근면해진 이유는 선생님 앞에서 당당하고 싶다는 허영심이었다. 나를 신뢰하시는 선생님을 실망하게 하고 싶지 않았고 선생님이 잘했다고 내게 미소 지으시는 걸 보고 싶었고 내가 그분에게 느끼는 감정을 그분도 내게 느끼기를 바랐다. 아무리 사소한 일이라도 내게는 통과해야 할 시험이었다. 선생님이 강한 인상을 받고 놀라시게끔 나는 서툴긴 해도 활력에 넘치는 내 감각을 쉴 새 없이 다그쳤다. 선생님이 강연에서 내가 모르는 시인을 언급하시면 오후에 당장 그 시인을 찾아 나섰고, 다음 날 토론에서 우쭐대며 내가 아는 것을 뽐내곤 했다. 선생님이 별생각 없이 언급하신 희망 사항을 다른 학생들은 알아채지 못했지만 나는 그것을 지상명령으로 받아들였다. 학생들이 줄담배를 피우는 게 거슬린다고 툭 던지신 한 마디에 나는 당장 피우던 담배를 던져버리고 그 나쁜 습관을 단번에 끊어낼 정도였으니까 말이다. 선생님의 말씀은 복음서의 말씀처럼 내게 은총이고 율법이었다. 나는 잠시도 긴장을 풀지 않고 귀를 쫑긋 세우고 집중해서는 선생님이 무심히 하신 말들 모두를 굶주린 듯 움켜쥐었다. 말 한마디, 동작 하나 놓치지 않고 욕심껏 모아 담고는 그것들을 집에서 온갖 감각을 총동원해 열렬히 탐색하여 내 것으로 만들었다. 열정적이며 참을성이 없던 나는 선생님을 나의 유일한 지도자로 여기면서 모든 동급생을 적으로 간주했고 날마다 질투심에 차서 그들을 앞지르고 뛰어넘겠다고 거듭 다짐하곤 했다.

자신이 내게 얼마나 소중한 존재인지를 느끼셨던 걸까, 아니면 격정적인 내 성격이 마음에 드셨던 걸까? 어찌 됐건 선생님은 곧 내게 공공연히 관심을 보이며 특별대우를 해 주셨다. 무슨 책을 읽을지 조언을 해 주셨고 공동토론을 할 때면 신출내기인 나에게 지나칠 정도로 우선권을 주셨다. 종종 저녁 시간에 친밀한 대화를 나누기 위해 방문하는 것도 허락하셨다. 그럴 때면 선생님은 대개 벽장에서 책을 한 권 꺼내 들고 특유의 낭랑한 음성으로 시와 비극을 낭독하시거나 논란의 여지가 있는 문제를 설명하셨다. 열이 오르면 차츰 목소리가 한 단계 더 날카로워지고 쩌렁쩌렁 울렸다. 선생님에 흠뻑 빠져들던 첫 2주 동안 난 예술의 본질에 대해 지난 19년 동안 배운 것보다 훨씬 더 많은 것을 배웠다. 그다지 길지 않은 시간을 우리는 늘 단둘이 보내곤 했다. 8시 무렵이면 조용히 문 두드리는 소리가 들렸다. 선생님의 부인이 저녁 식사 시간을 알리는 소리였다. 하지만 부인은 다시는 방 안으로 들어오지 않았다. 우리의 대화를 방해하지 말라는 선생님의 지시를 따르는 듯했다.

그렇게 14일이 흘렀다. 초여름 날들을 바쁘게 열기에 차서 보냈다. 어느 날 아침, 과다한 압력에 눌린 용수철처럼 일할 기운이 나질 않았다. 전부터 선생님은 내게 지나치게 공부에만 골몰하지 말라면서 가끔 하루 푹 쉴 겸 야외로 나가라고 권하셨는데 정말 맞는 말이었다. 몽롱한 잠에서 깨어나서도 여전히 몽롱한 기분이었고 책을 읽으려 하니 활자들이 바늘귀처럼 작아지며 눈앞에서 가물댔다. 선생님의 아주 사소한 말도 금과옥조로 떠받들던 나는 즉각 그 권고를 따르기로 하고 공부하는 날들 사이에 자유롭게 노는 날을 하루 끼워 넣기로 했다. 곧장 아침부터 길을 나서서 고풍스러움을 일부분 간직한 도시를 처음으로 둘러보았다. 그러고는 신체를 단련하기 위해 교회 탑에 이르는 수백 개의 계단을 올랐다. 탑의 전망대에 서니 녹지로 둘러싸인 외곽에 작은 호수가 보였다. 북해 출신인 나는 수영만큼 좋아하는 운동이 없었는데, 탑 위에 서니 곳곳에 보이는 풀밭까지 초록 연못처럼 반짝거리는 바람에 돌연 사랑하는 물속으로 뛰어들고 싶은 욕망이 고향 바람을 타고 온 듯 강렬히 나를 덮쳤다. 식사를 마친 후 야외 수영장으로 가서 물속에서 마음껏 활개를 치고 나니 내 몸은 어느새 기분 좋게 되살아났다. 팔 근육을 몇 주 만에 다시 유연히 휘두르며 벌거벗은 피부로 햇빛과 바람을 느끼다 보니 나는 불과 30분 만에, 친구들과 거칠게 주먹다짐을 하며 만용을 부리느라 목숨을 내걸던 예전의 억센 청년으로 돌아가 있었다. 마구 뒤척이며 몸을 쭉쭉 펴는 순간 책도 학문도 까맣게 잊었다. 오랫동안 잊고 지냈던 열정에 사로잡힌 나는 특유의 광기를 발휘하며 다시 만난 물속을 두 시간 동안 누볐다. 아마 서른 번은 스프링보드에서 물속으로 뛰어든 것 같다. 넘쳐흐르는 기운을 낙하하는 순간 떨쳐내기 위해서였다. 호수를 두 번이나 가로질렀지만 끓어오르는 힘은 여전히 가라앉지 않았다. 나는 거친 숨을 몰아쉬고 온통 팽팽해진 근육질의 몸을 들썩이며 새로이 도전할 만큼 강력하고 대담하고 신나는 무언가가 있을까 싶어 초조히 주위를 두리번거렸다.

바로 그때 저편 여자 수영장 쪽에서 쾅 소리가 났고 누군가가 힘차게 스프링보드를 박차고 나가는 바람에 내 쪽의 나무판까지 진동했다. 어느새 여자의 날씬한 몸이 높이 솟구치더니, 반달처럼 매끈한 반원을 그리면서 머리부터 물속으로 뛰어들었다. 순간 첨벙 소리와 함께 수면이 뻥 뚫리며 하얀 거품이 소용돌이쳤다. 이윽고 팽팽한 몸이 튀어나와서는 힘차게 물을 가르며 호수 위 작은 섬을 향해 헤엄쳤다. '저 여자를 뒤쫓자! 따라잡는 거다!' 시합을 한판 벌이고 싶은 마음에 나는 곧장 호수로 뛰어들었다. 그러고는 어깨를 활짝 펴고 죽을힘을 다해 쫓아갔다. 하지만 여자는 내가 쫓아오는 걸 눈치채고는 마찬가지로 지지 않으려고 자신이 앞서 있는 상황을 잘 활용했다. 솜씨 있게 섬을 비껴가다가 급히 방향을 틀어 되돌아오는 전략이었다. 여자의 의도를 간파한 나는 마찬가지로 오른쪽으로 돌아 힘껏 팔을 내저었다. 둘 사이의 간격이 한 뼘밖에 남지 않아서 앞으로 쭉 뻗은 내 손이 그녀가 가르고 간 물살을 움켜쥘 지경이었다. 순간 쫓기던 여자는 아주 약삭빠르게 잠수하더니 몇 분 후 여자 수영장으로 들어가는 울타리 바로 앞에서 수면 위로 솟아올랐다. 더는 쫓을 수가 없었다. 승리를 거둔 여자는 물을 뚝뚝 떨구며 계단을 오르다가 숨이 가쁜지 잠시 멈춰 서서 손으로 가슴을 눌렀다. 그러고는 몸을 돌려 경계 구역을 넘지 못하고 있는 나를 보더니 하얀 치아를 드러내며 의기양양하게 웃었다. 햇살에 눈이 부신 데다가 여자는 수영모를 쓰고 있어서 얼굴 생김새를 볼 수 없었지만 대놓고 패자를 조롱하며 웃는 얼굴은 환히 빛났다.

나는 속이 상했지만, 기분이 좋아졌다. 베를린을 떠난 후 처음으로 여자가 관심 어린 눈길을 내게 보내는 걸 느꼈기 때문이다. 어쩌면 건수를 하나 올릴 수 있을 것 같았다. 팔을 크게 세 번 내저어 남자 수영장에 도달한 나는 아직 축축한 몸에 서둘러 옷을 걸쳤다. 늦지 않게 출구에서 그녀를 기다리기 위해서였다. 10분을 기다리니 – 소년처럼 날씬한 몸매 때문에 금세 알아볼 수 있었다 – 나의 오만한 적수가 경쾌한 발걸음으로 나타났다. 내가 기다리고 있는 걸 보더니 말을 걸 기회를 주지 않으려는 듯 걸음을 재촉했다. 여자는 수영할 때와 마찬가지로 탄력 있고 민첩하게 걸었다. 고대 그리스 청년처럼 홀쭉한, 정말이지 너무도 홀쭉한 몸매의 여자는 모든 관절을 시원스럽게 움직였다. 나르듯 성큼성큼 걷는 여자를 남들 눈에 띄지 않게 따라가려니 정말 숨이 가빴다. 드디어 교차로에서 여자의 앞을 막아서는 데 성공했다. 나는 대학생들이 하는 방식대로 벗어든 모자를 휘두르고는, 아직 여자와 눈을 마주치지도 못한 채, 같이 걸어도 되느냐고 물었다. 그녀는 빠른 걸음을 늦추지 않은 채 조롱이 섞인 시선을 흘끗 던지더니 도발적일 만큼 빈정대는 말투로 대답했다. "내 걸음을 당신이 따라올 수만 있다면 상관없어요. 난 서둘러야 하니까요." 이처럼 거리낌 없는 태도에 고무된 나는 뻔뻔해져서 호기심이 이끄는 대로 온갖 어리석은 질문을 던졌다. 하지만 그녀가 기꺼이 호응하며 놀랄 만큼 자유분방하게 대답하는 바람에 대화는 내 뜻대로 진행되기는커녕 뒤죽박죽이 되어버렸다. 베를린 시절 내가 수작을 건 여자들은 뿌리치며 쌀쌀맞게 굴었기에, 빠르게 걸어가면서 이처럼 스스럼없이 대답하는 상대는 생소했다. 그래서 나보다 한참 고단수인 여자에게 또 한 방 꼴사납게 맞았다는 생각이 들었다.

하지만 사태는 더 나쁘게 흘러갔다. 내가 계속 뻔뻔하게 치근대며 어디 사느냐고 묻는 순간 갑자기 장난기 서린 갈색 눈이 나를 향하더니 웃음기를 더는 숨기지 않으며 반짝거렸다. "당신 사는 데서 아주 가까워요." 나는 놀라서 그녀를 응시했다. 화살을 제대로 꽂았는지 확인하듯 그녀는 다시 한번 나를 흘낏 보았다. 정말이지 화살은 내 목구멍을 맞혔다. 순식간에 베를린 시절의 건들대는 말버릇은 사라졌고 나는 어쩔 줄 몰라서 비굴하게 더듬거리며 내가 같이 걷는 게 거슬리지 않으냐고 물었다. "그럴 리가 있나요?" 그녀가 웃어 보였다. "이제 두 구역만 더 가면 되니까 그냥 함께 걸어요." 순간 아찔해지며 걷기조차 힘들었다. 하지만 어쩔 도리가 없었다. 여기까지 와서 달아나면 상대를 더 모욕하게 될 테니까 말이다. 그렇게 나는 내가 사는 집까지 와야 했다. 그녀는 집 앞에 멈추어 서서 악수를 청하며 경쾌하게 말했다. "바래다주셔서 고마워요. 오늘 저녁 6시에 제 남편에게 오실 거지요?"

너무 창피해서 얼굴이 벌겋게 달아올랐다. 그러나 용서를 구하기도 전에 그녀는 날렵하게 계단을 올라갔다. 바보같이 집적대며 한심한 말들을 지껄인 게 생각난 나는 공포에 떨며 그 자리에 서 있었다. 허풍선이 바보가 바느질꾼 하녀를 대하듯 일요일에 야외로 놀러 가자고 졸랐고, 닳아빠진 말로 그녀의 몸매를 칭찬했고, 대학생의 외로운 삶에 대한 감상적인 헛소리를 늘어놓았으니까 말이다. 너무도 창피한 나머지 토할 것 같았고 목이 죄어오며 구역질이 났다. 웃으며 가버린 그녀는 아주 신이 나서 자기 남편에게 내 한심한 짓들을 이야기할 것이다. 내게는 그 어떤 사람보다도 그의 평가가 중요한데 그 앞에서 내가 웃음거리가 된다고 생각하니 시장 한복판에서 알몸에 채찍질을 당하는 것보다 더 고통스러웠다.

저녁이 될 때까지 끔찍한 시간을 보내야 했다. 선생님이 빈정대는 미소를 우아하게 지으며 나를 맞는 모습을 수천 번 머릿속에 그려보았다. 선생님이 가시 돋친 말을 능란하게 구사하실 줄 알며 농담 한마디를 뜨겁게 달군 화살처럼 날려서 상대의 심장에 꽂을 수 있음을 나는 알고 있었다. 단두대로 오르는 사형수도 그때 계단을 오르던 나보다 더 숨이 가쁘지는 않았으리라. 목구멍에 치밀어 오르는 덩어리를 애써 삼키며 서재에 들어서자 나는 곱절로 혼란스러웠다. 옆방에서 치맛자락이 바스락대는 것 같았기 때문이다. 분명 그녀가 엿듣고 있어! 그 짓궂은 여자는 난감해하는 나를 보며 고소해하겠지. 시건방진 청년이 망신당하는 걸 즐기려는 거야. 드디어 선생님이 나타나셨다.

"자네 어쩐 일인가?" 그가 걱정하며 물었다. "오늘 얼굴이 창백하군." 마음속으로 벌 받을 각오를 다지며 괜찮다고 얼버무렸다. 하지만 두려워했던 처벌은 없었다. 선생님은 평소와 다름없이 학문에 관한 이야기만 하셨다. 불안해하며 선생님의 말씀 하나하나를 귀담아들었지만, 아무런 암시나 빈정거림을 찾아낼 수 없었다. 그제야 그녀가 아무 말도 하지 않았음을 알고는 우선 깜짝 놀랐고 곧 안도했다.

8시에 다시 문 두드리는 소리가 났다. 작별 인사를 하고 나오는데 심장이 다시 멈춰 서려 했다. 문을 나서자 그녀가 얼핏 보였다. 내가 인사하자 그녀도 나를 보며 미소를 지었다. 나는 얼굴을 붉히며, 그녀가 나를 용서했으며 앞으로도 이 일을 묻어두겠다고 약속한 거로 이해했다.

그때 이후 나는 새로운 방향으로 관심을 기울이기 시작했다. 지금껏 나는 어린 소년처럼 경건하게 선생님을 숭배했고, 다른 세상에 사는 신 같은 존재로 떠받들었기에 선생님의 사생활과 일상에는 전혀 주목하지 않았다. 진정 무언가에 빠지면 과장하게 되는 법이기에 나는 선생님을 우리의 따분하게 정돈된 세계에서 날마다 벌어지는 일들과는 동떨어진 존재로 올려놓고 있었다. 처음 사랑에 빠진 소년은 신처럼 숭배하는 소녀의 알몸을 감히 상상하지 못하고, 그녀를 자연 그대로, 수천 명의 다른 치마 두른 존재를 보듯이 보지 못한다. 나 역시 감히 선생님의 사생활을 엿보려 하지 않았다. 내게 선생님은 항상 숭고한 존재였다. 온갖 물질과 통속적인 것을 벗어난 분이며 언어의 전달자이고 창조적 정신의 구현체였다.

그런데 웃지도 울지도 못할 촌극이 벌어지며 졸지에 선생님의 부인과 맞닥트린 후부터는 선생님의 가정과 거주 환경을 점차 깊이 관찰하지 않을 수 없었다. 원래 의도한 바는 아니었지만 멈추지 않는 호기심 덕분에 눈이 절로 트였다. 유심히 선생님을 관찰하자마자 혼란스러웠다. 선생님이 자신의 사적 영역에서 사는 방식이 아주 독특했으며 섬뜩할 정도로 미심쩍었기 때문이다. 수영장에서의 만남 직후 식사 초대를 받아 선생님을 처음으로 부인과 함께 볼 기회가 있었는데 그때 이미 이 부부가 함께 사는 방식이 기이하다는 의심이 들었다. 내가 점차 선생님 집 사정을 자세히 알게 되면서 이런 느낌은 더욱 더해갔다. 부부 사이의 말이나 몸짓에서 어떤 긴장감이나 노여움이 드러나서가 아니었다. 오히려 정반대였다. 부부 사이에 아무런 긴장감이 존재하지 않은 것은 물론이고 아예 그 무엇도 존재하지 않았기에 두 사람은 보이지 않는 베일을 두른 듯 불투명한 존재였다. 이런 감정 부재의 상황은 격렬한 다툼이나 오랜 분노의 폭발보다 더 숨통을 조인다는 점에서 폭풍이 닥치기 전의 고요한 대기와 같았다. 겉으로 보아서는 아무런 도발도, 긴장도 없었지만, 소원함은 더욱더 또렷이 느껴질 따름이었다. 둘이서 드물게 대화를 하더라도 마치 손을 맞잡는 대신 얼른 손가락 끝만 건드리는 식으로 문답이 오갈 뿐, 아무도 상대를 허물없이 대하지 않았다. 셋이 있으면 선생님은 나에게도 말을 거의 하지 않으시고 딱딱하게 대하셨다. 둘이서 다시 공부하러 서재로 가기 전까지 우리의 대화는 자주 무거운 침묵으로 얼어붙곤 했고 그 누구도 침묵을 깰 엄두를 내지 못했다. 차디찬 침묵의 무게는 몇 시간이고 내 마음을 짓누르곤 했다.

무엇보다도 나를 놀라게 한 것은 그가 철저히 혼자라는 사실이었다. 맘이 열려 있고 전달 욕구가 매우 강한 사람이 친구 하나 없었고 학생들만이 그의 상대였고 낙이었다. 대학 동료들과는 정중하고 공정한 관계 이상은 맺지 않으셨고 모임에 참석하시는 적은 단 한 번도 없었다. 엎어지면 코 닿을 거리에 있는 대학교로 가는 것 말고는 며칠을 집에서 꼼짝하지 않는 적도 자주 있었다. 사람이나 활자에 속내를 털어놓지 않고 모든 것을 묵묵히 속에 쟁여두는 분이었다. 이제야 선생님이 학생들과 함께 있을 때면 화산이 폭발하듯, 광기 서린 연설에 빠져드시는 걸 이해할 수 있었다. 며칠을 아무 말도 하지 않고 있다가 얘기할 기회가 생기면서 묵묵히 담아두었던 온갖 생각들이 격렬하게 터져 나왔으리라. 오래 마구간에 갇혀 있던 말들이 울타리를 넘으면 꽁무니에 불이 붙은 듯 미친 속도로 질주하듯이 선생님은 언어의 질주를 멈출 수 없었으리라.

집에서 선생님은 거의 말이 없었고 부인에게는 더 심했다. 인생 경험이 없는 청년인 나조차도 불안해지고 민망해질 정도로 두 사람 사이에 그림자가 드리워져 있는 게 훤히 보였다. 잡히지 않는 이 그림자는 항상 넘실대며 두 사람을 철저히 갈라놓고 있었다. 나는 처음으로 결혼 생활이 얼마나 많은 비밀을 외부에 감추고 있는지를 예감했다. 마치 잡귀를 막는 표식이 문지방에 새겨져 있기라도 한 듯이 선생님의 부인은 들어오라는 말이 없는 한 절대 서재의 문턱을 넘지 않았다. 그녀가 남편의 정신세계에서 아예 배제되어 있다는 증거였다. 선생님은 아내가 있는 자리에서는 자신의 계획과 연구에 관해 대화가 오가는 것을 절대 용납하지 않으셨다. 한창 열을 올리며 말씀하시던 도중에도 아내가 들어오기만 하면 단번에 입을 꾹 다무시는 바람에 내가 민망할 정도였다. 그는 모욕적일 만큼 대놓고 무시하는 태도를 숨기려는 최소한의 예의조차 갖추지 않고 퉁명스럽고 노골적으로 그녀가 끼어들지 못하게 했다. 하지만 그녀는 그것을 모욕으로 느끼지 않거나, 아니면 그런 취급에 익숙해진 듯했다.

그녀는 장난꾸러기 소년 같은 얼굴로 날씬한 근육질의 몸을 경쾌하고 민첩하게 움직이며 계단을 나르다시피 오르락내리락했다. 항상 바빴어도 극장에 갈 시간은 있었고 운동을 게을리하지도 않았다. 나이는 서른다섯 정도 되어 보였는데 독서와 가사 같이 닫힌 공간에서 하는 조용하고 차분한 활동에는 영 취미가 없었다. 항상 콧노래를 부르고 웃으며 자극적인 대화를 즐겼고, 춤과 수영, 달리기 같이 격렬한 활동에 온몸을 내맡길 때만 행복해 보였다. 늘 나를 덜 자란 소년 취급하며 놀려댈 뿐 진지한 대화를 나누려 하지 않았고 신나는 힘겨루기의 상대로 취급하는 게 고작이었다. 이토록 경쾌하고 밝은 그녀는 어둡고 내성적이며 오직 정신적인 것에만 열을 올리며 사는 선생님과는 극명한 대척점에 있었다. 나는 매번 놀라며 닮은 데라곤 아예 없는 두 사람이 어떻게 부부의 연을 맺게 되었을까 의아해했다.

하지만 두 분이 신기할 정도로 대조적이라는 사실이 내게는 도움이 되었다. 신경을 곤두세우고 공부를 하다가 그녀와 대화를 나누면 머리를 조이는 묵직한 투구를 벗은 듯한 기분이었다. 정신의 황홀경에 빠져 한참 열을 올리다가도 만사가 도로 일상의 색깔로 보이면서 명료한 현실로 돌아왔고, 누군가와 즐겁게 어울린다는 게 삶의 당연한 부분으로 다가왔다. 그러다 보면 선생님과 함께 긴장된 시간을 보내면서 잊어버리다시피 했던 웃음이 터지며 정신의 과도한 압박이 풀려서 좋았다. 나와 그녀는 소년들의 우정 비슷한 것을 맺고 있었다. 우리는 스스럼없이 대수롭지 않은 일들에 관해 지껄이거나 함께 극장에 가곤 했는데 우리 사이에는 아무런 긴장감도 없었다. 그런데 순탄하게 이어지던 대화를 불쑥 끊으며 분위기를 어색하게 만드는 것이 하나 있어서 나는 매번 혼란에 빠졌다. 선생님 이름이 거론되기만 하면 그녀는 기분이 상한 듯, 내 호기심 어린 질문에 한결같은 침묵으로 응수했고 내가 열광적으로 선생님에 관해 말하면 의미를 알 수 없는 묘한 미소를 지었다. 어쨌건 그녀의 입에서는 말 한마디 나오지 않았다. 방식은 다르지만, 그녀 역시 남편이 자신에게 했던 것과 똑같이 그를 철저하게 자신의 삶 밖으로 밀쳐놓았다. 그런데도 두 사람은 15년을 침묵하며 한 지붕 아래서 살고 있었다.

이 비밀에 다가갈 수 없을수록 나는 그것을 밝혀내고 싶어 더욱더 애가 탔다. 여기에는 그림자와도 같은 베일이 드리워져 있는데, 사소한 말 한마디에도 나부끼는 걸 느낄 정도로 아주 가까이 있었다. 몇 번이나 베일 자락을 잡았다고 여겼지만 금세 이 수수께끼의 베일은 스르르 빠져나갔고, 그러다가 잠시 후 팔랑대며 나를 다시금 스치곤 했다. 하지만 그것은 결코 감지할 수 있는 언어나 붙잡을 수 있는 형상이 되지 않았다. 모호한 추측에 신경을 곤두세우는 게임만큼 청년을 뒤흔들고 몰입시키는 일은 또 없을 것이다. 평소 느긋이 꿈에 젖어 있던 공상가가 돌연 사냥할 목표를 갖게 되고 그것을 쫓는 재미를 처음 알게 되면 추격에 열을 올리기 마련이다. 이제껏 둔감한 젊은이였던 나는 그 무렵 전혀 새로운 감각들을 키워갔다. 모든 소리의 억양을 놓치지 않고 잡아내는 섬세한 진동판, 날카롭고 의심에 찬 첩보원의 시선, 사방을 뒤지고 어둠을 꿰뚫어 보려는 호기심이 바로 그것이었다. 신경이 유연해지며 고통스러울 만큼 온갖 군데에 뻗쳤지만, 어떤 예감에 사로잡혀 흥분하기만 할 뿐 명료한 느낌에 이르지는 못했다.

나는 숨 가쁘게 웅크리고 있던 호기심을 탓하지 않으련다. 그것은 정말 순수했으니까 말이다. 감각이 온통 곤두설 정도로 호기심에 사로잡히게 된 건 고매한 인간의 비천한 면모를 잡아내려는 호색적인 관음증 때문은 아니었다. 반대로 나는 침묵하는 두 분이 겪는 고통을 예감하고 연민을 느끼며 은밀히 불안해하고 있었기에 호기심을 갖게 된 것이다. 선생님의 삶에 가까이 다가갈수록 그 사랑스러운 얼굴에 또렷이 새겨진 그늘은 나를 아프게 짓눌렀다. 선생님은 우울한 심정을 자제할 줄 아는 고상한 분이었기에 결코 투덜대거나 화를 내는 품위 없는 짓을 하는 적은 없었다. 선생님을 잘 모르던 때 그의 활화산처럼 분출하는 언어의 광채에 처음부터 매료되었던 나는 그분과 가까워진 지금, 그분의 침묵과 먹구름처럼 이마에 서린 슬픔에 고통스러워했다.

숭고한 절망에 잠긴 남자만큼 젊은이에게 깊은 감동을 주는 형상은 없을 것이다. 미켈란젤로의 「생각하는 사람」• 은 자신의 심연을 뚫어지라 내려다보고 있으며 초상화 속 베토벤은 비통하게 입을 꾹 다물고 있다. 세상의 고뇌를 담은 이런 비극적인 얼굴은 모차르트의 은빛 멜로디나 레오나르도 다빈치의 빛에 둘러싸인 인물들보다 더 짙은 감동을 풋풋한 청년에게 준다. 사실 청춘은 그 자체가 아름답기에 치장할 필요가 없다. 생명력에 넘치는 청춘은 비극으로 돌진해서는 우울한 자들이 자신의 순진무구한 꽃에서 꿀을 빨아 먹는 것을 흔쾌히 허락한다. 이렇듯 청춘은 언제나 위험을 받아들일 준비가 되어 있으며 정신적 고통을 겪는 이를 형제로 여기며 손을 내미는 법이다.

진정으로 고뇌하는 자의 얼굴을 나는 이곳에서 처음 경험했다. 평범한 사람의 아들로 태어나 중산계층의 안락한 환경에서 별 탈 없이 자라난 나는 근심이란 일상이 우스꽝스러운 가면을 뒤집

• 미켈란젤로(1475~1564)의 조각상으로 피렌체에 있는 로렌초 메디치의 무덤을 장식하고 있다. 로댕도 이 조각상을 보고 영감을 얻어 「생각하는 사람」을 만들었다.

어쓴 것에 불과하다고 여겼다. 지독한 질투에 휘말리거나 푼돈으로 거드름을 피워야 하는 짜증 나는 경우 같은 것이 내가 아는 근심이었다. 그러나 선생님의 막막한 얼굴을 마주한 나는 그 막막함이 성스러운 것에서 유래했음을 직감했다. 그에게 깃든 어둠은 어둠 그 자체에서 유래하며, 너무 일찍 뺨에 푹 패인 쭈글쭈글한 주름은 마음속 고뇌가 잔인하게도 바깥으로 끌을 휘두른 탓이었다. 나는 매번 악령이 사는 집으로 다가가는 아이처럼 겁내며 선생님의 서재를 들어섰다. 생각에 골몰하신 선생님이 노크 소리를 듣지 못하신 적이 종종 있어서 나는 만사를 잊고 계신 선생님 앞에 민망해서 어쩔 줄 모르며 서 있곤 했다. 그럴 때면 여기 앉아 있는 건 파우스트의 가운을 입고 그 얼굴을 덮어쓴 조수 바그너일 뿐이고 선생님의 정신은 어딘지 모를 절벽에서 벌어지는 무시무시한 발푸르기스 축제 속을 떠도는 것 같았다.• 그런 순간에 선생님의 감각은 온통 안으로만 향해 있어서 내가 가까이 가서 나직이 인사를 해도 전혀 듣지 못했다. 그러다가 문득 정신이 들면 급히 일어서서 서둘러 말을 걸며 당황함을 숨기려 하셨다. 이리저리 걸으며 내게 질문을 던져서 내 관심을 다른 곳으로 흩트리려 하셨지만, 선생님의 이마에 드리운 먹구름은 한참 후 대화가 뜨겁게 달아오르고 나서야 사라졌다.

선생님은 자신의 그런 모습이 내 마음을 얼마나 뒤흔드는지 느꼈음이 분명하다. 아마 내 눈에서, 떨리는 손과 달싹거리는 입술

• 괴테의 희곡 『파우스트』 2부 2막에 나오는 장면이다. 메피스토펠레스는 잠든 파우스트를 마녀들의 축제(발푸르기스 축제)가 열리는 고대 그리스로 데려가고 그의 연구실에는 고지식한 조수 바그너를 남겨 둔다.

에서 나를 믿어달라는 소리 없는 간청을 들었거나, 나의 조심스럽게 탐색하는 태도에서 선생님의 고통을 떠맡고 싶다는 간절한 갈구를 알아채셨을 것이다. 그렇다, 선생님은 분명 그걸 느끼셨을 거다. 활발히 오가던 대화를 불쑥 중단하고 감동 어린 시선으로 나를 쳐다보았으니까 말이다. 그의 유난히도 따듯한 눈빛은 감정이 북받친 듯 어두워지며 나를 휘감았다. 그러고는 내 손을 잡고 오래도록 움켜쥐고 계시기도 했다. 그럴 때면 나는 늘 기대에 부풀었다. 그래 지금이야, 지금이야말로 내게 말씀해 주실 거야. 하지만 선생님은 내 기대를 채워주시는 대신 쌀쌀맞게 돌변하기가 일쑤였고, 어떤 때는 대놓고 빈정대며 감흥을 깨뜨리는 냉혹한 말까지 서슴지 않으셨다. 열광이라는 감정을 몸소 보여주신 선생님이, 내 마음속에 열광을 일깨우고 키워주신 바로 그분이 갑자기 부실한 과제물에서 실수한 것을 쓱쓱 그어버리듯 내가 느끼는 열광의 감정을 짓이기다시피 했다. 내가 그의 신뢰에 목말라서 내 속마음을 드러낼수록 선생님은 언짢은 듯이 "자네가 무얼 알겠나!", 혹은 "그렇게 과장하지 말게" 같은 냉혹한 말을 뱉어냈다. 그런 말들에 나는 상처를 입었고 절망했다.

번갯불처럼 번뜩이며 뜨겁게 달아올랐다가 싸늘하게 돌변하곤 하는 선생님, 나를 어느새 달구어놓고는 갑자기 얼음물을 들이붓는가 하면 격정적으로 한껏 치닫다가 불쑥 아이러니한 언어의 채찍을 휘두르는 선생님! 이런 선생님 때문에 내가 얼마나 괴로워했던가! 정말이지 내가 그에게 접근할수록 그는 더욱 완강히, 겁에 질리다시피 나를 밀어낸다는 끔찍한 느낌이 들었다. 그 무엇도 그와 그의 비밀에 다가가서는 안 되었고 다가갈 수도 없었다. 강렬히 나를 매료하는 그의 마음 깊숙이 비밀이, 낯설고 끔찍한 비밀이 도사리고 있다는 느낌이 점점 더 짜릿하게 왔다. 그에게 진심으로 마음을 열어 보이면 그의 시선은 환히 빛나며 달려들다가도 주춤대며 물러서곤 했는데 그토록 기묘하게 눈을 피하는 것을 보면 숨겨진 무언가가 있음이 분명했다. 내가 선생님을 칭찬하면 부인은 입술을 짜증스럽게 일그러트렸고 주변 사람들은 마치 모욕이라도 당한 듯이 싸늘하게 반응하는 것도 미심쩍었다. 그것 말고도 수상하고 앞뒤가 안 맞는 것투성이였다. 그런 기이한 삶 안에 이미 들어가 있는 듯한데 비밀의 근원인 그의 심장으로 가는 길을 몰라서 미로에서 빙빙 돌아야 한다는 게 얼마나 고통스러웠던가!

그런데 특히 설명할 수 없고 이해가 가지 않는 것은 그의 돌발 행동이었다. 어느 날 세미나실에 갔더니 이틀 동안 휴강한다는 쪽지가 걸려 있었다. 학생들은 그리 놀라지 않는 듯했지만 바로 어제도 같이 시간을 보냈던 나는 선생님이 혹시 병이 나셨나 걱정하며 급히 집으로 갔다. 부인은 흥분해서 뛰어 들어오는 나를 보고는 덤덤히 미소 지을 뿐이었다. "자주 일어나는 일이에요." 그녀는 이상할 정도로 싸늘하게 말했다. "당신이 아직 모를 뿐이지요." 정말로 나는 학교 친구들한테서 선생님이 갑자기 사라지는 일이 종종 있으며 전보로만 양해를 구한 적도 있다는 얘기를 들었다. 어떤 학생이 선생님을 새벽 4시에 베를린 거리에서 보았다고 했고 다른 학생은 낯선 도시의 주점에서 보았다고 했다. 마치 병에서 마개가 튕겨 나가듯이 갑자기 사라진 후 돌아오지만 어디 있다 오는지는 아는 사람이 없다고들 했다.

선생님이 이처럼 갑작스럽게 사라지시자 나는 열병에 걸린 듯 흥분했다. 선생님이 안 계신 이틀 동안 아예 넋이 나가서 불안해하며 이리저리 헤매고 다녔다. 항상 곁에 있던 선생님이 없으니 공부한다는 게 졸지에 무의미하게 느껴지기까지 했다. 나는 질투심에 차서 온갖 황당한 추측을 해댔다. 자신을 열정적으로 추종하는 나를 엄동설한에 거지 내몰 듯 자신의 삶 밖으로 내쳐버리다니, 이토록 폐쇄적인 선생님이 미웠고 화가 치밀었다. 선생님은 교수가 직업상 학생에게 품어야 하는 관심의 백 배 이상을 어린 제자에 불과한 나에게 선선히 주셨기에 내게는 선생님께 해명과 보고를 요구할 권리가 없다고 되뇌기도 했다. 하지만 이성은 타오르는 열정 앞에서는 무력했다. 멍청이 풋내기답게 나는 하루에 열 번이나 부인에게 선생님이 돌아오셨냐고 물었고, 아직 아니라는 대답은 갈수록 퉁명스러워졌다. 부인이 화를 낸다는 걸 느낄 정도였다. 나는 잠도 제대로 못 자며 행여 그의 발걸음 소리가 들릴까 해서 귀를 기울였고 아침에는 더는 물어볼 엄두가 나지 않아서 불안해하며 문 주위를 서성였다.

드디어 사흘 만에 선생님이 불쑥 내 방으로 들어왔을 때 나는 숨이 막혔다. 난처해하며 당황해하시는 선생님의 태도에서 내가 도에 넘칠 정도로 놀라움을 드러냈음을 알 수 있었다. 선생님은 급히 대수롭지 않은 것들을 잇달아 물으시며 내 눈을 피했다. 처음으로 우리의 대화는 삐걱댔다. 오가는 말들이 매번 어긋나기만 했다. 우리는 둘 다 선생님이 사라지신 일을 언급조차 하지 않았지만 언급되지 않은 바로 그것이 허물없는 대화를 가로막았다. 선생님이 돌아가시자 호기심은 횃불처럼 타오르기 시작했고, 시간이 갈수록 잠잘 때나 깨어있을 때나 나를 불사르고 있었다.

나는 비밀을 밝히고 제대로 이해하기 위해 몇 주를 더 싸워야 했다. 바위같이 완강한 침묵 아래 불덩이가 꿈틀대고 있음을 감지한 나는 화산의 중심을 향해 집요하게 길을 뚫어나갔다. 마침내 행운이 찾아들면서 나는 처음으로 그의 내면세계로 진입하는 데 성공했다. 어둠이 깔릴 때까지 서재에 같이 있던 어느 날 그가 잠긴 서랍에서 셰익스피어의 소네트를 꺼내 들었다. 그러고는 흡사 청동으로 주조한 듯 간결한 문장을 자신의 번역으로 낭독하면서 도저히 해독할 수 없는 암호문 같던 시구절을 마술사의 솜씨로 깨우쳐 주었다. 감동에 잠긴 나는 이처럼 영감에 넘치는 사람이 건네주는 것 모두가 덧없이 흐르는 말로 사라지는 게 너무도 안타깝다고 생각했다. 순간 – 어디서 그런 용기가 나왔을까? – 선생님께 왜 대작 『글로브 극장의 역사』를 완성하지 않으셨냐고 다짜고짜 물었다. 말을 입 밖에 내자마자 본의 아니게 은밀히 감춰둔 아픈 상처를 덥석 움켜쥐었다는 걸 깨닫고는 섬찟했다. 선생님은 자리에서 일어나 내게 등을 돌리시고는 오래 침묵하셨다. 갑자기 방에는 어둠과 침묵이 가득했다. 마침내 선생님은 내게 다가와서 진지하게 나를 보았다. 몇 차례 입술을 들썩거리고 나서야 간신히 말문이 열렸다. 이내 힘겹게 고백이 흘러나왔다.

“나는 그런 대작을 집필할 수 없다네. 이미 늦었어. 젊을 때나 그런 대담한 계획을 세우는 법이야. 내게는 이제 지구력이 없어. 숨길 이유가 없지. 나는 짤막한 순간을 사는 인간이 되어버렸네. 그 이상은 버틸 수가 없어. 전에는 힘이 넘쳤지만, 이제는 아니야. 내가 할 수 있는 건 말하는 것뿐이야. 말을 하다 보면 종종 내 말에 실려서 나 자신의 한계를 넘게 되곤 한다네. 하지만 가만히 앉아서 늘 혼자서, 혼자 연구하는 일은 더는 할 수가 없어."

체념한 듯한 그의 모습에 마음이 아팠다. 나는 확신에 차서 선생님을 설득하려 했다.

"선생님이 우리에게 날마다 손쉽게 뿌려주시는 내용을 주먹으로 움켜쥐시면 됩니다. 그냥 베푸시지만 말고 선생님 고유의 것으로 만들어서 보존하시는 겁니다."

"나는 글을 쓸 수 없어. 제대로 집중할 수가 없다네." 그가 지친 얼굴로 되풀이했다.

"그러면 받아쓰게 하세요!" 이 아이디어가 떠오르자마자 나는 간청하다시피 매달렸다.

"제게 시켜 주세요. 한번 시도해 보세요. 처음에는 좀 어색할지도 모르지만, 곧 선생님은 멈추려 해도 멈출 수 없을 만큼 쭉쭉 나아가실 겁니다. 제가 받아쓰게 해 주세요. 부디 부탁을 들어주세요! 제 소원입니다."

선생님은 처음에는 어이없다는 듯 나를 보고는 곧 생각에 잠겼다. 내 아이디어에 왠지 끌리시는 듯했다. "자네 소원이라고?" 그가 되물었다. "나 같은 늙은이가 그런 일을 한다면 기뻐할 사람이 있다고 정녕 생각하는 건가?"

그가 조금씩 내 설득에 넘어가고 있음을 그의 눈빛에서 알 수 있었다. 조금 전만 해도 내면으로 침잠해 있던 흐릿한 눈빛은 희망의 온기에 깨어난 듯 앞을 보며 환히 빛났다.

"자네 정말 그렇게 생각하나?" 선생님이 다시 물었지만 나는 그가 이미 결심을 굳히고 마음의 준비를 하는 중임을 알아챘다. 곧이어 결정은 내려졌다.

"그렇다면 우리 한번 해 보세! 젊은이 말은 항상 옳아. 그 말을 따르는 자가 현명하다네."

내가 뛸 듯이 기뻐하며 환호하자 선생님도 생기를 되찾으신 듯했다. 그는 성큼성큼 방안을 거닐며 젊은이처럼 들떠 있었다. 우리는 매일 저녁 식사를 마친 후 9시에 우선은 하루에 한 시간씩 작업하기로 했다. 다음 날 저녁 우리는 구술하고 받아쓰는 작업을 시작했다.

그 시간! 아, 그 시간을 어떻게 묘사할 수 있으랴! 나는 온종일 그 시간이 오기만을 기다렸다. 오후에는 불안감에 짓눌려 신경이 곤두섰고 초조해지며 온몸에 전류가 흐르는 듯했다. 저녁이 될 때까지 도저히 견딜 수 없을 것 같았다. 우리는 식사를 마치자마자 서재로 갔다. 나는 선생님께 등을 돌린 자세로 책상 앞에 앉았고 선생님은 흔들리는 걸음으로 방안을 서성이셨다. 이윽고 내부에서 리듬이 완성되면서 말문이 터지고 서두가 울려퍼졌다. 선생님은 모든 것을 음악적 감성으로 빚어내는 독특한 분이셨다. 그랬기에 늘 그의 아이디어를 가동하기 위한 도약판이 필요했다. 대개 어떤 이미지나 과감한 은유, 함축적인 상황이 그런 역할을 했다. 그것들이 급속도로 전개되면 선생님은 절로 흥분에 빠져서 극적인 장면의 묘사로 넓혀 나갔다. 이렇게 탄생한 휘황찬란한 즉흥곡에서는 모든 창조적인 것에 깃든 위대한 자연성이 번갯불처럼 번뜩였다. 지금도 그 문장들을 기억한다. 어떤 문장은 강약의 박자를 갖춘 시구절 같았고, 다른 문장은 빼어난 압축법을 구사하며 대상을 열거했는데, 호메로스가 그리스군의 배들을 묘사한 대목이나 월트 휘트먼의 야성적인 찬가에서처럼 그의 묘사는 웅장한 폭포가 되어 쏟아져 내렸다. 성숙해 가는 젊은이가 처음으로 창조의 비밀을 들여다본 순간이었다.

아직 창백한 사상은 종의 재료인 쇳물처럼 그저 고온의 액체로만 존재하다가 갑작스러운 격정이라는 용광로를 거쳐서 흘러나왔고 차차 식으며 형태를 얻다가 이윽고 완성되어 강인한 형태를 드러냈다. 마침내 종의 추가 흔들리며 종소리가 울리듯이 그 형태에서 말이 울리면서 시적 느낌은 인간의 언어를 가지게 되었다. 모든 단락이 리듬을 지녔고 모든 서술이 연극의 한 장면처럼 짜여 있었다. 그렇게 해서 이 웅대한 저작은 학술 논문과는 전혀 딴판인 찬가로 모습을 드러냈다. 그것은 유한한 세상에서 무한함을 보고 느끼게 하는 형상을 한 바다를 찬양하는 것으로 시작했다. 수평선 이편에서 저편까지 펼쳐진 바다는 높이 솟구치다가 깊이 웅숭그리면서 쪽배를 타고 떠다니는 신세인 인간에게 의미가 있기도 하고 없기도 한 장난을 치곤 한다. 이런 바다의 초상에 이어서 웅대한 비유가 등장해서는 비극이란 것을 우리 피를 들끓게 하고 멸망으로 이끄는 원초적인 힘으로 그려 놓았다. 이어서 창조의 물결은 오직 한 나라로 몰려들었다.

"섬나라 잉글랜드가 부상하게 된다. 대지의 가장자리는 물론이고 지구의 모든 평면과 지층을 위태롭게 에워싼 요동치는 원소인 물, 그런 물이 끝없는 파도로 몰아치며 영원히 포위하고 있는 섬, 이곳에서 국가가 생겨난다. 바다의 싸늘하고 투명한 눈빛을 잿빛이나 푸른빛의 말간 눈동자에 담고 있는 잉글랜드인들은 누구나 바닷사람인 동시에 섬과 같은 존재이다. 폭풍의 위험을 마주하고 있는 이 민족에게는 폭풍처럼 거센 열정이 살아 숨을 쉰다. 수백 년 동안 바이킹의 공격을 받아 가며 끊임없이 자신의 힘을 단련해 왔던 까닭이다. 이제 바다에 둘러싸인 이 땅에 평화의 기운이 피어오르지만, 폭풍에 친숙한 이들은 더욱더 바다를 갈구한다. 날마다 위험을 안겨주다가 가혹하게 파멸로 몰고 가는 바다와 같은 무엇을 갈구하는 것이다. 그들이 피비린내 나는 유희라는 형태로 짜릿한 긴장을 다시금 창출해낸 이유이다. 먼저 짐승몰이와 짐승 싸움을 위한 나무 무대가 만들어진다. 곰들이 피를 흘리고 닭들이 쪼아대는 광경은 공포감에서 오는 야만적인 쾌락을 불러온다. 하지만 곧 고상한 감각을 갖추게 된 그들은 인간 영웅의 충돌에서 비롯되는 긴장과 감동을 원하게 된다. 바로 그때 경건한 연극, 즉 교회의 신비극으로부터 또 다른 변화무쌍한 인간 극장이 부활함으로써 잉글랜드인들은 다시 옛날처럼 모험과 항해를 하게 된 것이다. 그 장소가 마음속에 있는 바다라는 점이 다를 뿐이다. 또 다른 대양은 열정이 용솟음치고 정신이 넘쳐나는 곳이라는 점에서 새로운 무한성 그 자체이다. 앵글로색슨족은 여전히 힘이 넘치는 민족이기에 열심히 이 대양을 휘젓고 다니며 숨 가쁘게 이리저리 표류하는 것을 새삼 즐기게 된다. 잉글랜드의 연극, 즉 엘리자베스 여왕 시대의 연극은 이렇게 탄생한다.”

선생님이 초기 연극의 야만적인 시작을 열정적으로 묘사하는 순간 창조자의 언어가 우렁차게 울려 퍼졌다. 처음에는 속삭이듯 서두르던 그의 음성은 뱃속 깊숙이에서 힘껏 솟아나며 금속 빛을 발하는 비행체가 되어 마음껏 높이 날아올랐다. 이 음성은 좁은 서재를 뚫고 나가려고 사면의 벽들을 다그치며 대답을 강요하는 듯했다. 그 정도로 선생님의 음성은 넓은 공간을 채우려 들었다. 나는 머리 위에서 불어 닥치는 폭풍을 느꼈고 바다의 넘실대는 입술이 목청껏 내지르는 말을 듣고 있었다. 책상 앞에 웅크린 나는 마치 고향의 모래언덕 위에 서서 끝없는 파도와 흩날리는 바람을 황홀하게 맞아들이며 숨 쉬고 있는 듯했다. 인간의 탄생이 늘 그렇듯이 한 작품 역시 고통스러운 전율에 뒤덮여 탄생한다는 사실을 처음으로 접한 나는 경이로움에 떨며 희열을 느꼈다.

선생님은 학술서를 쓰려던 의도와는 달리 강렬한 영감에 이끌려 사상을 시로 빚어내시며 구술을 마치셨고 나도 비틀거리며 일어섰다. 맹렬한 피로감이 묵직하고 드세게 나를 덮쳤는데 그것은 선생님의 피로감과는 딴판이었다. 폭풍에 휘말린 내가 여전히 내 안의 충만감에 떨고 있는 반면에 선생님은 완전히 탈진하셔서 기진맥진한 상태였다. 하지만 우리 둘 다 잠을 자거나 휴식을 취하기 위해서는 사소한 대화로 기분을 가라앉혀야 했다. 나는 급히 받아쓴 내용을 다시 읽어보았다. 그런데 신기하게도 글자들을 말로 바꾸는 순간 나는 내 음성이 아닌 다른 음성으로 말하고 숨쉬기 시작했다. 마치 어떤 존재가 내 입안에서 말을 바꿔치기한 듯했다. 순간 나는 선생님의 억양대로 낭독하며 다듬는 연습을 너무 열심히 반복한 덕분에 내가 아닌 선생님이 내 입을 빌어 말하는 지경에 이르렀음을 깨달았다. 그 정도로 나는 그의 존재의 반향이 되었고 그의 말의 메아리가 되어 있었다.

이 모든 것이 40년 전 일이지만 지금도 강의 도중 말이 절로 술술 나오고 열을 올리다 보면 문득 내가 아닌 다른 누군가가 내 입을 빌려 말하고 있음을 느끼고 주춤하곤 한다. 그러고는 이내 그 누군가가 고인이 되신 소중한 선생님임을 깨닫는다. 내 입속에서 숨 쉬는 존재는 선생님뿐이다. 열광에 휩쓸려 날아오를 때면 나는 선생님과 하나가 된다. 그때의 시간이 나를 만들었음을 알고 있다.

우리의 작업이 자라나며 내 주변을 숲처럼 무성하게 뒤덮는 바람에 차츰 나는 외부 세계를 내다보지 못하는 지경에 이르렀다. 나는 침침한 집 속에서만 살았다. 작품이 커져가면서 그 가지들이 윙윙대며 웅성거리는 소리에 파묻혀 선생님과 함께 보냈기에 훈훈하고 포근했다.

얼마 안 되는 대학 강의 시간을 빼고는 나는 온종일 선생님을 위해 일했고 식사도 선생님 댁에서 했다. 밤낮으로 선생님과 나 사이에는 전갈이 오갔다. 귀가 어두운 주인 할머니를 큰 소리로 부르지 않고도 언제든 나를 찾아올 수 있도록 선생님은 내 방 열쇠를 가지고 계셨고 나도 선생님 댁 열쇠를 가지고 있었다. 그런데 내가 이 새로운 공동생활에 점점 더 익숙해질수록 외부 세계는 내게서 완전히 멀어졌다. 내부의 영역은 따듯했지만, 그 영역 밖에 있는 사람들은 나를 싸늘하게 내쳤다. 동급생들은 예외 없이 나를 차갑게 대하며 대놓고 무시했다. 몰래 나를 폄훼하는 음모가 있었는지, 아니면 그저 내가 선생님의 총애를 받는 것을 시기해서 그러는 건지는 알 길이 없었지만, 그들은 나를 따돌리고 자기들끼리만 어울렸다. 세미나에서 토론할 때는 약속이라도 한 듯이 아무도 내게 말을 걸거나 인사하지 않았다. 심지어 교수들조차 적대적인 감정을 숨기지 않았다. 한번은 불문학 강사에게 사소한 정보를 알려달라고 청했는데 그는 빈정대며 내 말을 잘랐다. "자네는 xx 교수의 애제자이니 그 정도야 아는 게 당연하지 않나?" 왜 내가 잘못도 없이 따돌림을 당하는지 알아내려고 애써도 보았다. 하지만 사람들의 말과 시선에서는 아무런 해명도 얻을 수 없었다. 외로운 두 분과 함께 살기 시작한 이후로 나 역시 지독히 외로운 처지가 되어 있었다.

나는 학문적인 일에 완전히 골몰해 있었던 까닭에 사교 생활에서 추방되었다는 사실에 깊이 근심할 까닭이 없었다. 그러나 늘 신경을 곤두세우고 살다 보니 차츰 버티기가 힘들었다. 몇 주 내내 끊임없이 정신을 혹사하면 그 대가가 따르는 법이다. 게다가 나는 내 삶을 너무나 갑작스럽게 한 극단에서 다른 극단으로 와락 뒤집었으니 은밀히 우리를 지켜주는 자연의 균형을 헤칠 수밖에 없었다. 베를린에서 느긋하게 활개 치고 다니던 시절 내 몸은 기분 좋게 이완되어 있었고 여자들과 어울리면서 꾹꾹 쌓여서 꿈틀대던 것을 단번에 즐겁게 털어낼 수 있었던 반면, 이곳에서는 예민해진 감각이 후덥지근하게 짓누르는 분위기에 끊임없이 노출되는 바람에 몸의 곳곳이 전기가 흐르는 바늘에 찔린 듯 움칠대며 경련을 일으켰다. 나는 제대로 깊이 잠잘 수 없었다. 저녁에 받아쓴 것을 즐거운 마음으로 늘 새벽까지 정서했음에도 불구하고 말이다. 아니 어쩌면 그 때문에 그랬는지도 모르겠다. 사랑하는 선생님께 정서한 것을 되도록 빨리 갖다 드리려는 유치한 마음에 조급히 열을 올렸으니까 말이다. 그 외에도 대학 수업을 듣고 서둘러 책을 읽으려니 쉴 틈이 없었다. 거기다가 선생님과의 대화도 내게는 적지 않은 부담이었다. 선생님 앞에서 한심한 꼴을 보이지 않으려고 스파르타식으로 온 힘을 끌어 모아 대화에 임했기 때문이다. 혹사에 화가 난 육체는 오래 망설이지 않고 보복에 나섰다. 여러 차례 나는 깜빡 기절하곤 했는데 그것은 짓밟힌 자연이 내게 보내는 경고 신호였다. 최면에 걸린 듯 피로감은 늘어갔고 감정이 격렬하게 불거져 나오는 경우가 잦았다. 예민해진 신경은 안으로 가시를 세우고는 잠을 앗아갔고 이제껏 억눌려 있던 어수선한 상념들을 마구 쏟아냈다.

내가 몹시 위험한 상태라는 걸 맨 먼저 알아챈 사람은 선생님의 부인이었다. 그녀가 불안해하며 나를 살피는 것을 이미 여러 차례 느꼈다. 그녀는 나와 대화할 때면 한 학기 안에 세상을 정복하려 들지 말라고 경고하곤 했는데 그런 일이 점점 더 잦아졌다. 마침내 그녀는 단호히 행동에 나섰다. 어느 화창한 일요일, 문법 공부를 하는 나를 찾아와서는 책을 홱 낚아챈 것이다.

"제발 그만 해요. 원기 왕성한 젊은이가 어떻게 그렇게 명예욕의 노예가 될 수 있지요? 절대 내 남편을 모범으로 삼지 말아요. 그 사람은 늙었고 당신은 젊어요. 당신은 달리 살아야 해요."

그녀가 남편에 대해 말할 때면 항상 숨겨둔 경멸감이 퍼덕였기에 선생님을 흠모하는 나는 그걸 느낄 때마다 매번 몹시 분개했다. 어쩌면 그녀는 그릇된 질투심에서 나를 선생님으로부터 떼어놓으려는 의도를 품고 신랄한 말로 나의 과다한 열정을 막으려는 듯했다. 선생님과 내가 저녁에 너무 오래 구술 작업에 빠져 있으면 그녀는 힘껏 문을 두드렸고 선생님이 화를 내며 제지하시는 것도 개의치 않고 작업을 중단시켰다.

"그이는 당신 신경을 망가트릴 거예요. 당신을 죄다 파멸시킬 거라고요."

한번은 지쳐 축 늘어진 나를 본 그녀가 화를 내며 말했다. "지난 몇 주 동안 그이가 당신한테 대체 무슨 짓을 했는지, 내 참! 당신이 자신을 해치는 것을 더는 두고 볼 수 없어요. 더군다나 …" 말문이 막히며 그녀는 말을 맺지 못했다. 하얗게 질린 입술이 분노를 참느라 파르르 떨릴 뿐이었다.

사실 선생님은 나를 힘들게 하셨다. 내가 열정을 다해 봉사하면 할수록 선생님은 존경심에서 도우려 드는 나를 더욱더 하찮게 여기시는 듯했다. 내게 고마워한 적도 거의 없었다. 밤늦게까지 마무리한 작업을 아침에 가져다드리면 선생님은 성가시다는 듯 무뚝뚝하게 말했다. "내일까지 해도 되는 일이었는데." 내가 지나친 열의에 사로잡혀 청하지도 않은 일을 도와드리면 선생님은 대화 중에도 불쑥 입술을 삐죽이시며 빈정대는 말로 나를 밀쳐내셨다. 물론 내가 풀이 죽어서 어쩔 줄 몰라 물러서는 것을 보시면 다시금 특유의 포근하고 감싸 안는 듯한 시선을 절망한 나에게 위로하듯 보내시기도 했다. 하지만 그런 적이 얼마나, 그 얼마나 드물었던가! 열정적이다가도 냉담하고, 마음을 뒤흔들 만큼 다가오다가도 짜증스럽게 밀쳐내는 선생님 때문에 본래 격렬한 편인 내 감정은 온통 혼란에 빠졌다. 나는 갈망에 가득 차 있었지만 내가 진정 갈망하는 것이, 간절히 원하며 갖은 노력으로 얻고자 하는 것이 무엇인지를 당시에는 결코 분명히 말할 수 없었다. 헌신적으로 열정을 바치는 나에게 선생님이 어떤 종류의 관심을 보여주기를 바라는지도 말할 수 없었다.

존경심에서 우러난 남자의 열정은 – 그 감정이 제아무리 순수할지라도 – 여인에게 쏠리는 경우 저도 모르게 육체적 충족을 목표로 삼는다. 열정에 빠진 인간은 육체의 소유를 통한 궁극적 합일을 꿈꾸게끔 자연이 빚어놓았기 때문이다. 그러나 한 남자가 다른 남자에게 정신적 열정을 느끼는 경우, 그런 충족될 수 없는 열정은 어떻게 충족에 이르고자 하는가? 그런 열정은 존경하는 인물 주변을 끊임없이 맴돌면서 늘 새로운 황홀경을 누리려 불꽃을 튀기지만, 몸을 허락하는 최종적인 행위를 통해 진정되지는 못한다. 그 열정은 계속 흘러넘치지만, 결코 자신을 완전히 쏟아붓지는 못하며, 정신이 항상 그렇듯이 끝내 만족에 이르지 못한다. 그래서인지 나는 선생님과 가까이 있어도 결코 진정 가까운 느낌이 들지 않았고, 선생님의 본질을 제대로 들여다볼 수도 없었으며 아무리 긴 대화를 나누어도 충족감을 느끼지 못했다. 선생님이 온갖 서먹함을 떨쳐내시고 나를 대하실 때조차 곧이어 매서운 몸짓으로 우리 사이의 친밀감을 깨트릴 것임을 나는 알고 있었다.

선생님은 변덕스러운 언행으로 내 감정을 거듭 혼란에 빠트렸다. 아무런 과장 없이 하는 말인데 나는 신경이 극도로 예민해진 상태에서 해서는 안 될 극단적 일을 저지를 뻔한 적도 몇 번 있었다. 한번은 내가 추천한 책을 선생님이 대충 들춰보고는 시큰둥하게 밀치셨기 때문이었고 다른 한번은 저녁 늦게 둘이 대화를 나누다가 내가 선생님의 사상에 푹 빠져들어 한 몸처럼 호흡을 함께 하는 바로 그 순간, 방금 다정히 손을 내 어깨 위에 올려놓으셨던 선생님이 돌연 몸을 일으키시며 "자 그만 가게! 늦었군. 잘 자게" 라고 퉁명스럽게 말씀하셨기 때문이었다. 그런 사소한 일들로 나는 몇 시간, 아니 며칠을 괴로워하곤 했다. 어쩌면 지속적 흥분 상태에 있던 나는 감정이 과민해진 탓에 상대가 의도적으로 모욕하지 않은 경우에도 모욕감을 느꼈는지도 모른다. 하지만 나중에 그 말의 본래 의미를 찾아가며 자신을 달래려 아무리 애써봤자 들끓는 속내를 어찌 가라앉힐 수 있겠는가! 다음과 같은 일들이 날마다 되풀이되었다. 선생님이 가까이 오면 나는 뜨거움에 고통스러워했고, 선생님이 거리를 취하면 추위에 떨었다. 선생님이 마음을 닫을 때마다 실망에 빠졌고 어떤 신호로도 마음을 진정시킬 수 없었고 온갖 우연한 일에도 혼란스러워했다.

그런데 이상한 일이었다. 선생님에게 모욕을 당했다고 느낄 때면 나는 그의 부인에게로 도망치곤 했다. 아마 나와 마찬가지로 말없는 거리 두기에 괴로워하는 사람을 찾으려는 무의식적인 충동에서 그랬을 것이다. 아니면 아무에게든 이야기해서 도움까지는 아니더라도 이해를 받고 싶다는 단순한 갈망 때문이었을지도 모른다. 어쨌든 나는 비밀결사를 맺은 동지를 찾아가듯 그녀에게 갔다. 대개 그녀는 내가 예민하다고 웃어넘겼고 어깨를 으쓱 추켜올리며 남편이 유별나게 까다로운 것에 이제 익숙해져야 한다고 냉랭하게 나를 타일렀다. 내가 갑자기 절망에 빠져 그녀 앞에서 눈물을 질질 짜고 어쭙잖은 말로 비난을 쏟아내며 한심하게 군 적이 몇 번 있었는데 그러면 그녀는 묘하게 심각해져서 어이없다는 눈빛으로 나를 보곤 했다. 아무 말도 하지 않은 채 무언가가 터져 나오는 것을 막으려고 입술 주위를 실룩거릴 뿐이었다. 분노를 터트리거나 경솔한 말을 내뱉지 않으려고 안간힘을 쓰고 있음을 느낄 수 있었다. 그녀 역시 내게 할 말이 있지만, 비밀을 – 아마 남편의 비밀과 똑같은 것이리라 – 덮으려 들었다. 내가 너무 가까이 왔다 싶을 때 선생님이 무뚝뚝하게 거리를 두시며 나를 밀쳐내신다면, 그녀는 대개 농담을 하거나 즉석에서 짓궂은 장난을 쳐서 얘기가 깊어지는 것을 막았다.

딱 한 번 그녀가 얼결에 말을 내뱉을 뻔한 적이 있었다. 어느 날 아침 받아쓴 내용을 선생님께 건네면서 나는 말로•를 묘사한 부분이 얼마나 감동적이었는지를 열광적으로 이야기하지 않을 수 없었다. 여전히 감탄의 마음을 주체하지 못한 채 나는 찬사를 덧붙였다.

"그 누구도 말로를 이처럼 거장다운 솜씨로 그려내지는 못할 겁니다."

그러자 선생님은 홱 몸을 돌리며 입술을 깨물더니 정서한 종이를 팽개치며 한심하다는 어조로 뇌까리셨다. "그따위 바보 소리는 하지 말게! 자네가 거장다운 솜씨에 대해 아는 게 대체 뭔가?" 이 무뚝뚝한 말은 나의 하루를 망치기에 충분했다. (선생님은 견딜 수 없는 수치심 때문에 황급히 무뚝뚝한 말 뒤로 숨으실 수밖에 없었으리라.) 오후에 선생님 부인과 단둘이 있게 되자 나는 느닷없이 히스테릭하게 발작을 일으키며 그녀의 양손을 움켜쥐었다.

"선생님이 왜 그토록 저를 미워하시는지 이유를 알려주세요! 왜 저를 그토록 무시하는 건가요? 제가 무슨 짓을 했기에 제가 하는 말마다 그렇게 기분 나빠하시는 거예요? 제가 어떻게 해야 할지 좀 도와주세요! 선생님이 대체 왜 저를 싫어하시는지 알려 주

• Christopher Marlowe(1564~1593). 셰익스피어와 쌍벽을 이루었던 시인이며 극작가이다. 그의 삶은 비밀에 싸여 있으며 그의 갑작스러운 죽음 후 온갖 음모론이 난무했다.

세요! 제발 부탁이에요."

내가 거칠게 감정을 토해내자 그녀는 눈을 부릅뜨고 나를 뚫어져라 보았다.

"당신을 싫어한다고요?" 그녀의 치아들이 맞부닥치며 웃음이 튕겨 나왔다. 몹시도 심술궂고 서슬 퍼런 웃음이라서 나는 저도 모르게 움찔 물러났다. "당신을 싫어한다고요?" 그녀는 이 말을 되풀이하며 분노에 찬 시선으로 당혹해하는 나를 노려보았다. 차츰 그녀의 눈빛이 부드러워지더니 동정심을 띠기까지 했다. 그녀는 몸을 내 쪽으로 숙이고는 갑자기 내 머리를 쓰다듬었다. 처음 있는 일이었다.

"당신은 정말 어린애군요. 바보 어린애네요. 아무것도 눈치채지 못하고, 보지도 못하고 알지도 못하다니요. 하지만 그게 나아요. 그렇지 않으면 당신은 더 불안해질 테니까요."

그러고는 갑자기 홱 돌아서서 가버렸다. 나는 마음을 진정시키려 했지만 허사였다. 악몽에서 헤어나지 못하고 검은 자루에 꽁꽁 묶여버린 나는 그 말의 의미를 밝히기 위해, 모순되는 감정들에서 비롯된 알 수 없는 혼란에서 깨어나기 위해 몸부림쳤다.

넉 달이 그렇게 흘러갔다. 지난 몇 주 동안 나는 상상도 못 할 만큼 많이 발전하고 변모했다. 학기는 막 끝나가고 있었고 나는 다가오는 방학이 두려웠다. 연옥• 과도 같은 내 일상을 사랑했기 때문

• 가톨릭에서는 죽은 사람이 천상에 가기 이전 연옥에서 속세의 죄를 정화하는 단계를 거친다고 믿는다. 화자는 학문에 정진하는 현재의 삶을 이전의 방종했던 삶을 정죄하는 과정에 비유하고 있다.

이다. 고향 집의 메마르고 반反지성적인 분위기를 떠올리니 납치되거나 추방되는 기분이었다. 나는 중요한 연구 때문에 여기 있어야 한다고 부모님께 둘러대려고 비밀리에 계획했다. 고단한 지금의 상태를 연장하려고 거짓말로 핑곗거리를 솜씨 좋게 엮어서 짜는 중이었다. 하지만 오래전에 작별의 시간은 저 위의 영역에서 이미 정해져서는 보이지 않게 내 머리 위에 드리워져 있었다. 마치 청동 형체 안에 숨어 있는 정오의 종소리가 갑자기 엄숙히 울리며 한가롭게 서성대던 사람들에게 일하러 가거나 작별을 하라고 명하듯이 말이다.

운명을 결정지은 그 저녁은 얼마나 아름답게 시작되었던가! 정말이지 수상하리만큼 아름다운 저녁이었다. 나는 두 분과 함께 식탁에 앉아 있었다. 창문이 열려 있었는데 흰 구름이 둥둥 뜬 하늘에 점차 황혼이 깃들면서 방안 가득 스며들었다. 구름에서 반사되는 부드럽고 환한 빛이 꽤 오래 위풍당당하게 둥둥 떠다녔기에 다들 마음속 깊이 그 빛을 느끼지 않을 수 없었다. 우리, 즉 선생님의 부인과 나는 평소보다 더 격의 없이 편안하게 대화를 나누었다. 선생님은 우리의 대화에 끼어들지 않고 침묵하셨지만 그런 모습은 마치 가만히 날개를 접고는 위에서 우리의 대화를 지켜주시는 듯했다. 나는 곁눈질을 하며 선생님을 몰래 훔쳐보았다. 오늘은 이상하게도 환한 기색이셨다. 어딘지 동요하는 듯했지만 서두르는 기색이라곤 없는 모습이 흡사 여름철의 구름 같았다. 선생님은 이따금 와인 잔을 들고 노을빛에 비쳐 보시며 그 색깔에 기뻐하셨다. 내가 그런 선생님을 즐겁게 바라보자 슬며시 미소 지으시며 잔을 내 쪽으로 뻗고 건배하셨다. 그의 얼굴이 그토록 해맑고 그의 동작이 그토록 부드럽고 차분한 걸 본 적은 거의 없었다. 그는 마치 거리의 음악을 듣거나 보이지 않는 사람들의 대화를 엿들으며 축제를 즐기기라도 하듯 자리를 지키고 있었다. 평소에는 미세한 파동이 일던 그의 입술은 껍질을 벗긴 과일처럼 고요하고 부드러웠다. 선생님의 얼굴이 살며시 창문을 향하자 온화한 빛을 한가득 받으며 되비치는 그의 이마는 그 어느 때보다 더 아름다워 보였다. 그가 이처럼 평화로워 보이는 게 놀라웠다. 쾌청한 여름밤의 여운일까, 온화하고 포근한 공기가 그의 몸속에 스며든 탓일까? 아니면 마음속에서 즐거운 생각을 하느라 빛이 환히 깃든 걸까? 나로서는 모를 일이었다. 하지만 펼쳐진 책을 읽듯이 그의 표정을 읽어내는 데 익숙해졌기에 이것만은 알 수 있었다. 오늘은 자비로우신 신이 그의 마음속 고랑과 주름을 반듯이 펴 주신 게 분명했다.

선생님은 일어서서 늘 하듯이 고갯짓으로 서재로 가자는 신호를 보내셨는데 오늘따라 그 몸짓마저도 장중했다. 평소에는 서두르시던 분이 이상하게도 진중했다. 그러고는 다시금 주위를 둘러보고 찬장에서 마개를 따지 않은 와인 한 병을 조심스럽게 꺼내 들었다. 전에는 없던 일이었다. 나와 마찬가지로 그의 부인도 그의 태도가 왠지 이상하다는 걸 눈치챈 듯했다. 그녀는 의아한 시선으로 바느질감에서 눈을 떼고는 우리가 서재로 가는 동안 평소와는 다른 남편의 모습을 관찰했다.

늘 그렇듯 캄캄한 서재가 황혼을 머금고 우리를 맞이했다. 램프만이 필기용으로 쌓아둔 흰 종이 더미 주변에 황금빛 원을 밝히고 있었다. 나는 늘 앉던 자리에 앉아서 원고의 마지막 문장을 낭독했다. 항상 선생님은 마음을 가다듬고 속생각을 단어로 풀어내기 위해서 우선 리듬이 실린 음향을 들으셔야 했다. 그런데 평소에는 낭독이 끝나기가 무섭게 구술을 시작하시던 분이 이번에는 아무 말이 없으셨다. 침묵이 방을 꽉 채우자 사방의 벽마저 긴장한 듯 우리를 조여왔다. 내 등 뒤에서 신경질적으로 이리저리 서성대는 소리가 들리는 거로 보아 선생님은 아직도 집중을 못 하신 듯했다. "한 번 더 읽어주게!" 목소리가 불안하게 떨리는 게 심상치 않았다. 마지막 문단을 다시 한번 낭독하자 선생님은 곧장 내 말을 이어받으며 구술을 시작하셨다. 평소보다 더 빠르고 논리정연하셨다. 다섯 문장으로 한 장면이 완성되었다. 지금까지의 내용은 드라마의 문화적 배경을 다룬 것으로서 시대를 큰 그림으로 보여주며 역사를 개괄적으로 요약하고 있었다. 이제 선생님은 방향을 바꾸어 드디어 극장에 관한 이야기로 넘어가셨다.

"극장이 생기면서 마차를 타고 떠돌던 유랑극단은 마침내 정착해서 보금자리를 갖게 된다. 권리와 재산권을 맨 처음 문서로 보장받은 것은 '로즈 극장'• 이고, 다음은 '포춘 극장'•• 이다. 어설픈 연극만큼이나 판자때기로 지은 극장 역시 어설펐다. 그러다가 극문학이 남자답게 성장하며 어깨가 떡 벌어지게 되면서 목수들은 거기에 맞는 새 옷을 목재로 짓게 된다. 템스 강변의 눅눅한 싸구려 진흙땅에 울타리를 친 후 거대한 육각형 탑으로 된 목재 건축물을 세운 것이다. 이렇게 글로브 극장이 탄생하고 거장 셰익스피어가 등장한다. 마치 빨간 해적 깃발을 돛대 높이 매단 기이한 배가 바다에 떠밀려 온 것처럼 글로브 극장은 진흙땅에 단단히 닻을

• Rose Theatre. 1587년 런던의 템스강 남부 지역에 지어진 대중극장

•• Fortune Playhouse. 1600년 템스강 북부 지역에 지어진 대중극장

내리고 우뚝 선다. 아래층 관람석에서는 하층민들이 항구에서처럼 법석을 떨며 몰려들고 위층 관람석에서는 상류층 사람들이 배우들 위에서 우쭐대며 웃고 지껄여 댄다. 다들 빨리 연극을 시작하라고 성급히 다그친다. 발로 바닥을 쾅쾅 내리치고 아우성치며 칼머리로 바닥을 쿵쿵 두드린다. 드디어 촛불 몇 개가 가물대며 아래편 무대를 비추자 대충 분장한 인물들이 등장해서 즉흥극으로 추정되는 코미디를 펼친다. 이때 …"

나는 지금도 그의 말을 기억하고 있다.

"돌연 언어의 폭풍이 몰아친다. 바다에서, 열정으로 가득한 끝없는 바다에서 불어오는 폭풍이다. 이 널빤지무대에서 시작된 핏빛 물결은 모든 시대, 모든 지역에 사는 인간의 마음속으로 들이닥친다. 무궁무진하고 깊이를 가늠할 수조차 없으며 명랑한 동시에 비극적이며 천태만상을 품고 있고 인간을 태초 형상대로 보여 주는 것, 그것이 곧 잉글랜드의 연극이고 셰익스피어의 드라마이다."

이처럼 숭엄한 문장 직후 갑자기 말이 끊기고 길고 답답한 침묵이 찾아왔다. 나는 불안해져서 주위를 둘러보았다. 선생님은 한 손으로 탁자를 짚고 간신히 서 계셨는데 내가 알기로는 기진맥진하셨을 때 늘 그런 자세였다. 하지만 이번에는 굳어 있는 모습이 왠지 섬뜩해 보였다. 나는 무슨 일이 생겼나 걱정하며 벌떡 일어나 조심스럽게 오늘은 그만하시겠냐고 물었다. 선생님은 처음에는 숨도 안 쉬고 꼼짝도 하지 않은 채 멍하니 나를 응시하기만 했다. 그러나 곧 눈동자가 파랗게 빛나고 빳빳이 굳어 있던 입술이 풀리더니 그는 내게 다가왔다.

"흠, 자네는 아무것도 눈치채지 못했나?"

그가 나를 다그치듯 바라보았다.

"뭘 말입니까?" 영문을 몰라 나는 더듬댔다. 그러자 선생님은 숨을 깊이 들이쉬며 슬며시 미소 지었다. 몇 달 만에 넉넉하고 부드럽고 다정한 눈빛이 되돌아왔음을 알 수 있었다.

"제1부가 끝났네."

너무도 놀랍고 기뻐서 환호성이 터지려는 것을 애써 눌러야 했다. 어떻게 내가 그것을 못 보고 지나쳤단 말인가! 정말로 전체 구조가 완성되어 있었다. 과거의 토대에서 출발하여 창조가 시작되는 문턱까지를 단계별로 다룬 높직한 건축물이 위풍당당하게 서 있었다. 이제 말로, 벤 존슨, 셰익스피어가 등장할 차례였다. 그들이 개선장군처럼 문턱을 넘어서기만 하면 됐다. 저술이 첫 탄생일을 맞이한 것이다.

나는 서둘러 달려가 필기한 종이를 세어보았다. 빼곡히 적힌 종이들은 모두 170쪽에 달했는데 이로써 가장 어려운 부분인 제1부를 마친 셈이었다. 지금까지는 역사적 사실을 많이 고려하면서 서술해야 했던 반면에 앞으로 이어질 부분은 자유로이 묘사하며 구성할 수 있을 것이다. 나는 선생님이 작품을 완성해내실 것을 추호도 의심하지 않았다. 그의 작품을, 우리의 작품을 말이다!

내가 소리를 질러댄 걸까? 기뻐서, 자랑스러워서, 행복해서 춤이라도 춘 걸까? 모를 일이다. 너무나 열광한 나머지 제정신이 아니었던 건 분명하다. 나는 마지막 문장을 훑어보다가 서둘러 원고의 매수를 세고 그 무게를 가늠하고 다정히 원고를 쓰다듬었다. 그러면서 우리가 언제쯤 저작 전부를 완성할 수 있을지 꼽아보며 꿈에 부풀어 있었고 선생님은 미소를 지으며 그런 나를 지켜보고 계셨다. 자부심을 내보이지 못한 채 숨겨두어야 했던 선생님은 나의 기뻐하는 모습을 거울에 비친 자신을 보듯 보았다. 감동에 찬 미소를 지으며 그는 나를 쳐다보았다. 그러고는 천천히 가까이, 아주 가까이 다가와서 양손을 뻗어서 내 손을 잡고는 꼼짝도 하지 않고 나를 바라보았다. 평소에는 푸른 기운이 움칠움칠 깜빡이기만 하던 그의 눈이 차츰 영혼이 깃든 청명한 푸른색으로 넘실댔다. 자연의 모든 요소 중에서 바다와 인간의 깊은 감정만이 가질 수 있는 그런 푸른색이었다. 그런 찬란한 푸른색이 그의 눈동자에서 솟아나 퍼지더니 내 속을 파고들었다. 따스한 물결이 살포시 내 마음 깊숙이 스며들더니 널리 퍼져나갔다. 감정이 고조되며 기이한 쾌감이 찾아왔다. 힘이 샘솟으며 순식간에 가슴이 부풀었다. 이탈리아에서 햇빛 가득한 정오를 마음껏 즐기는 기분이었다. 이 더없는 행복의 순간에 선생님의 목소리가 들렸다.

"알다시피 자네가 없었다면 나는 결코 이 일을 시작하지도 못했을 거야. 절대 이 사실을 잊지 못할 걸세. 자네는 내가 무기력감을 떨치고 도약하게끔 구원의 손길을 내밀었네. 난 중심을 잃고 되는대로 살고 있었는데 자네가 그런 나를 구해낸 거야. 그렇게 해준 사람은 오직 자네뿐이네. 자네처럼 나를 위해 많은 일을 하고 충실히 도와준 사람은 다시없을 걸세. 그러니 나는 이제 고마운 마음을 '자네'에게, 아니 … '너'에게 전하려 하네. 자, 이리 오렴! 우리 이제 한 시간 동안 형과 아우가 되어보자꾸나."

선생님은 다정히 나를 탁자로 끌고 가서는 준비해 놓은 와인병을 집어 드셨다. 술잔 두 개도 거기 놓여 있었다. 내게 고마움을 표시하기 위해서 선생님이 이런 상징적인 술자리를 마련해 놓으셨다니! 기뻐서 몸이 떨렸다. 열렬한 소원이 갑자기 이루어지는 것만큼 마음이 온통 혼란스러운 일은 또 없을 것이다. 나는 은밀히 신뢰의 징표를, 의심의 여지가 없는 그런 징표를 갈망해 왔는데 선생님이 고마운 마음에서 가장 멋진 징표를 생각해 내셨지 않은가! 엄청난 나이 차이를 뛰어넘어 형제처럼 말을 놓자고 제안하시다니, 이제까지의 어려웠던 관계에 비추어 볼 때 상상을 초월하는 대단한 일이었다.

술병이 달그락거렸다. 함께 술을 마시며 형제가 되는 의식을 치르면 나의 불안감은 영영 사라질 것이고 신뢰감이 그 자리를 차지하게 될 것이다. 떨리는 듯 해맑게 달그락대는 소리에 맞추어 내 마음도 맑게 울렸다. 그런데 사소한 문제가 생겨서 축제의 순간을 방해했다. 병은 코르크 마개로 닫혀 있었는데 마침 병따개가 보이지 않았다. 선생님이 그걸 가져오려고 일어서셨지만, 나는 그 의도를 알아채고는 먼저 성급히 식당을 향했다. 내 마음을 마침내 진정시키게 될 순간, 선생님의 호감을 공식적으로 확인하는 순간을 한시라도 빨리 맞이하고 싶어 애가 탔다.

벌컥 문을 열고 불이 꺼진 복도로 나서는 순간 나는 어둠 속에서 어떤 물컹한 형체와 부딪혔다. 급히 물러나는 그 형체, 그것은 다름 아닌 선생님의 부인이었다. 문 옆에서 엿듣고 있었던 게 분명했다. 나와 정면으로 쾅당 부딪쳤는데도 끽소리도 내지 않고 말없이 물러서는 게 이상했다. 나 역시 꼼짝도 못 하고 놀라며 침묵했다. 한동안 우리는 그렇게 있었다. 둘 다 말없이 서서 상대 앞에서 부끄러워했다. 그녀는 엿듣는 걸 들킨 게 부끄러웠을 테고 나는 뜻밖의 일을 발견한 게 부끄러웠다. 이내 어둠 속에서 나직이 발걸음

소리가 들리더니 불이 켜졌다. 창백한 얼굴을 한 그녀가 도발적인 자세로 찬장에 등을 기대고 서 있었다. 두 눈은 진지하게 나를 훑어보았다. 이렇게 꼼짝 않고 선 그녀는 무언가 무서운 일을 경고하고 협박하는 듯했다. 하지만 아무런 말도 하지 않았다.

나는 덜덜 떨리는 손으로 침침한 찬장을 한참 신경질적으로 뒤져서야 간신히 병따개를 찾았다. 또다시 그녀 옆을 지나가다가 그녀의 굳은 눈과 마주쳤다. 반짝반짝 광을 낸 목재처럼 굳건하고 음침하게 빛나는 눈이었다. 그녀는 문 옆에서 몰래 엿듣다가 들킨 게 전혀 부끄럽지 않은 듯했다. 오히려 번쩍이는 눈으로 단호하고 거침없이 알 수 없는 협박을 내게 하고 있었다. 그녀는 이런 고집스러운 몸짓으로 서재 문 앞에서 물러서지 않고 계속 엿듣고 감시할 생각임을 알리고 있었다. 자신의 의지를 이다지도 당당히 드러내는 태도에 나는 혼란스러웠다. 나를 향한 단호한 경고의 시선에 눌려 나도 모르게 몸을 움츠렸다. 드디어 나는 불안한 발걸음으로 선생님이 초조하게 와인 병을 손에 쥐고 있는 서재로 돌아왔다. 하지만 조금 전까지만 해도 한없이 솟아나던 기쁨의 감정은 이상야릇한 불안으로 얼어붙어 버렸다.

선생님은 별생각 없이 나를 기다리시다가 유쾌하게 나를 맞으셨다. 우수가 서린 이마에서 구름이 걷힌 모습, 이것이야말로 내가 늘 보고 싶어 하던 모습이 아니던가! 하지만 선생님이 처음으로 평화로운 빛을 발하며 다정히 나를 대하시는데도 나는 말 한마디 할 수 없었다. 은밀히 숨겨둔 기쁨이 몽땅 은밀한 숨구멍을 통해 흘러나간 기분이었다. 선생님이 다시 한번 내게 고마워하시며 나를 친근히 '너'라고 부르시는데도 나는 그저 혼란스러웠고 부끄러웠다. 술잔들이 쨍 맞부딪혔다. 선생님은 나를 친근히 팔로 감싸고는 안락의자로 이끌었다. 우리는 마주 앉았고 선생님은 자신의 손을 살며시 내 손에 포개었다. 그가 감정을 통제하지 않고 스스럼없이 나를 대하는 건 처음이었다. 하지만 나는 아무 말도 못 하고 저절로 자꾸 문 쪽을 흘끔거렸다. 그녀가 거기 서서 엿들으리란 생각에 너무도 불안했고 그 생각을 떨쳐낼 수 없었다. 그녀는 선생님이 내게 하는 말과 내가 선생님께 하는 말을 죄다 엿듣고 있어. 그런데 왜 하필 오늘이지? 왜 하필 오늘이냐고?

선생님은 특유의 따듯한 시선으로 나를 감싸며 느닷없이 말씀하셨다. "오늘은 네게 내 이야기를 하고 싶구나. 내 젊은 시절 이야기를 들려줄게."

이 말에 너무 놀란 내가 손사래를 치며 선생님을 제지하자 선생님은 의아해하며 나를 쳐다보셨다. "오늘은 안 됩니다." 나는 더듬대며 말했다. "오늘은 안 됩니다. … 죄송합니다."

선생님의 이야기가 염탐꾼에게 새어 나갈 수 있는데도 그 사실을 알릴 수 없다는 생각에 너무도 끔찍했다.

선생님은 미심쩍게 나를 보더니 조금 기분이 상한 듯 물었다. "너 왜 그래?"

"피곤해서요. … 죄송하지만 … 뭔가에 정신이 나간 … 그런 느낌입니다." 나는 떨리는 몸을 일으켰다. "오늘은 이만 가는 게 좋을 듯싶습니다." 나의 시선은 나도 모르게 선생님을 지나서 문 쪽을 향했다. 적의와 질투심을 품은 그녀가 여전히 문 뒤에 숨어서 호기심에 엿듣고 있을 게 분명했다.

선생님도 이제 소파에서 힘들게 몸을 일으켰다. 갑자기 피곤해지신 듯 얼굴에 그늘이 졌다.

"정말 가려고? … 하필 … 하필 오늘 같은 날에?" 선생님이 내 손을 잡자 뭔지 모를 압력에 내 손은 묵직해졌다. 그러나 그는 갑자기 돌멩이를 팽개치듯 내 손을 확 뿌리쳤다.

"유감이군." 그가 실망한 듯 내뱉었다. "한번 허심탄회하게 너와 이야기할 날을 고대해 왔는데, 정말 유감이야!" 순간 그가 내쉬는 깊은 한숨이 검은 나비처럼 펄럭대며 방을 날았다. 나는 너무도 부끄러웠고 설명할 수 없는 불안감에 빠졌지만 물러나서 조용히 문을 닫을 수밖에 없었다.

나는 힘겹게 내 방으로 올라와서는 침대에 몸을 던졌다. 하지만 잠이 오지 않았다. 내가 사는 공간을 그들이 사는 아래층 공간과 분리하는 것은 고작 얄팍한 마룻장뿐이며 탄탄한 들보만이 마룻장을 지탱하고 있다는 사실을 이처럼 또렷이 느낀 적은 없었다. 이제 나는 초능력자라도 된 듯 날카로워진 감각으로 아래층의 두 분이 깨어 있음을 느꼈다. 볼 수 없는 것이 보였고 들을 수 없는 소리가 들렸다. 선생님은 지금 서재에서 불안하게 이리저리 서성이시고 그녀는 어디 다른 곳에서 말없이 앉아 있거나 엿들으려고 돌아다니고 있었다. 나는 두 사람이 눈을 뜨고 있다는 걸 느꼈다. 그들이 깨어 있다는 사실이 두려웠다. 악몽이라도 꾸듯, 답답하게 침묵하는 이 건물이 음산한 그림자를 드리우며 불쑥 나를 찍어 눌렀다.

나는 이불을 제쳤다. 손이 뜨거웠다. 내가 대체 무엇에 걸려든 걸까? 나는 비밀에 아주 가까이 왔고 그것의 뜨거운 숨결을 얼굴에 느꼈건만 비밀은 어느새 다시 멀어져 있었다. 하지만 비밀의 그림자는 아무 소리 없이 모습을 감춘 채 여전히 살랑대며 돌아다니고 있었다. 나는 이 위험한 그림자가 이 집에 있음을 느꼈다. 비밀의 그림자는 고양이처럼 살금살금 걸으며 달려들었다가는 물러서기를 거듭했고 스치는 곳마다 전류를 일으켰고 혼란을 가져왔다. 그것은 따듯했지만, 유령처럼 무서웠다. 어둠 속에서 나는 계속 선생님의 감싸 안는 듯한 눈빛과 부드럽게 내민 손을 느꼈고 동시에 그녀의 날카롭고 위협적이며 서슬 퍼런 눈빛도 느꼈다. 그들의 비밀이 나랑 무슨 상관이람? 어쩌자고 그들은 내 눈을 가리고는 나를 자신들의 열정 한복판에 세워두려는 걸까? 어쩌자고 자신들의 영문을 알 수 없는 불화 속으로 나를 몰아넣고는 제각기 분노와 증오가 뒤엉킨 불덩이를 내게 보란 듯이 들이대는 걸까?

내 이마는 점점 더 달아올랐다. 나는 벌떡 일어나 창문을 열어젖혔다. 여름의 구름 아래 도시는 평화로이 잠들어 있었다. 아직도 램프가 빛나는 창문도 있었지만, 그 안의 사람들은 조용히 대화하거나 책을 읽거나 음악을 즐기며 훈훈한 시간을 보내고 있었다. 하얀 창틀 너머 어느덧 어둠이 깔린 곳에서는 사람들이 쌕쌕 숨을 쉬며 자고 있었다. 다들 잠든 지붕들 위로 안개에 싸인 달처럼 포근하고 여유롭고 온화한 정적이 둥둥 떠 있었다. 이윽고 11시를 알리는 시계탑의 종소리가 울렸다. 우연히 듣든, 꿈을 꾸며 듣든 무심히 들어넘길 만한 소리였다. 그런데도 나는 이 집에서 낯선 생각들이 잠들지 않고 심술궂게 나를 포위하고 있음을 느꼈다. 나의 상념은 이 모든 어수선한 속삭임을 이해해 보려고 열을 올리는 중이었다.

갑자기 나는 소스라쳤다. 계단에서 발걸음 소리가 들리지 않는가? 나는 귀를 쫑긋하며 일어섰다. 정말 누군가가 눈먼 사람처럼 더듬으며 계단을 올라오고 있었다. 조심스럽게 주저하며 불안한 걸음을 떼고 있었다. 낡아빠진 목조 계단이 삐걱대고 신음하는 소리를 나는 잘 알고 있었다. 그 발걸음은 내 방을 향해, 나에게 오는 게 분명했다. 지붕 아래층에 거주하는 사람은 나 말고는 귀먹은 노부인뿐이었는데 노부인은 이미 잠들어 있었고 원래 방문객이 없었다. 선생님이신가? 아냐, 선생님은 넘어질 듯 성급히 걸으시잖아! 저기서 걷는 사람은 주저하며 계단 하나를 오를 때마다 겁을 내며 어슬렁대고 있어. 지금도 또 그러는군! 저렇게 다가오는 건 몰래 침입해서 범죄를 저지르려는 사람이지 결코 친구는 아니야. 바짝 긴장해서 엿듣느라 귀가 윙윙거렸다. 순식간에 맨다리에 소름이 돋았다.

이때 열쇠 구멍에서 찰카닥 소리가 났다. 벌써 그 사람은 문 앞에 와 있는 게 분명했다. 맨발을 스치는 실바람으로 보아 바깥문이 열린 것을 알 수 있었다. 그런데 열쇠를 가진 사람은 그분, 오로지 그분, 선생님뿐이었다. 선생님이라면 대체 왜 그렇게 겁을 내며 평소와는 다르게 행동하는 걸까? 내가 걱정되어 보러 오신 건가? 왜 이 무시무시한 손님은 들어오지 않고 현관방에서 머뭇거리고 있는 걸까? 도둑처럼 살금살금 떼던 발걸음이 갑자기 얼어붙었잖아. 나 역시 겁에 질려 얼어붙었다. 소리라도 지르고 싶은데 목구멍이 점액으로 꽉 막혀버렸다. 문을 열려 했지만 두 발이 바닥에 못 박힌 듯 꼼짝을 할 수 없었다. 우리 둘, 나와 무시무시한 손님 사이에는 이제 얄팍한 벽 하나뿐이었다. 하지만 우리 둘 중 그 누구도 상대를 향해 발을 떼려 하지 않았다.

이때 시계탑에서 종이 딱 한 번 울리며 열한 시 사십오 분을 알렸다. 그 종소리가 얼어붙은 내 몸을 풀어주었다. 나는 문을 열어젖혔다.

정말 거기에 선생님이 초를 손에 들고 서 계셨다. 문을 왈칵 열어젖히며 생긴 바람 때문에 촛불이 파랗게 타올랐고 꼼짝 않고 서 계신 선생님 뒤에는 거대한 그림자가 술주정뱅이처럼 비틀대며 벽을 덮었다. 선생님은 나를 본 순간 몸을 움찔했다. 마치 잠자던 사람이 갑작스러운 바람에 놀라 깨서는 한기를 느끼고 자기도 모르게 이불을 끌어당기는 듯했다. 그러고는 뒤로 물러섰다. 초가 흔들리면서 촛농이 뚝뚝 그의 손에 떨어졌다.

나는 혼절할 지경으로 놀라 부르르 떨었다. "선생님, 무슨 일이세요?"라는 말만 간신히 할 뿐이었다. 그는 아무 말 없이 나를 보았다. 그 역시 말문이 막힌 듯했다. 들고 있던 초를 서랍장 위에 올려놓고 나니 박쥐처럼 방을 너풀대던 그림자가 단번에 얌전해졌다. 드디어 그가 천천히 더듬대며 말했다. "나는… 나는 말일세…"

그의 목소리는 다시 잦아들었다. 도둑질하다가 들킨 사람처럼 그는 바닥을 내려다보았다. 나는 속옷 바람이라 추워서 떨리는데, 선생님은 몸을 바싹 웅크린 채 수치심에 어쩔 줄 몰라 하시다니. 이렇게 마주 서 있으려니 불안해서 견딜 수 없었다.

부서질 것 같던 선생님의 형상이 갑자기 움직였다. 선생님은 내게 다가오더니 악의에 찬 음흉한 미소를 지으며 잠시 나를 뚫어지라 응시했다. 입술은 꾹 다문 채 눈에서만 무섭게 반짝이는 미소 탓에 낯선 가면이 나를 응시하는 듯했다. 이윽고 뱀의 갈라진 혀에서 나옴 직한 날 선 목소리가 튀어나왔다.

"나는 자네에게 이 말을 하려고 온 걸세… 그러니까 우리, 말을 편히 놓고 지내기로 한 걸 … 없던 일로 하세. 그건 … 학생과 선생 사이에는 적절하지 않다네. … 무슨 말인지 알겠나? … 거리를 유지하는 게 옳아 … 거리… 거리 말일세."

이렇게 말하는 동안 그는 양손을 으스러질 듯 꽉 마주 쥐며 증오와 악의가 가득 찬 시선을 내게 던졌다. 빰을 때리기라도 할 듯 모욕적이었다. 나는 비틀거리며 뒤로 물러섰다. 선생님이 미친 걸까? 아니면 술에 취했나? 그는 주먹을 움켜쥐고 서서는 내게 달려들어 얼굴을 갈기기라도 할 기세였다.

하지만 이런 끔찍한 순간은 곧 지나갔고 공격적인 시선은 수그러들었다. 그는 몸을 돌리더니 실례했다는 말 비슷한 것을 웅얼거리고는 촛불을 집어 들었다. 바닥에 납작 엎드려 있던 그림자가 시중드는 검은 악마처럼 발딱 몸을 일으키더니 앞장서서 바삐 문을 향했다. 내가 무슨 말을 생각해 내기도 전에 선생님 역시 그림자를 따라 문을 나섰다. 문이 쾅당 닫히고는 서둘러 떼는 발걸음에 밟힌 계단이 고통스럽게 삐걱댔다.

나는 그날 밤을 잊지 못할 것이다. 싸늘한 분노와 뜨거운 절망이 격렬하게 뒤바뀌는 밤이었다. 온갖 상념이 폭죽처럼 현란하게 터지며 뒤엉켰다. 왜 그는 나를 괴롭히는 거지? 나는 고통에 떨며 수도 없이 물었다. 어째서 그는 나를 미워하는 거지? 일부러 밤에 계단을 슬며시 올라와서는 적의에 차서 그런 모욕적인 말을 대놓고 할 정도로 내가 미운 걸까? 내가 대체 선생님께 무슨 짓을 했단 말인가? 이제 난 무얼 해야 하나? 내가 어쩌다가 그의 기분을 상하게 했는지도 모르는데 어떻게 화해를 할 수 있겠는가? 나는 후끈 달아오른 몸을 침대에 던졌다가 벌떡 일어났다가, 곧 다시 이불 속을 파고들었다. 하지만 무얼 하든 그 유령 같은 형상이 내 앞에 어른거렸다. 선생님은 몰래 내 방에 들어와서는 내 앞에서 어쩔 줄 모르셨고 선생님 뒤에 드리운 낯설고 무시무시한 그림자는 벽에서 비틀거리고 있었다.

다음 날 아침 얕은 잠에서 깬 나는 처음에는 꿈을 꾼 걸 거라고 나 자신을 타일렀다. 하지만 서랍장 위에는 노란 촛농이 동그마니 붙어 있었다. 끔찍한 기억이 다시 떠오르며 도둑처럼 몰래 기어들어 온 어젯밤 손님은 눈부시게 환한 방 한복판에 다시 서 있었다.

오전 내내 나는 방 밖을 나서지 않았다. 선생님과 마주칠 생각을 하니 힘이 쭉 빠졌다. 글을 쓰거나 책을 읽으려 했지만 헛수고였다. 신경이 망가진 상태라서 순식간에 경련을 일으키거나 흐느껴 울며 부르짖을 것만 같았다. 내 손가락을 보니 나무에 매달린 잎새처럼 파르르 떨리는데 진정시키려 해도 말을 듣지 않았고, 힘줄이 잘려 나간 듯 무릎이 후들거렸다. 어떻게 하지? 어떻게 해야 할까? 이 물음을 거듭하느라 나는 지쳐버렸다. 피가 관자놀이에서 윙윙 돌았고 눈 아래에는 퍼렇게 그늘이 졌다. 자신감이 생기고 신경이 가라앉기도 전에 방문을 열고 계단을 내려가서 그와 마주칠 수는 없는 노릇이었다. 다시금 나는 침대에 몸을 던졌다. 배가 고프고 혼란스러운 데다가 씻지도 않은 채 멍한 상태였다. 내 감각은 또 얇은 벽을 뚫고 이것저것을 알아내려 들었다. 그는 지금 어디에 있을까? 무엇을 하는 걸까? 나처럼 깨어 있을까? 나처럼 절망에 빠져 있을까?

정오가 되었지만 나는 여전히 혼란에서 헤어나지 못한 채 후끈하게 달아오른 침대에 누워 있었다. 이때 계단에서 발걸음 소리가 났다. 신경이 온통 곤두서며 경계경보를 울렸다. 그런데 그 발걸음은 경쾌했고 거침없이 한 번에 두 계단씩 시원스럽게 뛰어오르고 있었다. 곧 노크하는 소리가 났다. 나는 벌떡 일어나서는 문을 열지 않고 물었다. "누구십니까?"

"왜 식사하러 오지 않아요?" 조금 짜증스러운 목소리로 그녀가 말했다. "어디 아파요?"

"아니, 아닙니다." 당황해서 나는 더듬거렸다. "곧 갈게요. 곧 갑니다."

급히 옷을 걸치고 내려가는 수밖에 없었다. 사지가 휘청거려서 계단 난간을 잡아야 했다.

선생님의 부인이 이 인분의 식사가 차려진 식탁에서 기다리고 있었다. 그녀는 부르러 갈 때까지 오지 않은 나를 가볍게 나무랐다. 선생님 자리는 비어 있었다. 피가 머리로 솟아올랐다. 갑자기 그가 없어진 것은 무슨 의미지? 우리 둘 중 둘이 만나는 걸 더 많이 두려워하는 건 내가 아니라 그일까? 그는 수치스러워하는 걸까, 아니면 앞으로는 나와 함께 식사하지 않으려는 걸까? 나는 마침내 마음을 다지고 선생님은 오지 않으시냐고 물어보았다.

그녀는 놀라며 쳐다보았다. "그이가 오늘 아침 떠난 걸 몰랐나요?"

"떠나셨다고요 … 어디로요?" 내가 더듬대며 말했다.

그녀의 얼굴이 긴장하며 팽팽해졌다. "남편은 내게 그런 걸 알려주는 법이 없어요. 아마 늘 그렇듯이 며칠 여행을 갔겠지요." 그러고는 날카로운 눈빛으로 나를 보며 물었다. "그런데 당신이 그걸 모른다고요? 그이는 어젯밤 당신 방으로 올라가던데요. 작별 인사를 하러 가는 줄 알았는데 … 이상하네요, 정말 이상해… 당신에게도 아무 말이 없었다니 말이에요."

"내게요?" 나도 모르게 이 말을 부르짖을 수밖에 없었다. 그러고 나니 부끄럽고 창피한 일이지만 그동안 쌓였던 감정이 터져 나왔다. 나는 갑자기 흐느끼고 울부짖으며 경련을 일으켰다. 그르렁대는 소리로 두서없이 이 말 저 말 쏟아내고 울부짖으며 뒤섞인 절망의 응어리를 토해냈다. 나는 울었다. 아니 울었다기보다는 경련을 일으켰다고 해야 할 것이다. 히스테리 환자처럼 흐느끼며 그동안 억눌렀던 고통을 입 밖으로 쏟아냈다. 기분이 상해 날뛰는 아이처럼 두 주먹으로 식탁을 미친 듯이 두들겨 대며 난동을 벌였다. 몇 주일씩이나 내 머리 위에 걸려 있던 비구름에서 장대비가 쏟아져 내리며 내 얼굴은 눈물범벅이 되었다. 이렇게 실컷 날뛰고 나니 홀가분한 기분이 들면서도 다른 한편으로는 그녀 앞에서 내 속내를 죄다 드러냈다는 게 너무도 부끄러웠다.

"이게 웬일이람! 맙소사!" 그녀가 어쩔 줄 모르며 벌떡 일어났다. 그러고는 서둘러 나를 식탁에서 소파로 데려갔다. "여기 누우세요! 진정하세요!"

내 몸이 여전히 잦아들지 않는 경련에 부르르 떨고 있는 동안 그녀는 내 손을 어루만지고 머리를 쓰다듬었다.

"괴로워하지 말아요, 롤란트. 괴로워할 일이 아녜요. 내가 다 알아요. 이렇게 될 거라고 짐작하고 있었어요."

그녀는 여전히 내 머리를 쓰다듬고 있었다. 그러더니 갑자기 목소리에 날을 세우며 말했다. "그이가 사람을 얼마나 혼란에 빠트리는지 내가 잘 알아요. 그 누구보다도 잘 알고말고요. 난 당신이 전적으로 그이에게 의지하려는 걸 보고는 그이가 실은 의지할 대상이 아니라는 걸 늘 당신에게 경고하려고 했어요. 당신은 그이를 몰라요. 맹목적인 데다가 어린애 같으니까요. 오늘도, 오늘까지도 여전히 아무것도 눈치채지 못하고 있잖아요. 어쩌면 당신은 오늘 처음으로 무언가를 이해하기 시작한 것 같기도 하네요. 그렇다면 그이에게나 당신에게나 더욱 잘된 일이에요."

내 위에 수그린 그녀의 몸이 따듯했다. 투명한 심연에서 솟아나온 듯한 그녀의 말을 들으며 차분히 어루만지는 그녀의 손길을 느끼니 고통이 잦아들었다. 오랜만에 연민의 숨결을 느끼고 거기다가 어머니처럼 다정한 여자의 손길이 가까이 닿으니 기분이 한결 좋아졌다. 어쩌면 너무 오래 이런 손길 없이 지낸 탓인지도 몰랐다. 슬픔에 잠긴 나를 다정하게 위로하려 애쓰는 여자가 있다는 사실이 고통스러운 와중에도 포근하게 다가왔다. 하지만 나 자신이 얼마나 부끄러웠던지! 그만 발작을 일으켜 절망한 모습을 보였으니 부끄러워 죽을 지경이었다. 그런데 간신히 몸을 일으킨 나는 내 의지와는 반대로 다시 한번 그가 내게 한 온갖 일들을 탓하는 말들을 쏟아냈다. 그가 나를 밀쳐내고 압박하다가 다시 내게 다가왔으며 아무런 이유도 동기도 없이 나를 적대시하며 모질게 대했다고 막혔던 봇물이 흐르듯 지껄여 댔다. 이토록 나를 괴롭히는 선생님을 여전히 사랑하고 있으며 사랑하면서도 증오하고, 증오하면서도 사랑할 수밖에 없다고 말이다. 내가 또다시 몹시 흥분하는 바람에 그녀는 재차 나를 진정시켜야 했다. 어느새 소파에서 벌떡 일어선 나를 부드러운 손이 다시 조심스레 소파에 눕혔다. 마침내 나는 안정을 되찾았다. 그녀는 생각에 잠겨서 아무 말도 하지 않았다. 그녀가 모든 걸 이해하고 있다는 걸 느꼈다. 어쩌면 나보다 더 잘 이해하고 있을지도 ….

우리는 몇 분간 침묵에 싸여 있었다. 곧 그녀가 몸을 일으켰다.

"당신은 너무 오래 어린애처럼 굴었어요. 이제 다시 남자가 되어봐요. 식탁에 앉아서 식사하는 거예요. 대단한 비극이 일어난 게 아녜요. 그저 오해가 있었으니 풀면 돼요."

내가 말을 듣지 않자 그녀는 거칠게 말을 이었다. "오해가 풀릴 거라고요. 당신이 이리저리 끌려 다니며 혼란스러워하게끔 내가 더는 내버려 두지 않을 테니까요. 이제 끝을 내야 해요. 그이도 결국에는 좀 자제하는 법을 배워야 해요. 당신은 그이가 벌이는 위험한 놀이의 상대가 되기에는 너무 아까운 사람이에요. 내가 남편과 얘기할 테니 날 믿어요. 자, 이제 식탁으로 가요."

부끄러워진 나는 순순히 이끄는 대로 따랐다. 그녀는 서둘러 사소한 일들에 관해 지나치리만큼 열심히 떠벌렸다. 내가 자제력을 잃고 폭발한 것을 못 들은 척, 이미 잊어버린 척하는 그녀가 너무도 고마웠다. 내일이 일요일인데 대학 강사 W씨와 그의 약혼녀와 함께 근교 호수로 소풍 갈 계획이니 같이 가자고 그녀는 나에게 권했다.

"책에서 벗어나 기분전환을 해야 해요. 당신 기분이 언짢은 건 과로와 신경과민 탓이에요. 수영이나 등산을 하면 곧 몸이 안정을 되찾을 거예요."

나는 가겠다고 약속했다. 혼자 내 방에 남아서 밝힐 수 없는 일을 되풀이해 생각하지 않을 수 있다면 무엇이든 좋았다.

"오늘 오후도 집에 있지 말아요! 산책하든지 마음껏 뜀박질이라도 해요. 좀 즐기며 보내라고요!" 그녀가 재차 다그쳤다.

'이상한 일이야, 어떻게 그녀는 내 속마음을 이다지도 잘 꿰뚫고 있을까? 내게는 낯선 사람인 그녀는 내게 무엇이 필요하며 어디가 아픈지를 알고 있는 반면에 나를 잘 아는 선생님은 나를 오해해서 절망으로 몰아넣으시잖아?' 이런 생각을 하며 나는 그렇게 하겠다고 약속했다. 고마운 마음으로 그녀를 쳐다본 순간 새로운 얼굴을 발견했다. 평소에는 조롱하듯 장난기 가득하고 되바라지고 유쾌한 소년 같던 얼굴이 사라지고 온화하고 연민에 찬 눈빛이 나를 보고 있었다. 그녀가 지금처럼 진지한 걸 본 적이 없었다.

'어째서 선생님은 나를 이렇듯 친절하게 바라보지 않는 걸까?' 나는 혼란 속에서도 그리움을 느끼며 이렇게 자문했다. '어째서 선생님은 자신이 내게 상처를 준다는 걸 단 한 번도 알려고 하지 않으시는 걸까? 어째서 다정히 손을 뻗어 내 머리를 쓰다듬거나 내 손을 잡아주시지 않는 걸까?' 나는 고마운 마음에 그녀의 손에 입을 맞추었지만, 그녀는 어색해하며 급히 손을 빼내었다.

"너무 괴로워하지 말아요!" 그녀가 내게 몸을 수그리며 거듭 말했다.

이윽고 그녀의 입가에는 다시금 매서운 기운이 감돌았다. 그녀는 벌떡 일어나서는 나직하게 이런 말을 내뱉었다. "내 말을 믿어요. 그이는 그럴 가치가 없는 사람이에요."

그녀가 이렇게 나직이 속삭이자 거의 진정됐던 마음은 다시 고통을 느꼈다.

내가 그날 오후와 저녁에 벌인 일은 너무도 한심하고 유치했기에 몇 년 동안 그 일이 생각날 때마다 부끄러워 죽을 지경이었다. 그랬기에 내 내면의 검열관은 그때의 기억을 매번 황급히 차단해 버리곤 했다. 지금 나는 그날의 한심한 바보짓을 더는 부끄러워하지 않는다. 오히려 열정을 주체할 수 없던 혈기 왕성한 소년이 자신의 모호한 감정을 돌아보지 않으려고 마구잡이로 날뛸 수밖에 없었음을 너무도 잘 이해한다.

마치 엄청나게 긴 복도의 끝에서 망원경을 통해 보듯이 내가 보인다. 넋이 나가다시피 절망한 소년이 자기 방으로 올라가고 있다. 소년은 무엇부터 시작해야 할지 모른다. 돌연 그는 상의를 걸치고는 평소와는 다른 걸음걸이로 걸어보며 거칠고 단호한 몸짓을 시험해 본다. 그러고는 갑자기 힘차게 쿵쿵 걸으며 거리로 나선다. 그렇다, 바로 나다. 나를 알아볼 수 있다. 괴로워하던 불쌍한 바보 소년이 그때 했던 생각 모두를 나는 알고 있다. 알다마다! 돌연 나는 몸을 꼿꼿이 세우고는 거울 앞에 서서 나 자신을 보며 말했다. "그 사람 따위는 아무래도 좋아! 귀신이 잡아가라지! 멍청이 노인네 때문에 속 썩일 게 뭐람! 그녀 말이 맞아. 즐기며 한번 재미있게 놀아보는 거야! 자, 나가자!"

정말 나는 거리로 나섰다. 단번에 자유로워지기 위해서였다. 그러고는 마구 내달았다. 아무리 즐거워하려 해 봤자 전혀 즐겁지 않으며 꽁꽁 언 얼음덩어리가 여전히 내 마음을 짓누르고 있다는 깨달음에서 비겁하게도 도망치기 위해서였다. 내가 묵직한 지팡이를 손에 꽉 쥐고 마주치는 학생들을 째려보며 걸어갔던 걸 기억한다. 누구하고든 싸움을 벌이고 싶어서 미칠 지경이었다. 마침 내게 걸려드는 첫 번째 상대를 두들겨 패서 출구 없이 맴도는 분노를 해소하려는 위험한 욕구가 내 안에서 기승을 부렸다. 다행스럽게도 아무도 내게 관심을 기울이지 않았다. 그래서 나는 세미나를 같이 듣는 학생들이 모이는 카페로 발길을 돌렸다. 같이 앉자는 말이 없어도 그들과 함께 앉아서 누군가 조금이라도 내 비위를 건드리면 그걸 구실 삼아 시비를 걸 작정이었다. 하지만 이번에도 나의 기대는 어긋났다. 날씨가 좋아서 거의 다 야외로 놀러 나갔고 카페에 남아 있는 두세 명은 정중히 인사를 할 뿐이라서 내가 아무리 신경을 곤두세우며 열을 올려도 꼬투리를 잡을 수 없었다.

짜증이 난 나는 곧 자리에서 일어나 교외로 가서는 평판이 나쁘기로 유명한 술집을 찾았다. 여성 악단이 요란한 곡을 연주하고, 쾌락을 좇는 인간 말종 촌놈들이 맥주와 담배에 절어서 빽빽이 모여 있는 곳이었다. 나는 단숨에 두세 잔을 들이켜고는 악명 높은 한 계집과 – 마찬가지로 화장을 짙게 한 말라깽이 창녀인 – 그녀의 친구를 내 자리에 앉게 했다. 남들 눈에 띄게 군다는 병적인 기쁨을 누리기 위해서였다. 이 작은 도시에서는 모두가 나를 알고 있었고 내가 선생님의 제자임도 알고 있었다. 두 여자는 천박한 의상과 행동거지로 자신의 신분을 확연히 드러냈다. 나는 어리석게도 나를 웃음거리로 만듦으로써 선생님까지도 웃음거리로 만들겠다는 유치하고 황당한 즐거움에 빠져 있었다. 내게 선생님은 대수롭지 않은 존재이며 선생님 걱정은 아예 하지도 않는다는 걸 모두가 보아야 했다. 나는 모두가 보는 앞에서 가슴이 풍만한 계집에게 지독히도 꼴사납고 파렴치하게 치근덕댔다. 분노와 증오심에 흠씬 취해 있던 나는 곧 정말로 취해버렸다. 우리는 와인과 독주, 맥주 등 온갖 술을 닥치는 대로 마셔댔고 계속 난동을 부렸다. 의자가 엎어졌고 옆에 앉은 사람들이 슬그머니 물러날 정도였다. 그렇지만 나는 조금도 부끄럽지 않았다. 아니 정반대였다. 그가 이 꼴을 봐야 해! 나는 어리석게도 신바람이 났다. 그가 내게 얼마나 하찮은 존재인지를, 내가 슬퍼하지도, 마음 상하지도 않았다는 걸 알아야 해. 암, 그렇고말고. "술 가져와, 술!" 내가 주먹으로 탁자를 두들기는 바람에 술잔들이 파르르 떨었다.

마침내 나는 두 여자와 함께 밖으로 나와서는 양팔에 여자를 하나씩 끼고 중앙도로를 가로질렀다. 마침 다들 산책을 나서는 저녁 9시라서 대학생과 처녀들, 시민과 군인들이 평온하게 거닐고 있었는데 우리 셋은 흐느적대며 서로 엉겨 붙은 채 차도에서 목청껏 소리를 질러댔다. 그 바람에 화가 난 경찰관이 우리에게 와서는 조용히 하라고 엄하게 명령했다. 그러고 나서 무슨 일이 있었는지 더는 정확히 묘사할 수가 없다. 술기운이 푸르스름한 안개처럼 내 기억을 덮어 버렸기 때문이다. 어느 순간 만취한 두 계집이 역겨워졌고 내 몸도 가누기 힘들어서 돈을 주고 여자들을 보낸 후 어디선가 커피와 코냑을 마셨고 대학 건물 앞에서 교수들을 공격하는 연설을 해서 모여든 청년들을 즐겁게 했다는 건 기억한다. 그러고는 나를 더 많이 더럽히고 선생님을 헤치려는 막연한 본능에서 사창가로 가려 했으나 – 분노에 들끓는 자다운 얼빠진 생각이었다 –

길을 찾지 못해서 짜증을 내며 결국은 비틀비틀 집으로 돌아갔다. 떨리는 손으로 건물 문을 여느라 고생을 한 후 가까스로 계단을 올라갔다.

하지만 선생님 댁 문 앞에 서자 갑자기 얼음물을 뒤집어쓴 듯, 거나한 취기가 단번에 싹 가셨다. 돌연 정신이 번쩍 들면서 내가 아무 소용없이 날뛰며 바보짓을 했음을 깨닫자 일그러진 내 얼굴이 눈에 들어왔다. 수치심에 온몸이 오그라들었다. 나는 두들겨 맞은 개처럼 아주 조용히, 비굴한 걸음걸이로 아무도 눈치채지 못하게끔 내 방으로 올라갔다.

나는 죽은 듯이 잠을 잤다. 눈을 뜨니 이미 햇빛이 마룻바닥을 가득 덮었고 느릿느릿 침대 모퉁이로 올라오고 있었다. 나는 몸을 벌떡 일으켰다. 머리가 지끈지끈 아파지며 점차 어젯밤의 기억이 꿈틀댔다. 하지만 나는 수치심을 물리쳤다. 수치스러워하고 싶지 않았다. 선생님 탓이라고 열심히 나 자신에게 되뇌었다. 내가 그렇게 타락한 건 죄다 선생님 탓이라고 말이다. '어제 일은 대학생이 재미 삼아 벌인 짓일 뿐이야. 몇 주 내내 오직 공부만 했던 학생이라면 그럴 수 있어.' 이렇게 나 자신을 정당화했지만, 기분은 좋아지지 않았다. 마음이 무거웠지만, 어제 소풍 가기로 약속한 게 생각나서 의기소침해서는 선생님의 부인에게 갔다.

이상한 일이었다. 선생님 댁의 문손잡이를 잡자마자 그가, 선생님이 다시 내 안에 자리 잡았고, 이유 없이 쑤셔대는 화끈거리는 고통과 분노에 찬 절망감 역시 되살아났다. 나직이 문을 두드리자

부인은 묘하게도 부드러운 눈빛으로 나를 맞았다.

“롤란트, 대체 무슨 짓을 하고 다니는 거예요?” 그녀의 말에는 비난보다는 연민이 담겨 있었다. “왜 자신을 그렇게 괴롭혀요?”

나는 당황했다. 벌써 내가 바보짓을 했다는 소문을 들은 게 분명했다. 하지만 그녀는 내가 당황하지 않게끔 곧 쾌활히 말했다. “우리 오늘은 맑은 정신으로 잘 보내도록 해요. 10시에 W 강사와 약혼녀가 오기로 했으니 함께 야외로 나가서 배도 타고 수영도 하면서 어리석은 생각일랑 모두 떨쳐버려요.” 나는 불안한 마음에 교수님이 돌아오셨냐는 쓸데없는 질문을 던졌다. 그녀는 대답도 없이 나를 빤히 보았다. 나 역시 괜한 걸 물었다는 생각이 들었다.

10시 정각에 대학 강사가 도착했다. 젊은 물리학자인데 유대인이라서 학계에서는 따돌림을 받는 신세였고, 고립되어 사는 우리와 교류하는 유일한 인물이었다. 약혼녀가 함께 왔는데 추측건대 약혼녀라기보다는 가볍게 즐기는 애인 같았다. 젊은 처녀는 끊임없이 웃음을 터트렸고 단순하고 조금 멍청해 보였지만 바로 그런 점이 즉흥적으로 일탈을 즐기려는 모임에는 안성맞춤이었다. 먼저 우리는 근방에 있는 자그만한 호수로 가는 기차에서 쉴 새 없이 먹고 떠들고 웃어댔다. 지난 몇 주 동안 진지하게 일에 몰두하느라 명랑한 대화를 나눈 적이 없었기에 이렇게 한 시간 남짓을 보내는 것만으로도 벌써 술에 취한 듯 짜릿했다. 여태껏 어둠 속에서 끈끈한 벌집 주위를 맴도는 꿀벌처럼 늘 똑같은 생각만 하고 있었는데, 유치하게 장난치는 그들을 보며 그런 생각에서 벗어날 수 있었다. 땅을 디디자마자 젊은 처녀와 달리기 시합을 벌이다 보니 나의 근육이 되살아나는 걸 느꼈다. 그렇게 나는 예전의 건장하고 근심 없는 청년으로 돌아와 있었다.

호숫가에서 우리는 노 젓는 보트 두 척을 빌렸다. 내가 노를 젓는 보트에는 선생님의 부인이 탔고 다른 보트에는 대학 강사와 여자 친구가 나란히 앉아 노를 저었다. 보트가 출발하자마자 우리는 운동선수처럼 경쟁심에 사로잡혀서 상대방을 앞지르려 했다. 그런데 저들은 둘이서 노를 저었기 때문에 나는 혼자서 둘을 상대해야 하는 불리한 처지였다. 하지만 이런 경주를 많이 해 본 건장한 장정인 나는 웃옷을 벗어 던지고는 힘껏 노를 저어서 옆 보트에 계속 앞서 나갔다. 두 팀으로 나뉜 우리는 끊임없이 목청껏 상대를 빈정대고 약을 올리며 분위기를 달구었다. 칠월의 태양이 작열했고 땀이 비 오듯 흘렀지만, 승리욕의 노예가 된 우리는 개의치 않고 상대를 이기려고 갤리선의 죄수처럼 뼈 빠지게 노를 저었다. 마침내 목적지가 보였다. 숲이 우거진, 아담한 곳이었다. 다들 미친 듯이 있는 힘을 다해 노를 저었지만, 우리 보트가 먼저 해안에 닿았다. 숨을 졸이며 나를 응원하던 동승자가 환호했다. 나는 땀으로 뒤범벅이 된 채 보트에서 내렸다. 햇볕은 너무도 뜨거웠고 흥분한 탓에 피가 맹렬히 콸콸대는 가운데 나는 승리의 기쁨에 흠뻑 취했다. 심장은 가슴에서 튕겨 나올 듯 쿵쿵댔고 땀에 젖은 옷은 몸에 찰싹 달라붙어 있었다. 대학 강사도 내 몰골보다 나을 게 없었다. 이를 악물고 싸운 우리 두 전사는 신바람이 난 두 여자로부터 칭찬은커녕 놀림만 실컷 받았다. 숨을 헐떡이며 아주 딱한 몰골을 하고 있었기 때문이다.

마침내 여자들은 우리에게 한숨 돌릴 시간을 허락했다. 즉석에서 익살스럽게 수풀 오른편과 왼편을 남자 수영장과 여자 수영장으로 나눈 후 우리는 재빨리 수영복으로 갈아입었다. 수풀 뒤편에서 하얀 속옷과 벌거벗은 팔이 반짝였다. 남자들이 숨을 고르는 동안 두 여자는 벌써 신나게 물속에서 첨벙거리고 있었다. 강사는 둘을 상대로 승리했던 나에 비하면 덜 지쳐 있었던 터라 곧 여자들을 따라 물속으로 뛰어들었다. 노를 젓느라 무리한 탓인지 여전히 내 심장은 격하게 갈비뼈를 쿵쿵 때리고 있었기에 나는 우선 편안히 그늘에 누워서 구름이 내 위로 둥둥 떠다니는 것을 보고 있었다. 피로감이 달콤하게 살랑대면서 혈관 속 피를 타고 퍼지는 게 짜릿하니 즐거웠다.

하지만 몇 분도 채 지나지 않아 물가에서 시끌벅적하게 외치는 소리가 들렸다.

"롤란트, 빨리 와요! 수영 시합해요! 내기하는 거예요! 잠수 시합도 합시다!"

나는 꼼짝도 하지 않았다. 스며드는 햇빛에 살갗을 부드럽게 익히는 동시에 스치는 바람에 열기를 식히고 있자니 천 년을 이렇게 누워있을 성싶었다. 하지만 다시 웃음소리와 함께 대학 강사의 목소리가 들렸다. "저 친구가 뻗대는군요! 우리를 상대하느라 녹초가 됐나 봐요. 저 게으름뱅이를 데려오세요." 정말 가까이에서 첨벙대는 소리가 들리는가 싶더니 그녀의 목소리가 아주 가까이에서 들렸다. "롤란트, 어서 나와요! 수영 시합하자고요! 저 두 사람에게 본때를 보여줘야 해요!" 나는 아무 대꾸도 하지 않았다. 그녀가 나를 찾도록 내버려 두는 것이 재미있었다. "대체 어디 있어요?" 자갈을 달그락거리며 맨발로 호숫가를 걷는 소리가 나더니 갑자기 그녀가 내 앞에 서 있었다. 젖은 수영복이 소년처럼 날씬한 몸매에 찰싹 달라붙어 있었다. "여기 있었군요. 정말 축 처져 있네요! 이제 일어나요, 이 게으름뱅이! 다른 사람들은 벌써 저 섬에 가 있어요."

나는 편히 누운 채로 나른하게 기지개를 켰다. "여기 있는 게 훨씬 좋아요. 난 나중에 갈게요."

"이 사람이 가기 싫대요." 그녀가 웃으며 손나팔을 만들고는 물가 쪽을 향해 외쳤다.

"그 허풍쟁이를 이리 끌고 오세요." 멀리서 대학 강사가 큰 목소리로 화답했다.

"자, 갑시다." 그녀가 참지 못하고 나를 재촉했다. "내 체면을 구기지 말아요."

하지만 나는 늘어지게 하품만 해댔다. 그러자 그녀는 반은 장난으로, 반은 정말 화를 내며 나무 덤불에서 회초리를 꺾어 들었다. "가요!" 그녀가 힘껏 재촉하며 나를 일으키려고 내 팔을 내리쳤다. 나는 움찔했다. 그녀가 너무 심하게 때린 바람에 내 팔뚝에는 피가 송송 배인 빨간 줄이 가느다랗게 생겼다.

"이제 정말 가기가 싫어졌어요." 나는 그녀와 마찬가지로 반은 농담으로 반은 조금 기분이 상해 대답했다. 하지만 그녀는 이제 정말로 화를 내며 명령했다.

"일어나요, 당장 일어나라고요!"

내가 고집을 피우며 꼼짝하지 않자 그녀는 다시 한번 회초리를 휘둘렀는데 이번에는 더 세게 쳐서 후끈하니 아팠다. 나는 발끈해서 벌떡 일어나 회초리를 빼앗으려 했다. 그녀가 뒤로 비켜났지만 나는 그녀의 팔을 거머쥐었다. 회초리를 두고 싸우다 보니 반 벌거숭이인 우리의 몸은 의도치 않게 바싹 달라붙었다. 내가 그녀의 팔을 잡고 회초리를 떨어트리려고 손목을 비틀자 그녀는 몸을 뒤로 젖혔다. 그 순간 갑자기 달가닥 소리가 났다. 그녀의 수영복 어깨에 달린 버클이 떨어져 나가며 옷 왼편이 흘러내려 젖가슴이 드러난 것이다. 발그레한 젖꼭지가 꼼짝 않고 나를 쏘아보았다. 나도 모르게 시선이 그리로 향했다. 1초밖에 안 되었지만, 너무 혼란스러웠다. 나는 부끄러워 떨면서 움켜쥐었던 그녀의 손을 놓았다. 그녀는 얼굴을 붉히며 몸을 돌리고는 머리핀을 뽑아서 떨어져 나간 버클을 대충 이어 붙였다. 나는 아무 말 못 하고 그냥 서 있었다. 그녀 역시 말이 없었다. 이 순간부터 우리 둘 사이에는 갑갑하고 숨 막히는 불안이 깃들었다.

"이봐요 … 이봐요 … 당신들 대체 어디 있는 거예요?" 작은 섬 쪽에서 우리를 부르고 있었다.

"네, 곧 가요." 내가 급히 대답하고는 새로운 혼란에서 벗어나게 된 것이 좋아서 물속으로 힘차게 뛰어들었다. 투명하고 서늘한 물속에서 몇 차례 손발을 휘저으며 신나게 앞으로 쭉쭉 나가다 보니 몸속의 피가 웅얼대던 위험한 속삭임은 어느새 더 강하고 해맑은 쾌감에 씻겨나간 듯 사라졌다. 나는 곧 두 사람을 따라잡았고 약골인 대학 강사에게 여러 차례 수영 경주를 제안해서 매번 승리했다. 우리는 함께 헤엄쳐서 곶으로 돌아왔다. 거기 남아 있던 두 여자는 벌써 옷을 입고 우리를 기다리고 있었다. 가져온 바구니에서 나온 먹거리로 야외에서 식사하려는 참이었다. 우리 네 사람은 신바람이 나서 농담을 주고받았지만, 선생님 부인과 나는 본능적으로 서로 말을 거는 것을 피했다. 우리 둘은 서로를 모르는 체하며 떠들고 웃어댔다. 눈이 마주치면 맘속으로 똑같은 생각을 하며 급히 눈을 피했다. 뜻밖의 일로 인한 민망함이 아직 가라앉지 않았고 둘 다 상대방이 그 일을 기억한다는 사실이 부끄럽고 불편했다.

오후는 보트 놀이를 하느라 금세 흘러갔다. 처음에는 다들 운동에 열을 올렸지만, 차츰 지치면서 기분 좋게 나른한 상태에 빠져들었다. 술과 더위와 햇빛은 점점 더 깊이 혈관 속으로 파고들면서 흐르는 피를 더욱더 빨갛게 물들였다. 대학 강사와 그의 여자 친구는 벌써 서로를 애무하기 시작했고 우리 둘은 민망해하며 못 본 척했다. 그들이 점점 더 찰싹 상대에게 달라붙을수록 우리는 조심스럽게 거리를 유지했다. 하지만 신이 난 두 연인이 방해받지 않고 키스하려고 숲길에서 뒤처지면서 우리 둘은 어쩔 수 없이 한 쌍이 되어 남았다. 이렇게 둘만 있으려니 거북한 분위기에 대화가 계속 끊어졌다. 마침내 다시 기차에 타자 우리 넷은 모두 만족했다. 두 연인은 함께 밤을 보낼 기대감 때문에, 나와 선생님 부인은 조금 전의 민망한 상황에서 벗어났기 때문이었다.

대학 강사와 그의 애인은 우리를 집까지 바래다주었다. 우리는 단둘이 계단을 올라갔다. 건물로 들어서자마자 나는 선생님의 존재를 느꼈고 고통스럽고 혼란스러우면서도 선생님이 계시기를 갈망했다. '선생님이 돌아와 계시면 얼마나 좋을까!'라는 생각에 애가 탔다. 순간 그녀는 내가 채 내뱉지도 못한 한숨을 내 입술에서 읽어내기라도 한 듯 말했다. "그이가 돌아왔는지 가 봐요."

우리는 안으로 들어갔다. 집은 조용했다. 그의 서재는 모든 게 그대로였다. 감정이 격해진 나는 어느새 슬프게 웅크린 선생님의 모습을 텅 빈 소파 위에 그려 넣고 있었다. 원고 뭉치는 손끝 하나 닿지 않은 채 주인을 기다리고 있는 게 꼭 내 신세 같았다. 순간 다시 화가 치밀었다. 그는 어쩌자고 도망친 걸까? 대체 왜 나를 혼자 내버려 두었을까? 질투 섞인 분노가 점점 더 격하게 목구멍으로 솟구치며 다시금 어제의 어리석고 혼란스러운 욕망이 마구 차올랐다. 무언가 나쁜 짓을, 그를 해치는 짓을 저지르고 싶은 욕망이었다.

부인이 내게 다가왔다. "여기서 저녁 식사를 할 거지요? 당신은 오늘 혼자 있으면 안 돼요." 그녀는 대체 어떻게 아는 걸까, 내가 텅 빈 방에서 계단이 삐걱대는 소리에 귀 기울이며 기억을 곱씹기를 두려워한다는 것을? 그녀는 내가 말하지 않아도 항상 내 생각을 죄다 알아맞혔다. 온갖 나쁜 욕망까지도 말이다.

무언지 모를 불안이 나를 덮쳤다. 나 자신 때문에 불안했고 내 안에서 마구 날뛰는 증오심 때문에 불안해서 나는 거절하려고 했다. 하지만 나는 비겁했고 아니라고 말할 용기를 내지 못했다.

전부터 나는 간통을 혐오했다. 내가 독선적인 도덕군자이거나 내숭을 떠는 점잖은 사람이어서가 아니었고, 그것이 다른 사람 소유의 육체를 취한다는 점에서 몰래 하는 절도라고 여겼기 때문도 아니었다. 거의 모든 여자가 간통의 순간에 자기 남편의 가장 은밀한 비밀을 폭로하기 때문이었다. 남편을 속여서 그의 힘이나 약점에 관한 가장 민감한 비밀을 훔쳐낸 후 낯선 사람에게 알려주는 여자는 모두 데릴라[•] 와 같은 존재이다. 여자가 다른 남자에게 몸을 허락한다고 해서 남편을 배신한 것은 아니라고 나는 본다. 거의 모든 간통녀가 자신을 정당화하려고 남편의 치부를 가린 덮개를 들춰서 아무것도 모르는 무방비 상태의 남편을 사람들의 호기심과 조롱과 비웃음에 내던지는 것이야말로 배신이다.

지금도 나는 분노와 절망감에 혼란스러웠던 당시 그의 부인의 품에서 피난처를 찾았다는 사실을 내가 살면서 저지른 가장 비열한 짓이라고는 여기지 않는다. 그녀는 처음에는 동정심에서 나를 안았는데, 한 감정이 다른 감정으로 금세 옮겨간 것은 어쩔 수 없는 일이었다. 우리가 원해서 벌인 일이 아니었다. 우리 둘은 알지도, 의식하지도 못한 채 불이 활활 타는 구렁텅이로 떨어졌으니까 말이다. 내가 저지른 가장 비열한 짓은 후끈 달아오른 아내가 남편의 비밀을 털어놓게 만들고, 격앙된 상태에서 결혼 생활의 가장 은밀한 사실을 폭로하도록 내버려 둔 것이었다. 그녀는 남편이 몇 년째 부부관계를 피하고 있다고 말한 후 애매한 암시를 했는데 나는 어쩌자고 그녀가 그런 말을 하도록 내버려 두었을까? 어쩌자고 그녀에게 남편의 은밀한 비밀을 누설하지 말라고 단호히 명령하지 않았을까?

하지만 나는 선생님의 비밀을 알고 싶어 죽을 지경이었다. 선생님이 나와 그의 부인과 모든 사람에게 죄를 짓고 있다는 걸 밝히고 싶은 마음이 간절했기에 그녀가 분노에 차서 그가 자신을 무시해 왔다고 고백하자 나는 그 고백을 황홀하게 받아들였다. 거부

• 구약성서 사사기 16장에 등장하는 미녀이다. 유대인과 적대 관계인 블레셋족 출신인 데릴라는 영웅 삼손과 결혼한 후 그의 괴력의 비밀을 블레셋족에게 알려주어서 삼손이 포로가 되게 만든다.

당했다는 내 느낌과 판박이가 아닌가! 그렇게 우리 둘은 혼란스러운 증오를 나누는 동지로서 사랑과 흡사한 무엇을 하게 되었다. 하지만 우리의 육체가 서로를 찾으며 하나가 되는 동안에도 우리 둘은 시종일관 그만을 생각했고 그에 관한 이야기만 했다. 그녀가 한 말에 종종 맘이 아팠고 내가 혐오하는 일에 휘말려버린 나 자신이 부끄러웠다. 하지만 나의 육체는 이제 의지력을 잃고 쾌락을 좇아 마구 들썩였다. 나는 전율하며 내가 가장 사랑하는 사람을 배신한 입술에 입을 맞추었다.

다음 날 아침 나는 내 방으로 기어들었다. 혐오감과 수치심에 혀가 쓰라렸다. 그녀의 육체의 온기가 더는 나의 감각을 흐리지 못하는 순간부터 나는 적나라한 현실과 직면했고 내가 얼마나 역겨운 배신을 했는지를 절감했다. 다시는 선생님 앞에 나설 수 없으며 선생님 손을 잡을 수도 없다는 생각이 곧장 들었다. 나는 그에게서가 아니라 나 자신에게서 가장 값진 것을 훔쳐버린 셈이었다.

이제 해결책은 단 하나, 도망가는 것뿐이었다. 나는 정신없이 내 물건을 모두 꾸렸다. 책을 쌓아놓고 노부인에게 방세를 냈다. 선생님이 나를 찾지 못하게 할 참이었다. 그가 내게 했던 것과 똑같이 나도 이유 없이 비밀리에 사라져 버리려 했다.

그런데 한창 열심히 짐을 싸던 내 손이 갑자기 얼어붙었다. 나무계단이 삐걱대며 누군가가 올라오는 소리가 들렸다. 그의 발걸음 소리였다.

내 얼굴이 백지장이 되었나 보다. 선생님은 들어오자마자 깜짝 놀라며 물었다.

"얘야, 무슨 일이니? 너 어디 아프니?"

나는 뒤로 물러섰다. 그가 가까이 다가와 나를 부축하려 하자 나는 몸을 피했다.

"도대체 왜 그래?" 그가 기겁하며 물었다. "무슨 안 좋은 일이 생긴 거니? 아니면… 그게 아니면 … 아직도 나한테 화가 나 있는 거니?"

나는 떨면서 창틀을 부여잡았다. 그를 차마 쳐다볼 수가 없었다. 그의 근심 어린 따듯한 음성은 내 마음의 상처를 헤집어 놓았다. 내 안에서 걷잡을 수 없는 수치심이 뜨겁게, 아주 뜨겁게 타오르며 나를 덮치는 바람에 기절할 것 같았다.

그러나 선생님 역시 놀라서 당황해하며 서 있었다. 그러다가 갑자기 아주 작은 목소리로 조심스럽게 이상한 질문을 했다.

"혹시 누가 네게 … 누가 나에 관해 무슨 얘기를 했니?"

나는 그를 보지도 않은 채 아니라는 몸짓을 했다. 하지만 그는 왠지 모를 불안한 생각을 떨쳐내지 못하는 듯 집요하게 다시 물었다.

"내게 … 나한테 숨기지 말고 … 말해 줘. 어떤 사람이 나에 관해 무슨 얘기를 했는지 … 그런 적이 있는지 말이야. 말한 사람이 누구인지 묻는 게 아니야."

나는 재차 부인했다. 그는 어쩔 줄 몰라 하며 서 있었다. 그러다가 돌연 내 트렁크가 꾸려져 있고 책들이 한데 쌓여 있는 것을 보고는 내가 떠날 준비를 하다가 자신이 오는 바람에 중단했음을 알아차렸다. 그는 흥분해서 내게 다가섰다.

"떠나려는구나, 롤란트, 그렇구나… 내게 진실을 말해주렴."

나는 가까스로 마음을 다잡았다. "저는 떠나야 합니다. … 죄송합니다만 … 하지만 자세한 사정은 말씀드릴 수 없으니 … 나중에 편지 드리겠습니다." 더는 목이 메어 말이 나오지 않았고 말 한마디를 꺼낼 때마다 심장이 쿵쿵 뛰었다.

선생님은 못 박힌 듯 서 있었다. 그러더니 돌연 예전의 지친 모습으로 변했다.

"어쩌면 그게 나을 거야, 롤란트 … 맞아, 그렇고말고 그게 나아 … 너를 위해서도, 모두를 위해서도 말야. 그렇지만 네가 떠나기 전에 너와 한번 대화하고 싶구나. 평소처럼 7시에 와서 … 그때 작별 인사를 하자꾸나, 남자 대 남자로 말이야. … 자기 자신으로부터 도망친 후 편지 따위를 써서는 안 돼. … 그건 유치하고 우리에게 어울리지 않아. … 게다가 내가 네게 하고 싶은 말은 글로는 옮길 수 없으니 … 그럼 오는 거지? 그렇지?"

나는 고개만 끄덕였다. 시선을 돌릴 엄두가 나질 않아서 여전히 창문만 내다볼 뿐이었다. 하지만 나와 세상 사이에는 두껍고 어두운 베일이 드리운 듯, 아침의 밝은 햇살이 더는 눈에 들어오지 않았다.

나는 7시 정각에 사랑하는 공간을 마지막으로 들어섰다. 커튼이 쳐 있어서 때아니게 어둑어둑했다. 서재 깊숙이 있는 매끈한 대리석상들은 희미하게 빛났고 책들은 진줏빛이 영롱한 유리 뒤에서 눈을 감고 잠들어 있었다. 추억 속 비밀장소인 그곳에서 나는 언어가 마법이 되는 것을 보았고 두 번 다시없을 정신의 도취와 매혹을 경험했다. '여전히 나는 이별하던 순간의 당신을, 존경하는 당신의 모습을 봅니다. 당신은 소파 등받이에서 천천히, 아주 천천히 몸을 일으켜 그림자를 드리우며 내게 다가오는군요. 어둠 속에서 당신의 이마만이 설화석고로 만든 램프처럼 반짝입니다. 이마 위로는 연기가 흩날리듯 흰 머리카락이 굽이치고 있어요. 이제 손이, 힘겹게 들어 올린 손이 내 손을 찾고 있어요. 진지하게 나를 향하는 두 눈을 알아보겠어요. 어느새 나는 살포시 팔을 잡힌 채 의자로 이끌려 가고 있군요.'

"여기 앉으렴, 롤란트. 우리 숨김없이 이야기하자. 우린 남자니까 솔직해야 해. 너를 다그치려는 게 아니야. 하지만 마지막 순간에 우리 사이를 확실히 정리하는 게 낫지 않겠니? 자, 말해보렴, 왜 떠나려는 거니? 내가 지난번에 터무니없이 너를 모욕해서 화가 났니?"

나는 몸짓으로 아니라고 말했다. 그가, 기만당하고 배신당한 그가 여전히 잘못을 자신에게 돌리려 하다니 얼마나 끔찍한가!

"그게 아니라면 내가 알게 모르게 네 기분을 상하게 한 적이 있었니? 나는 자주 유별나게 굴지, 나도 잘 알아. 내 의도와는 달리 네게 화를 내고 너를 괴롭혔지. 늘 관심을 가지고 도와준 너에게 고맙다는 말도 제대로 한 적이 없어. 나도 알아, 알고말고. 항상 알고 있었지. 내가 네게 상처를 주는 순간에조차도 말이야. 그게 이유인가? 내게 말해줘, 롤란트. 난 우리가 정직하게 작별했으면 해."

다시금 나는 고개를 가로저었다. 여전히 말이 나오지 않았다. 그의 목소리는 여전히 단호했지만 이제 조금 동요하기 시작했다.

"그렇다면 … 다시 한번 묻겠는데 … 누군가가 너에게 나에 관해 무슨 말을 한 적이 있니? … 네가 천박하다거나 … 역겹다고 느낄 만한 그런 얘기를 … 네가 나를 … 나를 경멸하게 할 만한 그런 얘기 말이다."

"아니에요, 아니라고요! … 절대 아닙니다!" 흐느끼듯 나는 반박했다. 내가 그를 경멸하다니! 내가 어찌 감히 그를!

그는 이제 참을성을 잃고 물었다. "그러면 무엇 때문이냐? … 그렇지 않다면 대체 무슨 일이야? … 일하느라 지친 거니? … 아니면 뭔가 다른 것에 끌리고 있는 거니? … 여자, … 여자 때문이니?"

나는 침묵했다. 이번 침묵은 이전의 것과는 달랐는지 그는 내가 긍정했다고 받아들이는 듯했다. 그는 내게 몸을 굽히고는 조금도 흥분하거나 분노하지 않은 채 아주 나직이 속삭였다.

"여자 때문이구나? … 내 아내 때문이구나?"

나는 여전히 침묵했고 그는 이해했다. 내 온몸이 부르르 떨렸다. 이제, 이제 그는 분노를 터트리며 나를 부여잡고는 때리며 벌하겠지…. 그리고 … 그가 나를 매질하기를, 도둑놈이며 배신자인 나를 몹쓸 짓을 한 개 패듯이 흠씬 두들겨 패서는 불륜으로 얼룩진 그의 집에서 쫓아내기를 난 기다리고 있었다. 그러나 이상하게도 그는 아주 차분했다. 그러다가 생각에 잠겨 중얼거렸다. "그렇게 될 거라는 생각을 진작에 했어야 했는데." 마치 속이 후련하다는 듯이 들리는 말이었다. 그는 서재를 두 번 이리저리 거닐었다. 그러고는 내 앞에 서서 한심하다는 듯 말했다.

"그래서 그걸 … 그걸 이다지도 심각하게 받아들이는 거야? 내 처가 너에게 말하지 않았니? 그녀는 원하는 것을 하고 원하는 것을 가질 자유가 있으며 나는 그녀에게 아무런 권리가 없다고 …. 정말이지 나는 그녀에게 무언가를 금지할 권리가 없고 그렇게 하고 싶은 마음도 아예 없으니 … 그러니 그녀가 대체 누구를 위해서 자신의 욕구를 억제해야 하겠어? 더구나 상대가 너라면 …. 너는 젊고 눈부시게 아름답고 … 우리 가까이 있었지 … 어떻게 그녀가 너를 사랑하지 않을 수 있었겠니? 너는 … 너는 그토록 아름답고 젊은데 어떻게 그녀가 너를 사랑하지 않을 수 있겠어? … 나도 …"

갑자기 그의 목소리가 떨리기 시작했다. 그러고는 몸을 숙이고 가까이, 아주 가까이 다가오는 바람에 나는 그의 입김을 느낄 수 있었다. 다시금 그의 눈빛이 따듯하게 나를 감싸 안았다. 다시금 그 이상한 광채가 … 그와 내가 겪는 드물고도 진기한 순간에 그의 눈에 서리던 바로 그 광채가 서리더니… 그는 점점 더 가까이 다가섰다.

그러고는 그가 거의 입술을 움직이지도 않은 채 나직이 속삭였다. "나도 … 나도 널 사랑한단다."

내가 화들짝 놀랐었나? 나도 모르게 뒷걸음질을 친 걸까? 어쨌든 내 몸이 깜짝 놀라서 도망치려는 몸짓을 취한 것은 분명했다. 그가 거절당한 사람처럼 비틀거리며 물러섰기 때문이다. 그의 얼굴에 그늘이 졌다. "넌 이제 나를 경멸하는 거니?" 그가 나직이 물었다. "내가 역겨워진 거야?"

어째서 나는 그때 아무 말도 하지 않았을까? 사랑하는 사람에게 다가가 터무니없는 근심을 없애주는 대신 어쩌자고 말없이 앉아만 있었을까? 쌀쌀맞은 모습으로 당황해하며 우두커니 앉아만 있었을까? 사실 내 안에서는 온갖 기억들이 격렬히 요동쳤다. 마치 암호 하나를 풀고 나면 여태 이해할 수 없었던 메시지의 의미가 순식간에 죄다 또렷해지듯 나는 이제야 그가 다정히 다가왔다가도 퉁명스럽게 자신을 방어해야 했는지를 무서우리만치 명료하게 이해했다. 그날 밤 그가 왜 나를 찾아왔는지, 내가 열광해서 다가갈 때면 왜 그렇게 완강히 뿌리쳤는지를 이해하고는 충격에 빠졌다. 사랑, 나는 늘 그의 사랑을 느끼고 있었다. 다정하면서도 수줍은 사랑, 흘러넘치다가도 이내 강력한 의지에 막혀버리기를 거듭했던 사랑, 나는 그 사랑을 사랑했고 잠시 나를 비추는 햇살을 즐기듯 즐겼다. 하지만 사랑이라는 말이 수염 난 남자의 입에서 감각적이고 부드러운 소리로 나오자 내 머릿속은 달콤하면서도 섬뜩한 전율로 가득 찼다. 내가 선생님에 대한 순종과 연민으로 아무리 가득 차 있었다 해도 나는 뜻밖의 일을 당한 후 당황해서 떠는 소년에 불과했기에 그가 예상치 않게 자신의 열정을 털어놓자 아무런 말도 떠오르지 않았다.

그는 무너져 내렸고, 침묵하는 나를 응시했다. "너에게는 너무나도 무서운 일이군, 너무나도 무서운…" 그가 중얼거렸다. "너도… 너마저도 나를 용서하지 않는구나. 난 네 앞에서는 숨이 막힐 지경으로 입술을 앙다물었고 그 누구에게보다도 더 나를 숨기려 했어. … 하지만 네가 지금은 알게 됐으니 잘 됐어. 이제는 홀가분해. … 내게는 너무나 힘든 일이었어 … 정말이지 너무나… 이렇게 침묵하고 숨기는 것보다는 끝을 내는 게 나아, 낫고말고… "

이 말에는 슬픔과 애정과 부끄러움이 가득 묻어났다. 그의 떨리는 목소리가 내 심장 깊숙이까지 파고들었다. 그 누구도 주지 못한 것을 나에게 준 사람이 어이없게도 내 앞에서 저자세를 취하고 있는데도 이토록 차갑고 싸늘하게 침묵을 지키는 나 자신이 부끄러웠다. 그에게 위로의 말을 건네고 싶은 마음이 간절했지만 떨리는 입술은 말을 듣지 않았다. 몹시 당황해하며 비참하게 오그라든 나는 소파에 파묻히듯 웅크렸다. 그러자 그는 화를 내다시피 나를 채근했다. "그렇게 앉아만 있지 마, 롤란트. 막무가내로 입을 꾹 다물고만 있을 거냐고 … 마음을 다잡아 보렴… 이게 네게는 그렇게도 무서우니? 나를 안다는 게 그렇게 부끄러워? … 네게 다 말했으니 이제 다 끝난 일이니 … 그러니 우리 최소한 남자답게, 친구답게 품격을 갖추고 작별하자꾸나."

그러나 여전히 내 몸은 말을 듣지 않았다. 그러자 그가 내 팔을 잡았다.

"이리 오렴, 롤란트. 내 옆에 앉아! … 네가 알게 되어서, 드디어 우리 둘 사이에 숨기는 게 없어서 마음이 편해졌어. … 처음에는 내가 너를 얼마나 좋아하는지 네가 알아챌까 봐 늘 두려웠지. … 그러다가도 너 스스로 그걸 깨달아서 내가 고백하지 않아도 되기를 바라기도 했지만 … 이제 이렇게 되었으니 홀가분해. … 이제 여태 그 누구에게도 못했던 이야기를 네게 할 수 있을 것 같아. 지난 세월 알고 지낸 사람 중 너만큼 내게 가까웠던 사람은 다시없어. 너만큼 사랑한 사람도 없고… 오직 한 사람, 너만이 내 안의 마지막 불꽃을 타오르게 했지 … 그러니 작별을 하더라도 너는 나에 관해서 그 누구보다도 더 많은 것을 알아 마땅해. 나는 지난 몇 달 내내 너의 물음을, 그 소리 없는 물음을 또렷이 느꼈었지. 너에게만은 내 삶 모두를 알려야 할 것 같구나. 내가 하는 얘기를 들어주겠니?"

그는 나의 눈빛에서, 충격에 혼란스러워하는 내 눈빛에서 그렇게 하겠다는 대답을 읽어냈다.

"그렇다면 가까이 와. 이리로 … 내게 오렴… 이런 이야기를 떠들썩하게 할 수는 없으니까." 나는 경건하게 고개를 숙였다. 마주 앉은 내가 귀를 기울이며 기다리자 그가 다시 일어섰다.

"아냐, 이대로는 못 하겠군. … 나를 그렇게 보지 마. … 그러면… 그러면 말을 할 수가 없어." 그는 재빨리 불을 껐다.

우리는 어둠에 싸였다. 보이지 않는 곳에서 그르렁대듯 힘겹게 내쉬는 숨소리에서 그가 가까이 있다는 걸 느낄 수 있었다. 그러다가 돌연 하나의 음성이 우리 사이를 비집고 들어오더니 그의 삶 전부를 내게 들려주었다.

40년 전의 어느 저녁, 내가 가장 존경하는 남자가 꽉 닫힌 조개를 열어젖히듯 자신의 운명을 나에게 털어놓은 후 내게는 작가와 시인들이 특별한 이야기라며 쓴 책들과 무대 위에서 펼쳐지는 비극들 모두가 진부하고 하찮아 보인다. 작가들이 늘 삶 가운데 환히 밝혀진 윗면만을 그려내는 것은 안이함에서일까, 비겁함에서일까? 아니면 근시안적 시각에서일까? 그들이 다루는 윗면에서는 오감五感이 명료히 법칙에 따라 작동하지만, 그 아래 있는 심장의 지하실과 뒤엉킨 동굴과 하수구에서는 열정이라는 사나운 야수들이 인燐처럼 빛을 발하며 배회하다가 남몰래 온갖 기괴하게 얽힌 형태로 교접하다가 서로를 찢어발기지 않는가? 무시무시한 충동이 뜨겁게 헐떡이며 내뿜는 숨결에, 들끓는 피에서 풍기는 비린내에 작가들이 기겁한 걸까? 섬세하기 그지없는 손을 인간의 곪은 상처에 더럽힐까 봐 겁을 내는 걸까? 아니면 어정쩡하게 환한 것들만 보아온 눈이 저 아래 있는 썩어서 미끈거리는 위험한 계단을 찾아내지 못하는 걸까? 비록 그렇다 할지라도 진실을 감지한 이에게는 숨겨진 것만큼 흥미로운 것은 없다. 위험을 접하고 오싹해지는 것만큼 강력한 전율은 결코 없으며, 부끄러움 때문에 고백하지 못해 겪는 고통만큼 성스러운 것은 결코 없다.

그런데 여기 이곳에서 한 인간이 완전히 벌거벗은 자신을 내게 보여 주었다. 자신의 가슴을 깊숙이 열어젖히고는 심장을, 두들겨 맞고 불에 데고 독에 찌들어 곪아 터진 심장을 꺼내보이려 조바심을 쳤다. 여러 해 동안 꾹 참았던 고백에서는 자기 몸을 채찍질하며 죄를 뉘우치던 중세의 수도사가 느꼈을 쾌감이 격렬하게 펄떡였다. 평생 부끄러워하며 움츠리고 숨었던 사람만이 고백에 흠뻑 취한 나머지 그토록 무자비하게 자신을 드러내 보일 수 있으리라. 이 자리에서 한 인간은 마치 살점을 뜯어내듯 자신의 삶을 가슴에서 한 조각 한 조각 떼어냈다. 소년이었던 나는 그 순간 가늠할 수 없을 만큼 아득히 깊은 인간의 감정을 처음으로 직시했다.

처음에는 그의 목소리는 흥분에 떨며 숨겨둔 일들을 애매하게 암시하면서 안개 속에서 형체 없이 공간을 떠돌았다. 그러나 이처럼 열정을 애써 통제하려는 태도야말로 곧 강렬한 것이 이어질 것임을 예고하고 있었다. 우리가 어떤 악곡의 폭발적인 리듬 직전에 지나치리만큼 느린 박자로 된 마디를 들으면서 격정적인 음악을 미리 느끼듯이 말이다. 이윽고 몇 개의 이미지가 내부에서 부는 열정의 폭풍을 타고 솟구쳐 오르며 점차 모습을 드러내더니 깜박깜박 반짝이기 시작했다. 내가 처음 본 것은 수줍고 내향적인 소년이었다. 그는 친구들에게 말을 걸 숫기도 없었지만, 어이없게도 하필 학교 최고의 미소년들에게 육체적 욕망을 느끼며 열렬히 다가갔다. 그러나 그가 너무도 다정하게 접근하자 한 소년은 화를 내며 그를 매몰차게 물리쳤고 다른 소년은 잔인할 정도로 노골적인 말로 그를 비웃었다. 거기에 그치지 않고 두 소년은 그의 그릇된 욕망을 다른 학생들에게 폭로해 버렸다. 즉시 열린 비밀재판에서 다들 조롱과 모욕을 퍼부으며 당황해하는 소년을 문둥이 취급하며 학생들의 쾌활한 공동체에서 쫓아낸다. 날마다 학교에 다니는 것은 고역이 되어버린다. 너무 일찍 낙인이 찍힌 소년은 밤이면 자기혐오에 시달린다. 그의 욕망은 아직은 꿈속에서나 또렷해질 정도이지만 추방당한 소년은 자신의 비정상적인 욕망을 광기이며 파렴치한 악덕이라 여긴다.

이야기하는 목소리가 불안하게 떨리더니 순간 어둠 속으로 스러지려는 듯했다. 그러나 한숨을 내쉰 후 목소리는 다시 낭랑해졌고 침침한 연기로부터 새로운 이미지들이 그림자처럼, 유령처럼 연이어 깜빡깜빡 타올랐다. 소년은 베를린의 대학생이 되어 있다. 도시의 암흑세계에서 그는 오래 억제해 왔던 소망을 처음으로 이룬다. 그러나 어두운 길모퉁이에서, 역과 다리 밑 같은 으슥한 곳에서 은밀히 가졌던 몇 번의 만남은 얼마나 불결하고 역겨웠으며 불안으로 얼룩졌던가! 욕망을 주체하지 못해서 한심했고 위험이 뒤따랐기에 끔찍하지 않았던가! 그런 만남은 대부분 협박으로 끝났고 그럴 때마다 끈적대는 달팽이를 만진 듯 섬뜩한 공포를 몇 주씩 달고 살아야 하지 않았던가!

그는 빛과 그늘을 가르는, 지옥같이 끔찍한 길을 넘나들어야 했다. 낮에는 학문을 연구하는 사람답게 수정처럼 투명한 정신에 헌신했지만, 저녁이면 열정의 노예가 되어 교외의 슬럼가로 가서는 경찰 앞에서 줄행랑을 치는 수상쩍은 무리와 어울렸고, 음흉한 미소로 한통속임을 알리는 사람들만 들여보내는 너저분한 맥주홀을 드나들었다. 날마다 이처럼 이중적인 삶을 살며 조심히 비밀을 유지하려면 강철같은 의지가 필요했을 것이다. 낮에는 진지하고 품격 있게 처신하는 모범적인 대학 강사가 밤이면 신분을 감추고 깜박이는 가로등 그늘 밑에서 적절치 않은 일이 벌어지는 암흑세계를 배회한다는 건 메두사의 머리만큼이나 끔찍한 비밀이었기에 결코 다른 사람의 눈에 띄어서는 안 되었다. 고통에 시달리던 그는 여러 차례 마음을 단단히 먹고는 평범한 궤도를 일탈한 열정을 도로 울타리 안에 들여놓으려고 자신을 채찍질했다. 하지만 그럴 때마다 매번 그의 본능은 그를 다시 어둠과 위험이 도사리고 있는 세계로 끌어당겼다. 고칠 수 없는 성향이 갖는 지남철 같은 힘에 맞서 안간힘을 다해 싸우며 10년을, 12년을, 15년을 보냈지만 아무 소용이 없었다. 메슥거릴 만큼 수치스러워서 사람을 피하게 되었고 차츰 자신의 열정을 두려워하게 되었기에 즐겼지만 즐긴 것이 아니었다.

마침내 서른을 훌쩍 넘긴 나이에 그는 억지로라도 자신의 미래를 올바른 길로 이끌려고 시도한다. 친척을 통해 나중에 자신의 아내가 될 사람을 알게 된 것이다. 어린 소녀였던 그녀는 이 비밀에 둘러싸인 인물에게 뭔지 모를 매력을 느끼고 참된 애정을 품게 된다. 소년 같은 육체를 통통 튀듯 발랄하게 움직이는 소녀는 처음으로 그의 열정을 잠시나마 혼란에 빠트린다. 짧게 사귀는 동안 그는 여성에 대한 거부감을 떨쳐낸다. 처음 있는 일이다. 이 관계를 통해 자신의 그릇된 성향을 통제할 수 있으리라는 희망이 생긴다. 그는 위험한 것에 끌리는 마음을 잡아줄 대상을 찾았다고 여기고 그 대상에 자신을 급히 묶어놓으려고 – 우선 그녀에게 진실을 고백한 후 – 어린 소녀와 결혼한다. 이제 무시무시한 영역으로 돌아갈 길은 막아놓았다는 생각이다. 몇 주 동안은 걱정거리가 없다. 하지만 곧 새로운 매력은 효력을 잃고 본래의 욕구는 다시금 제멋대로 막강한 힘을 행사한다. 이 순간부터 그에게 실망을 안긴 여자는 원래대로 돌아간 그의 성향을 사회로부터 숨기기 위한 장치에 불과하다. 다시금 그는 법과 사회의 변두리에서 어둡고 위험한 곳으로 내려가는 아슬아슬한 줄타기를 하게 된다.

게다가 특별히 고통스러운 상황이 닥치며 그는 내적 혼란을 겪게 된다. 그의 성향에는 형벌과도 같은 직책을 맡게 된 것이다. 강사를 거쳐 좋은 대우를 받는 대학교수가 된 그는 직업상 젊은 학생들과 항상 접촉해야만 한다. 청춘의 신선한 꽃봉오리들은 마치 프로이센의 엄격한 법령 안에 숨어 있는 김나시온•에서 튀어나온 듯 매력적인 자태로 가까이 있기에 그는 끊임없이 유혹에 노출된다. 게다가 학생들 모두는 교사의 가면 뒤에 숨긴 에로스의 얼굴을 알아차리지 못한 채 그를 열렬히 사랑한다. 그에게는 새로이 추가된 저주이자 위험이 아닐 수 없다. 교수가 인자하게 – 실은 남몰

• 김나시온은 고대 그리스의 체력 단련장으로 아크로폴리스, 아고라, 극장과 더불어 폴리스에서 필수적인 4대 시설에 속한다. 독일의 인문계 중고등학교인 김나지움의 어원이기도 하다.

래 떨고 있는 손으로 – 학생들을 쓰다듬으면 다들 기뻐하며 마음껏 그를 숭배하지만, 그는 끊임없이 그들에 대한 감정을 억눌러야 한다. 넘치는 애정을 잔인하게 억누르며 자신의 약점과 쉴 새 없이 영원히 끝나지 않는 싸움을 벌여야 하니, 탄탈로스•의 고통이 정녕 이러하리라!

유혹에 굴복할 것 같다고 느낄 때면 늘 그는 다짜고짜 도망을 쳤다. 번개처럼 사라졌다가 다시 나타나서 나를 혼란에 빠트렸던 일탈 행각이 바로 그래서였다. 이제야 나는 그가 그런 일탈의 길을 간 것은 자신으로부터 도망치기 위해서였음을 깨달았다. 그의 일탈은 무섭고 외진 길과 낭떠러지로 이어졌다. 그는 언제나 대도시로 가서 으슥한 지역에서 지인들을 찾아내서는 미천한 신분의 사람들과 어울렸다. 고양된 정신을 좇는 순결한 청년 대신에 더럽고 음탕한 청년들을 접했다. 대학으로 돌아와서 자신을 믿고 따르는 학생들 틈에서 자신의 관능을 제대로 통제하려면 이처럼 역겨운 늪에서 허우적대며 환멸이라는 독약을 삼켜야만 했다. 아, 그가 가졌던 만남은 얼마나 끔찍했던가! 그의 고백 속에 등장하는 유령 같은 인물들은 악취를 물씬 풍기는 현실의 인물이었으니 말이다. 그는 고결한 지성인이며 아름다움에 대한 감각을 타고났기에 늘 아름다운 형식을 호흡해야 했고 온갖 감정의 결을 꿰뚫고 있는 거장이었다. 그런 그가 한통속인 사람들만 드나드는 담배 연기 자욱한 선술집에서 세상에서 가장 끔찍한 굴욕을 겪어야 했다니! 짙은 화장을 하고 산책로를 어슬렁대는 소년들은 그에게 뻔뻔한 요

• 그리스 신화 속 인물. 신들을 시험한 죄로 평생 산해진미를 눈앞에 두고도 갈증과 굶주림에 시달리는 벌을 받게 된다.

구를 해댔고 향수를 잔뜩 뿌린 이발사 조수는 능청스럽게 추근댔고 치마를 두른 변태 남자들은 흥분해서 괴성을 질러댔다. 하릴없는 배우들은 추잡하게 돈을 밝혔고 선원들은 담배를 찍찍 씹어대며 거칠게 애정행각을 벌였다. 정상적인 성의 궤도를 일탈한 이들은 도시의 맨 밑바닥에서 이처럼 뒤틀리고 뒤집힌 형태로, 소심하면서도 기괴한 몰골로 서로를 찾고 알아냈다.

이런 위태로운 길을 걸으며 그는 온갖 모욕과 수치와 폭력을 경험했다. 시계와 외투 등 소지품을 몽땅 털린 것만도 여러 차례였다. 마부와 멱살을 잡고 싸우기에는 너무 약하고 고상했던 탓이다. 교외의 음란한 호텔에서 함께 지낸 주정뱅이한테 조롱당하고 돌아온 적도 많았다. 협박꾼이 따라붙은 적도 있었는데 그중 하나는 몇 달 동안 찰거머리처럼 그에게 들러붙어서 대학교까지 쫓아와서는 뻔뻔스럽게도 그의 강의실 맨 앞줄에 앉기까지 했다. 그러고는 음흉한 미소를 짓고는 도시에서 모르는 사람이 없는 교수를 빤히 보며 은근히 윙크까지 하는 바람에 그는 떨면서 안간힘을 다해 강의를 이어가야 했다. 그는 내 심장이 멎을 만한 얘기도 들려주었다. 한번은 베를린의 악명 높은 바에 있다가 한밤중에 거기 있던 사람들 모두와 함께 경찰에 끌려갔다고 한다. 지식인 앞에서 거들먹거릴 기회를 얻은 볼이 불그레한 뚱보 경찰관은 하급 관리 특유의 냉소적인 미소를 지으며 배에 잔뜩 힘을 준 채 그의 이름과 신분을 기록했다. 그러고는 떨고 있는 그에게 이번에는 처벌 없이 풀어주지만, 지금부터는 그의 이름이 모종의 리스트에 올라 있을 것이라고 선심 쓰듯 알려주었다.

선술집에 죽치고 앉아 있으면 옷에 술 냄새가 배듯이 점차 이

도시에서는 어디서 나왔는지 모를 소문이 퍼지기 시작했다. 어린 시절 학교 친구들 사이에서 그랬던 것처럼 이제 주변 동료들은 대놓고 싸늘한 태도로 말을 건네고 인사를 했다. 결국 이곳에서도 투명한 유리 벽이 쳐지면서 늘 외로웠던 그는 모든 사람으로부터 분리되었다. 그는 겹겹이 잠겨진 집에 꼭꼭 숨어 살면서도 늘 감시당하고 발각당하는 기분이었다.

그토록 고통에 시달리고 불안에 떨던 그는 단 한 번도 고결한 품성의 친구와 우정을 맺는 은총을 누리지 못했고 그에게 걸맞은 남자가 강렬한 애정으로 화답하는 경험도 하지 못했다. 그는 늘 자신의 감정을 위아래로 갈라놓아야 했다. 대학교에서 접하는 젊고 지적인 학생들을 애타게 동경하기만 했고, 암흑세계의 동지들과는 관계를 맺으면서도 아침에 눈을 뜨면 몸서리를 쳐야 했으니까 말이다. 그는 이미 지긋한 나이였지만 단 한 번도 감성이 풍부한 청년의 순수한 애정을 경험하지 못했다. 실망에 지친 데다가 가시덤불을 헤치고 다니느라 신경쇠약이 된 그는 체념에 이르렀고 자신은 이미 산 채로 파묻힌 거나 다름없다고 여겼다.

바로 그때 한 소년이 그의 삶 속으로 들어와서는 이미 노인이 된 그를 향해 정열적으로 다가왔다. 소년은 그를 떠받들며 말과 행동으로 그에게 헌신하려 했다. 더는 바라지도 않던 기적과 졸지에 맞닥트린 그는 소스라쳤고, 자신은 아무것도 모르는 소년이 베푸는 순수한 선물을 받을 자격이 없다고 느꼈다. 청춘의 전령은 다시 한번 그를 찾아왔다. 수려한 외모와 열정적인 성격을 지닌 소년은 지식욕에 불타며 그를 숭배했고, 호감을 품고 살갑게 그를 따르며 그의 사랑에 목말라했지만, 그것이 얼마나 위험한지는 몰랐다. 순진한 영혼에 에로스의 횃불이 타오르게 되자 소년은 아무것도 모른 채 겁 없이 독에 절은 상처 위에 몸을 숙였지만, 자신이 마법의 힘을 지녔으며 자신이 왔다는 사실만으로 환자가 치유될 수 있다는 걸 모르는 바보 파르치팔•이었다. 그가 평생을 기다려 왔던 일이 일어났지만, 소년은 너무 늦게, 그의 삶이 저물어가는 마지막 순간에야 그의 집으로 들어섰다.

이 인물을 묘사하면서 그의 목소리는 어둠을 뚫고 솟아올랐다. 언어의 거장이 말년에 사랑한 젊은이 이야기를 시작하자 그의 목소리는 환히 빛났고 깊은 다정함이 묻어나면서 음악이 되었다. 나는 흥분했고 그의 행복을 함께 느끼며 떨었지만, 갑자기, 순식간에 심장을 망치로 얻어맞은 듯했다. 선생님의 이야기에 나오는 열정에 불타는 젊은이는, 그는… 바로… 나 자신이었다. 나는 부끄러워 얼굴이 달아올랐다. 불타는 거울에서 튀어나온 듯, 미처 모르던 사랑의 광채에 둘러싸여 모습을 드러낸 사람은 바로 나였고 그 사랑이 뿜어내는 빛은 나를 불태울 지경으로 강렬했다. 그랬다. 바로 나였다. 이야기가 진전될수록 나는 더욱 또렷이 나 자신을 알아보았다. 열광해서 달려드는 저돌적인 성격인 데다가 선생님 가까이 머물고 싶어 미칠 지경인 나, 선생님 곁에서 황홀해하면서도 지적인 것만으로는 만족스럽지 않아 욕심을 내던 나, 바로 나였다. 어

• 파르치팔은 아서 왕 전설에 등장하는 인물로 원탁의 기사 중 하나이다. 독일 중세 시인 볼프람 폰 에셴바흐(1170~1220)는 운문 서사시 『파르치팔』에서 세상 물정 모르는 소년 기사가 우여곡절 끝에 성배를 찾는 과정을 서술하고 있다. 처음으로 방랑길에 나선 파르치팔은 우연히 묵게 된 신비로운 성에서 중병에 시달리는 성주를 만난다. 사실 파르치팔이 환자의 병세를 묻기만 하면 환자를 치유하고 성의 주인이 될 수 있었으나, 어리숙한 소년은 예의를 지키려는 생각에서 그 질문을 하지 않아서 천재일우의 기회를 놓치고 많은 고난을 치러야 한다.

리석고 격정적인 소년은 자신이 어떤 힘을 지녔는지도 모른 채 그의 닫힌 마음 속에 창조의 씨앗을 뿌려 다시 움트게 했고, 그의 영혼 속에서 지쳐 사그라들던 에로스의 횃불을 다시 밝혔다.

이제야 나는 수줍은 제자인 내가 그에게 어떤 의미를 지녔는지를 깨닫고 몹시 놀랐다. 그는 저돌적으로 애정을 마구 쏟아붓는 나를 노년에 그를 찾아온 가장 성스러운 뜻밖의 선물로 여기고 사랑했다. 동시에 그가 얼마나 강한 의지로 나에 맞서 싸웠는지를 깨닫고 나는 전율했다. 그는 순수하게 사랑하는 대상인 나로부터 조롱이나 거절을 당하거나 끔찍한 육체적 모욕을 겪지 않으려 했다. 잔인한 운명이 마지막으로 베푼 은총을 정욕의 섣부른 장난에 내맡기고 싶지 않았다. 그래서 그는 내가 막무가내로 다가갈수록 있는 힘껏 나를 물리쳐야 했다. 내가 끓어오르는 감정을 토로하면 얼음장처럼 차갑게 돌변해 아이러니한 말들을 쏟아냈고, 저절로 튀어나오려는 친근한 말을 관습에 맞는 딱딱한 말로 무장했고 다정히 뻗어나가는 손을 거두어들였다. 그가 그토록 애써가며 냉혹하게 군 것은 오직 나를 지키기 위해서였다. 그렇게 함으로써 내 열기를 식히고 자신을 다스리려 했지만 그런 태도 때문에 내 영혼은 몇 주 내내 혼란에서 헤어나지 못했던 것이었다. 이제 나는 그날 밤의 황당하고 혼란스러운 사건을 소름이 끼치리만큼 명백히 이해했다. 그는 정욕을 이기지 못하고, 삐걱거리는 계단을 몽유병자처럼 올라왔지만 자기 자신과 우리의 우정을 구하려고 모욕적인 말을 내뱉어야만 했다. 그가 나 때문에 얼마나 끔찍한 고통을 겪었으며 얼마나 군세게 자신의 감정을 억제해 왔는지를 깨닫자 나는 전율했고 감동했으며 열병에 걸린 듯 달아올랐고 동정심에 녹아내렸다.

어둠 속의 그 목소리, 어둠 속의 그 목소리가 어찌나 나의 가슴 속 가장 깊숙이까지 파고들던지! 그의 목소리에는 내가 전에는 한 번도 들어보지 못한 어떤 울림이 깃들어 있었다. 이전에도 이후에도 그런 울림을 들어본 적이 없다. 평범한 운명을 사는 이들은 결코 가늠하지 못할 아득한 심연에서 나오는 울림이었다. 이렇게 한 인간은 살면서 딱 한 번, 딱 한 사람에게만 말하고는 영원히 침묵했다. 전설에 따르면 백조는 죽어가면서 딱 한 번 쉰 목소리로 노래를 부른다는데 그가 바로 그랬다. 나는 불처럼 용솟음치며 파고드는 목소리를 내 안에 받아들였다. 여자가 남자를 자기 몸 안에 받아들이듯이 전율하면서 고통스럽게…

갑자기 목소리가 침묵했다. 우리 사이에는 어둠뿐이었지만 그가 가까이 있다는 걸 알 수 있었다. 내가 손을 들어서 뻗기만 하면 그를 만질 수 있었을 것이다. 괴로워하는 그를 위로해주고 싶은 마음이 가득 솟구쳤다.

하지만 그때 그가 몸을 움직였다. 불이 번쩍 켜졌다. 지치고 고뇌에 찬 노인이 소파에서 벌떡 일어나더니 기진맥진한 모습으로 천천히 내게 다가왔다. "롤란트, 잘 가렴… 이제 우리 아무 말도 하지 말자꾸나! 네가 와 주어서 좋았어. …이제 네가 가는 게 우리 둘 모두에게 좋을 거야. … 잘 살아야 해… 그리고 … 네게 작별 키스를 하고 싶구나!"

마법에 걸린 듯 나는 비틀거리며 그에게 다가갔다. 보통 혼탁한 연기에 가린 듯 흐릿한 빛만 가물대던 그의 두 눈에는 지금은 빛이 활활 타오르고 있었다. 이글거리는 불꽃이 눈 밖으로 튀어나왔다. 그는 나를 끌어당겼고 그의 입술은 목마른 듯 나의 입술을 덮었다. 힘차게, 경련을 일으키듯 꿈틀대며 그는 내 몸을 바싹 끌어안았다.

어느 여자에게서도 그런 키스는 받아본 적이 없었다. 죽기 전에 지르는 비명처럼 격렬하고 필사적인 키스였다. 그의 몸의 경련이 고스란히 내게로 옮아왔다. 나는 낯설고도 두려운 감정에 겹겹이 사로잡혀 떨었다. 내 영혼은 그에게 바쳐져 있는데도, 남자를 접한 육체는 싫다고 반응하는 바람에 당혹스러웠다. 감정이 끔찍한 혼란에 빠졌고 나를 짓누르는 한순간은 끝없이 늘어나며 그대로 맺은 듯했다.

이때 그가 나를 놓아주었다. 마치 하나의 몸을 강제로 찢어내듯이 격한 동작이었다. 그러고는 힘겹게 몸을 틀어 소파에 주저앉더니 내게 등을 돌렸다. 그는 빳빳하게 굳은 자세로 몇 분 동안 허공을 응시했다. 그러더니 머리가 점점 무거워진 듯 지치고 기운 없는 모습으로 몸을 숙였다. 이윽고 마치 뚱보가 한참을 비틀대다가 갑자기 아래로 추락하듯 둔탁한 소리를 내며 그의 이마가 책상 위로 쿵 내려앉았다.

나는 이루 말할 수 없는 연민에 사로잡혀 나도 모르게 그에게 다가갔다. 그러나 순간 엎드려 있던 그가 갑자기 부르르 떨며 몸을 틀었다. 양손을 움켜쥐고는 둔탁하고 쉰 음성으로 위협하듯 신음했다.

"가… 가라고! … 이러지 마! … 가까이 오지 마! … 제발 부탁이야 … 우리 둘을 위해서 … 이제 가… 가라니까!"

나는 이해했다. 떨면서 뒤로 물러나서는 도망치듯 사랑했던 그 공간을 떠났다.

나는 다시는 그를 보지 못했다. 편지도, 소식도 받지 못했다. 그의 저술은 출판되지 않았고 그의 이름은 잊혔다. 나 말고는 그를 아는 사람이 없다. 그러나 오늘도 나는 옛날의 무지했던 소년이 느꼈던 것을 고스란히 느낀다. 선생님을 알기 이전에 부모님을 알았고 선생님을 안 이후에 아내와 아이들을 알게 되었지만, 선생님만큼 고마운 사람은 결코 없으며 선생님만큼 사랑한 사람도 결코 없음을 말이다.

아모크

• 동남아시아 문화권에서 발병하고 진단되는 정신병. 살인 충동을 일으키는 정신착란을 가리키는 말이다. 상세한 내용은 해설을 참조할 것 – 옮긴이

■ ■ ■

1912년 3월 대형 여객선이 나폴리 항구에서 화물을 내리는 과정에서 기이한 사고가 발생했다. 여러 신문은 이에 대해 상세히 보도하긴 했지만, 제멋대로 상상해서 꾸며낸 내용뿐이었다. 나는 '오세아니아'호의 승객이긴 하지만 다른 승객들과 마찬가지로 그 이상한 사건을 목격하지는 못했다. 사건은 밤에 석탄을 싣고 화물을 내리는 과정에서 일어났고 우리 승객들은 소음을 피하려고 다들 육지로 가서 커피숍이나 극장에서 시간을 보냈기 때문이다. 당시 나는 몇 가지 추측을 했지만 발설하지 않았는데, 내 추측이 그 흥미진진한 사건을 해명할 단서가 될 거라는 게 내 개인적 생각이다. 세월이 많이 흐른 만큼 기이한 사건 직전에 있었던 은밀한 대화를 공개해도 되리라 믿는다.

나는 유럽으로 돌아가는 '오세아니아'호에 탑승하기 위해 캘커타•의 한 여행업체를 찾았지만 사무실 직원은 유감이라며 고개를 저었다. 마침 우기가 닥치기 직전이라 배는 오스트레일리아 승객

• 인도의 서벵골주의 주도州都로, 한때 영국령 인도의 수도였다. 2001년부터 콜카타가 공식명칭이다.

들로 꽉 차 있어서 남은 선실이 있는지 모르겠다며 일단 싱가포르에서 전보가 와야 알 수 있다고 했다. 다음 날 그는 다행히 빈자리가 하나 있다고 알려 주었다. 하지만 선실은 갑판 밑이고 배 한가운데 있어서 그다지 편안하지는 않을 것이라고 덧붙였다. 나는 돌아가고 싶어서 좀이 쑤셨기에 오래 망설이지 않고 그 자리를 예약해 달라고 했다.

직원의 말은 틀리지 않았다. 배는 사람들로 넘쳐났고 선실은 불편했다. 기관실 옆에 붙은 비좁은 직사각형 방인데 둥근 창으로 빛이 어슴푸레하게 들어왔다. 공기에서 기름내와 곰팡내가 나서 숨이 막히게 답답했다. 전기 환풍기는 미쳐버린 금속 박쥐처럼 머리 위에서 윙윙 돌면서 잠시도 사람을 그냥 놔두질 않았다. 바로 아래층에서 덜컹대는 증기기관은 마치 석탄을 나르는 인부가 계단을 쉬지 않고 오르내리느라 헉헉대듯 신음했고 위층에서는 산책용 갑판을 이리저리 거니는 발걸음 소리가 잠시도 끊이지 않았다. 그래서 나는 우중충하고 곰팡내 나는 무덤 같은 방에 트렁크를 내려놓자마자 갑판으로 도망쳤다. 위로 올라온 나는 육지에서 파도 너머로 불어오는 달콤하고 부드러운 바람을 암브로시아라도 되는 듯 들이마셨다.

하지만 산책용 갑판 역시 비좁았고 어수선했다. 좁은 공간에 갇혀서 하는 일 없이 신경만 곤두선 승객들은 쉴 새 없이 수다를 떨며 철새처럼 떼를 지어서 갑판 위를 이리저리 서성였다. 여자들이 신나게 재잘대며 갑판의 좁다란 길을 지치지도 않고 뱅뱅 돌면서 갑판 의자 앞을 계속 시끌벅적하게 지나다니는 바람에 머리가 지끈거렸다. 나는 얼마 전에 새로운 세계를 보았고 마구 뒤엉킨 채 달려드는 이미지들을 정신없이 빠른 속도로 내 안에 받아들였다. 그런 만큼 내가 넋을 잃고 보았던 것들을 곰곰 생각하고 분석하고 정돈한 후 알맞은 형태로 빚어내고 싶었다. 하지만 인파로 가득한 갑판에서는 단 일 분도 조용히 쉴 수가 없었다. 책을 읽으려 해도 수다를 떨며 스쳐 가는 무리 때문에 글귀들이 머리에 들어오질 않았다. 이처럼 북적이는 갑판에서 나만의 고독을 즐긴다는 건 불가능했다.

사흘 동안 애써 본 후 나는 체념했고, 승객들과 바다를 구경하며 지냈다. 하지만 바다는 항상 푸르고 텅 빈 모습 그대로였고 해가 질 때만 돌연 온갖 상상할 수 있는 색깔로 가득했다. 24시간을 3번 보내고 나니 승객들을 모조리 알게 되었고 모든 얼굴이 지겨울 정도로 친숙해져 버렸다. 여자들의 새된 웃음이 더는 거슬리지 않았고 옆에서 네덜란드 장교들이 목청껏 싸워도 짜증이 나지 않았다. 그러니 도망치는 수밖에 없었다. 하지만 선실은 덥고 습했다. 살롱에서는 영국 아가씨들이 피아노 앞에 앉아 서툰 솜씨로 왈츠 몇 마디를 두드려댔다. 결국, 나는 마음을 단단히 먹고 시간을 뒤엎기로 했다. 오후에 맥주를 몇 잔 마셔서 정신을 몽롱하게 한 후 선실로 내려가서 만찬과 무도회가 벌어지는 내내 잠을 잤다.

깨어나 보니 비좁은 관과 같은 선실은 어두침침하고 후덥지근했다. 환풍기를 꺼 두었던 탓에 정수리에 와닿는 공기는 기름지고 축축했다. 감각이 무디어진 탓에 몇 분이 지나서야 지금이 몇 시이고 어디인지가 생각났다. 음악도, 발걸음 소리도 들리지 않는 거로 보아서 자정이 지난 건 분명했다. 증기기관만이 레비아단의 심장처럼 헐떡대며 배의 몸뚱이를 보이지 않는 곳으로 몰아가는 중이었다.

갑판으로 올라가니 아무도 없이 텅 비어 있었다. 고개를 들어 연기를 내뿜는 굴뚝과 유령처럼 반짝이는 활대를 보는 순간, 마법과도 같은 빛이 내 눈을 가득 채웠다. 하늘이 찬란히 빛나고 있었다. 하늘을 하얗게 수놓은 별들은 어둠에 둘러싸여 있었지만 그래도 하늘은 빛나고 있었다. 마치 벨벳 커튼에 가려진 어마어마한 빛이 커튼에 난 구멍과 틈새로 새어 나오기라도 하듯이 별들은 눈이 시리도록 반짝이고 있었다. 그날 밤과 같은 하늘은 일찍이 본 적이 없었다. 휘황찬란하고 강철처럼 짙푸른 하늘이었다. 달과 별들이 뿜어내는 빛이 찰랑찰랑 쏟아져 내리며 반짝이는 광경은 마치 신비스러운 내면의 공간에서 불이 타오르는 듯했다. 하얗게 칠한 배의 테두리가 달빛 속에서, 검은 벨벳과 같은 바다를 배경 삼아 뽀얗게 도드라졌다. 밧줄이나 활대 같은 온갖 물건들의 윤곽은 도도히 흐르는 빛 속으로 녹아들었다. 불을 밝힌 돛대와 그 위 망루의 둥근 구멍은 마치 하늘의 찬란한 별들 사이에 박힌 지상의 노란 별처럼 허공에 걸려 있었다.

마침, 머리 위에는 신비로운 남십자자리가 가공의 공간에 박힌 휘황찬란한 다이아몬드처럼 둥실 떠 있었고, 오직 배만이 헤엄치는 거인처럼 가슴을 위아래로 들썩여 숨 쉬며 검은 파도를 헤치고 앞으로 나가고 있었다. 선 채로 올려다보니 천상에서 내려오는 따스한 물로 가득한 욕조 속에 있는 느낌이었다. 다만 내 손을 말갛고 상쾌하게 씻어주는 것은 물이 아닌 빛이었다. 빛이 내 어깨와 머리 주위를 살포시 휘감으며 마음속까지 파고든 덕분인지, 온갖 암울한 심정이 순식간에 환히 개였다. 나는 홀가분하게 숨을 내쉬었다. 공기가 상큼한 음료수처럼 내 입술을 스치는 순간 더없이 행복했다. 과일 내음과 아득한 섬의 향기를 머금은 공기는 부드럽게 무르익은 술처럼 나를 기분 좋게 취하게 했다. 배에 올라탄 이후 처음으로 꿈에 잠기려는 성스러운 욕망이 나를 엄습했다. 그리고 마치 여자라도 된 양, 내 육체를 나를 에워싼 부드러운 것들에게 내맡기고 싶다는 관능적인 또 다른 욕망도 찾아왔다. 누워서 저 위 하얗게 빛나는 상형 문자들을 보고 싶었다. 하지만 갑판 위 안락의자들은 치워져서 어디에도 꿈에 잠겨 쉴 만한 곳은 보이지 않았다.

그래서 계속 찾아 헤매다가 차츰 배의 앞쪽에 이르니 온갖 물건들에서 반사되는 빛이 갈수록 드세게 나를 파고드는 바람에 눈이 부셨다. 석회처럼 하얗게 작열하는 별빛을 마주하기가 힘겨워서 어디 어둑한 그늘에 몸을 숨기고 싶었다. 빛을 내 몸에 직접 느끼는 대신 사물들에 반사된 빛이 내 위에서 반짝이는 걸 느끼며 돗자리에 누워 있고 싶었다. 어두운 방에서 풍경을 내다보듯이 말이다. 나는 밧줄에 발이 걸려 비틀대며 나선형 홈이 파인 철제 기둥을 지나쳐서 드디어 뱃머리까지 오게 되었다. 내려다보니 선체의 앞쪽 끝이 검푸른 물을 헤집으며 물속에 녹아든 달빛을 바스러트려서 양날 옆으로 뿌려댔다. 배가 쟁기가 되어 검게 흐르는 진흙과도 같은 바다를 끊임없이 헤집으며 전진하는 걸 보려니 정복당한 자연이 느낄 고통을 공감하는 한편, 이런 찬란한 장관을 보며 현실의 권력자다운 기쁨을 느꼈다. 벅찬 감정에 나는 시간의 흐름을 잊었다. 그렇게 서 있던 게 한 시간이었는지 아니면 그저 몇 분에 불과했는지 알 수 없다. 배는 거대한 요람이 되어서 나를 살포시 흔들며 시간의 질서 너머로 데려갔다. 쾌감과도 같은 나른함에 젖어 드는 나를 느낄 뿐이었다. 잠이 들어 꿈을 꾸고 싶었지만, 이 마법을 벗어나서 관과 같은 저 아래 선실로 가고 싶지 않았다. 어쩌다가 발이 바닥에 놓인 밧줄 묶음에 걸렸다. 나는 거기 걸터앉아 눈을 감았지만 보이는 건 어둠이 아니었다. 내 눈 위로, 내 위로 은빛 광채가 흐르고 있었기 때문이다. 아래에서 물이 나직이 찰랑대듯이 위에서도 하얀 강물이 들리지 않게 찰랑대는 걸 느꼈다. 차츰이 찰랑대는 소리는 내 핏속으로 스며들었다. 나라는 존재를 느낄 수 없었고, 내가 숨을 쉬는 것인지 아니면 저기 멀리서 배의 심장이 뛰고 있는 것인지 알 길이 없었다. 한밤중의 세계가 쉬지 않고 찰랑대는 가운데 나 역시 흐르고 흘러 스며들고 있었다.

바로 내 옆에서 마른기침 소리가 나직이 들리는 바람에 난 벌떡 일어섰다. 꿈에 흠뻑 취해 있다가 소스라치게 놀란 셈이었다. 하얀빛이 눈부셔서 이제껏 감고 있던 눈을 뜨고 둘러보았다. 바로 내 맞은편 벽 그늘에서 빛이 안경에 반사되는 듯 번쩍하더니 이윽고 도톰한 불꽃이 동그라니 타올랐다. 파이프 담배가 분명했다. 나는 여기 걸터앉을 때 거품을 뿜어내는 뱃머리를 내려다보고 남십자자리를 올려다보느라 꼼짝 않고 계속 여기 앉아 있던 사람을 알아채지 못한 게 분명했다. 나는 얼떨결에 나도 모르게 독일어로 말했다. “실례했습니다.” “천만의 말씀입니다.” 어둠 속에서 독일어로 대답이 돌아왔다.

어둠 속에서 보이지 않는 사람 옆에 나란히 앉아서 침묵하는 것이 얼마나 괴이하고 섬뜩했는지는 말로 표현할 수 없을 정도다.

내가 그를 응시하고 있듯이 그도 나를 응시하고 있다는 느낌이 절로 들었다. 우리 위에서 하얗게 반짝이며 흐르는 빛이 아무리 강하다 할지라도 아무도 상대의 그늘 속 윤곽 말고는 볼 수가 없었다. 들리는 건 숨소리와 파이프를 빠는 소리뿐이었다.

침묵은 견디기 힘들었다. 나는 그냥 가버리고 싶었지만 그러면 너무 무례하고 갑작스러울 것 같았다. 당황해하며 나는 담배를 꺼내 들었다. 성냥불이 타오르며 잠시 좁은 공간을 밝혔다. 안경을 쓴 낯선 얼굴이 보였다. 지금껏 배에서 본 적이 없는 얼굴이었다. 식사 때에도 복도에서도 본 적이 없었다. 갑자기 빛을 접한 눈이 가물거렸거나 아니면 그냥 환각일 수도 있겠지만 그 얼굴은 끔찍이 일그러지고 음산한 게 귀신처럼 보였다. 하지만 세세한 부분을 제대로 보기도 전에 어둠은 잠시 드러난 얼굴을 도로 삼켰고 보이는 건 어둠 속에 웅크린 형상의 윤곽뿐이었다. 이따금 허공에서 파이프 불빛이 동그란 반지처럼 깜박였다. 아무도 말을 하지 않았고 침묵은 열대의 공기처럼 후덥지근하고 거북했다.

결국 나는 더는 참지 못하고 일어서서 공손히 말했다. "안녕히 계십시오."

"안녕히 계십시오." 어둠 속에서 대답이 돌아왔다. 목이 쉰 듯 딱딱하고 기운 없는 음성이었다.

나는 휘청대며 밧줄 더미 사이로 걸어서 기둥을 지나쳤다. 그런데 뒤에서 불안한 듯 급히 내딛는 발걸음 소리가 들렸다. 좀 전에 옆에 있던 사람이었다. 나는 저절로 멈추어 섰다. 그는 아주 가까이 오지는 않았지만, 그의 발걸음에서는 뭔지 모를 불안감과 우울감이 어둠을 뚫고 느껴졌다.

"실례합니다." 그가 서둘러 말을 꺼냈다. "부탁을 하나 드려도 되겠습니까? 저는… 저는…" 그는 더듬댔고 당황한 나머지 말을 잇지 못했다. "저는 … 저는 개인적인 이유로 여기 이 배에서 홀로 지내는데 … 상중喪中이라서 … 승객들을 피하느라 … 당신을 피한다는 뜻이 아니고 … 결코 그런 게 아니라 … 제가 부탁드리고 싶은 건 그저 … 여기서 저를 보신 걸 아무에게도 얘기하지 않겠다고 약속해주셨으면 합니다. … 어떤 개인적 이유로 … 저는 지금 사람들과 어울릴 수 없어서 … 그러니 … 당신이 웬 사람이 … 제가 밤에 여기서 … 그걸 사람들에게 알리신다면 제가 난처해질 겁니다. 그러니 …" 그는 다시금 말을 맺지 못했다. 나는 그가 더는 당황해하지 않게끔 소원대로 하겠다고 서둘러 약속했다. 우리는 악수를 했다. 나는 선실로 돌아가서 짓눌리듯 잠이 들었지만, 이상하게도 여러 형상이 찾아드는 바람에 제대로 잠을 자지 못했다.

나는 약속을 지켰고 승객 누구에게도 그 기묘한 만남에 관해 이야기하지 않았다. 물론 그러고 싶은 유혹은 컸다. 배로 여행하다 보면 아주 사소한 일도 큰 사건이 되기 때문이다. 수평선에 돛단배가 보였다거나 돌고래가 튀어 올랐다거나 남녀 한 쌍이 가까워졌다거나 누군가가 지나가면서 농담을 던졌다는 일 따위가 화젯거리가 되는 지경이다. 나는 그 범상치 않은 승객에 대해 더 알고 싶어서 조바심이 났다. 승객 목록에서 그 사람의 것일 성싶은 이름을 찾아보고 승객 중 누가 그와 관련이 있을까 눈여겨보기도 했다. 온종일 신경을 곤두세우고 초조함에 시달리며 그를 다시 만날 수 있을까 싶어서 저녁이 오기만을 기다렸다. 수수께끼 같은 인간 심리를 접하면 나는 즉시 평정심을 잃고는 개별적인 것의 연관을 밝혀내고 싶어 애를 태운다. 특이한 사람들이 주변에 있기만 해도 나는 그들에 관해 더 많이 알고 싶은 열정에 불타오른다. 여자를 소유하고 싶은 열정에 못지않을 정도이다. 그날 하루는 지루했고 하는 일 없이 손가락 새로 새어 나갔다. 나는 일찍 잠자리에 들었다. 저절로 자정에 눈을 뜨리라는 걸 알고 있었다.

정말 그랬다. 나는 어제와 같은 시각에 깨어났다. 시계의 숫자판 위에서 길고 짧은 두 바늘은 하나로 포개져 반짝이고 있었다. 나는 서둘러 후덥지근한 선실을 벗어나서 한층 더 후덥지근한 밤을 향해 나아갔다.

별들은 어제처럼 찬란히 반짝이며 파르르 떠는 배 위로 빛을 마구 뿌려댔다. 하늘 높이 남십자자리가 이글대고 있었다. 모든 게 어제와 다를 바 없었지만 – 열대의 낮과 밤들은 유럽에서와는 달리 그날이나 그다음 날이나 다를 바가 없다 – 나는 어제처럼 포근한 흐름에 몸을 싣고 요람에 누운 듯 꿈에 잠길 수가 없었다. 무엇인가가 나를 끌어당기고 혼란에 빠트렸다. 내가 어디로 가고 싶은지는 알고 있었다. 뱃머리의 검은 철제 기둥 쪽으로 가서 그가, 비밀에 가득 찬 그 남자가 또 그 자리에 우두커니 앉아 있는지 확인하고 싶었다. 위에서 종이 치는 순간 나는 내몰리듯 움직였다. 내 의지와는 달리 한 발짝, 또 한 발짝 발이 움직이는 바람에 따를 수밖에 없었다. 아직 배의 맨 앞쪽에 이르지 않았는데 거기서 갑자기 빨간 눈 같은 것이 번쩍거렸다. 파이프였다. 그가 거기 있는 게 분명했다.

나는 나도 모르게 놀라서 주춤하며 멈춰 섰다. 아무 일도 없었더라면 그냥 가 버렸을 것이다. 그때 어둑한 저편에서 무언가가 일어나서 몇 발짝 다가왔다. 갑자기 바로 내 앞에서 공손하면서도 침울한 목소리가 들렸다.

"실례합니다. 당신은 분명 다시 당신 자리를 찾아오셨겠지요. 그런데 저를 보고는 물러나시려는 듯합니다. 부디 자리에 앉으십시오. 제가 가겠습니다."

나는 서둘러 그에게 말했다. "그냥 계십시오. 저는 당신을 방해하지 않으려고 물러선 것뿐입니다."

그는 침통하게 말했다. "당신이 저를 방해하다니요! 절대 그렇지 않습니다. 한 번쯤 혼자가 아니라서 좋으니까요. 저는 열흘 전부터 말 한마디 안 했기에 … 엄밀히 말하자면 몇 년째 그런 셈이니 …힘이 듭니다. 모든 걸 자기 안에 가둬두어야 하니 숨이 막힐 지경이라서 … 저는 선실에서는, 관에 갇힌 듯싶은 … 그곳에서는 더는 머물 수 없습니다. …도저히 더는 머물 수 없고… 사람들 역시 견딜 수 없습니다. 온종일 웃어대니까요. …도저히 견딜 수 없는데 … 선실에서도 웃음소리가 들려서 귀를 틀어막곤 합니다… 물론 그들은 사정을 … 모르지요. 그냥 모르는 겁니다. 그리고 그 일이 다른 사람들에게, 남들에게 …무슨 상관이 있겠습니까?"

그는 다시 말을 멈췄다. 그러다가 불쑥 급히 말했다. "하지만 당신을 방해하고 싶진 않습니다. … 너무 많이 지껄여서 죄송합니다."

그는 절을 하고 자리를 뜨려 했다. 하지만 나는 그를 급히 막아섰다. "전혀 그렇지 않습니다. 저 역시 여기서 조용히 몇 마디를 나누는 게 좋습니다. … 담배 태우시겠습니까?"

그는 담배 한 개비를 받아들었고 나는 불을 붙였다. 그의 얼굴이 검은 벽면으로부터 떨어져 나와 가물거렸다. 이제 그는 나를 정면으로 보았다. 안경 뒤의 눈이 게걸스러워지더니 있는 힘껏 내 얼굴을 탐색했다. 나는 섬뜩해졌다. 이 사람은 말하고 싶으며 말하지 않고는 견딜 수 없다는 걸 느꼈다. 그를 도우려면 침묵해야 한다는 걸 깨달았다.

우리는 다시 앉았다. 갑판용 의자가 하나 더 있으니 거기 앉으라고 그가 내게 권했다. 우리의 담뱃불이 타올랐다. 그의 담배가 만드는 빛의 고리가 어둠 속에서 흔들리는 거로 보아 그의 손이 떨고 있음을 알 수 있었다. 하지만 나는 침묵했고 그 역시 침묵했다. 그러다가 그가 불쑥 나직이 물었다. "많이 피곤하십니까?"

"아니요. 전혀 피곤하지 않습니다."

어둠 속의 목소리는 다시금 주저했다. "당신께 묻고 싶은 게 좀 있습니다 … 무슨 말이냐 하면 당신께 이야기하고 싶은 게 있습니다. 지나가다 처음 마주친 사람을 붙잡고 이야기를 한다는 게 상식 밖의 일임을 잘 알고 있습니다. 알고말고요. 하지만… 저는 … 심리적으로 최악의 상태라서 … 누구하고든 대화를 나누어야만 하는 지점에 도달했습니다 …그러지 못하면 저는 끝장날 겁니다. … 당신은 제가 … 제가 당신께 이야기를 한다면 … 이해하실 겁니다. 당신이 절 도울 수 없다는 걸 알고 있지만… 하지만 이렇게 침묵하고 있자니 제가 병이 들 것 같아서 … 병자는 다른 사람들에게는 늘 우스꽝스러운 존재이지요 …"

나는 그의 말을 끊고 그렇게 자책하지 말라고 간청했다. 내게 무슨 얘기든 해도 되며 … 나는 물론 그에게 아무런 약속도 할 수 없지만, 내게는 기꺼이 도와야 할 의무가 있다고 말했다. 누군가가 어려운 처지에 있는 걸 본다면 돕는 게 당연한 의무라고 말이다.

"기꺼이 도우려는 마음이 … 의무라고요 … 그런 시도를 하는 게 의무라고요 … 그러니까 당신 역시, 당신 역시 인간에게는 의무가 … 기꺼이 도와야 할 의무가 … 있다는 의견이시군요."

그는 이 말을 세 번 되풀이했다. 넋이 나간 듯 음산한 어조로 되풀이하는 통에 내 등골이 오싹해졌다. 이 남자가 미쳐버린 걸까? 아니면 술에 취한 걸까?

하지만 마치 내가 이런 추측을 소리 내어 말하기라도 한 듯이 그는 갑자기 전혀 다른 어조로 말했다. "당신은 아마 제가 미쳤거나 술에 취했다고 생각하실 겁니다만 그렇지 않습니다. 아직은 아닙니다. 그저 당신이 하신 말씀이 놀랍게도 제 마음을 뒤흔든 것뿐이라서 … 정말 놀랍게도 그것이 마침 저를 괴롭히는 문제이기 때문입니다. 다시 말해서 우리에게 의무가… 그렇게 할 의무가 있냐는 …"

그는 다시 더듬거리기 시작했다. 그러고는 잠시 말을 멈추더니 마음을 다잡고 이야기를 시작했다.

"저는 의사입니다. 제 직업에는 종종 그런 경우가, 그런 피치 못할 경우가 … 있습니다. … 그럴 의무가 있는지 불확실한, 경계가 모호한 경우라고 불러야겠지요. … 말하자면 다른 사람에 대한 의무만 있는 건 아니지요. 자기 자신을 위한 의무, 국가를 위한 의무, 학문을 위한 의무도 있으니까요. … 우리는 도와야 합니다. 당연하지요. 그러려고 우리 인간은 존재하니까요. … 하지만 그런 금언은 항상 이론에 그칠 뿐입니다. … 우리는 대체 어디까지 도와야 할까요? … 당신은 제게 남이고 저 또한 당신께 남입니다. 그런데 저는 당신께 저를 본 사실을 침묵해달라고 부탁합니다 … 네, 당신은 침묵하고 그럼으로써 의무를 다합니다. … 저는 당신께 침묵에 지쳐 죽을 지경이니 저와 대화하자고 부탁합니다 … 당신은 제 이야기를 들으려 하지요. … 네 … 하지만 그건 쉬운 일입니다. … 만일 제가 당신께 저를 집어 들고 배 밖으로 던져달라고 부탁한다면 어떨까요? … 그렇게 되면 친절과 도우려는 마음은 사라집니다. 어느 지점에선가는 끝이 납니다 … 자신의 삶과 책임이 걸려 있는 지점에서는 … 어느 지점에서부터는 끝이 나야 합니다 … 어느 지점에서 이런 의무는 사라져야 합니다. … 아니 어쩌면 의사에게는 그 의무가 사라져선 안 되는 걸까요? 의사는 구세주가 되어 만백성을 도와야만 할까요? 라틴어로 된 학위증을 가졌을 뿐인데 웬 여자가 … 웬 사람이 와서는 의사는 고귀하고 선량하니 도와주리라고 기대한다면, 의사는 정말 자신의 삶을 팽개치고 몸속에 뜨거운 피가 흐르지 않는 양 처신해야 할까요? 네, 어느 지점에서부터 의무는 사라집니다. … 더는 할 수 없는 지점에서는, 바로 그 지점에서는 …"

그는 잠시 말을 멈추고는 마음을 가라앉혔다.

"용서하십시오. … 제가 너무 흥분해서 … 하지만 취한 건 아니고 … 아직은 취하지 않았습니다. … 솔직히 털어놓자면 종종 취하기도 합니다. 이토록 지옥에 처박힌 듯 외로우니… 제가 7년 중 대부분을 원주민들과 짐승들하고만 살았다는 걸 참작해 주십시오. … 그렇게 살다 보면 차분히 이야기하는 법을 잊어버리게 됩니다.

그러다가 입을 열게 되면 곧장 말이 흘러넘칩니다. … 그런데 잠깐만요. … 아, 이제 알겠군요 … 당신께 묻고 싶은 게 있습니다. 제가 지금 이야기하려는 사례가 하나 있는데, 그 경우 도와야 할 의무가 있다고 … 천사처럼 순수하게 도와야 한다고 … 생각하시는지 묻고 싶습니다. … 그런데 이야기가 길어질 것 같군요. 정말 괜찮으시겠습니까?"

"물론입니다."

"감사 … 합니다. … 한잔하시겠습니까?"

그는 컴컴한 뒤쪽으로 손을 뻗쳤다. 옆에 세워두었던 술병 두엇이 서로 맞부닥치는 듯 달그락 소리가 났다. 내가 그가 따라준 위스키를 홀짝홀짝 마시는 동안 그는 단숨에 자신의 잔을 들이켰다. 잠시 우리 사이에는 침묵이 깃들었다. 그때 종이 쳤다. 12시 반이었다.

"자… 저는 당신에게 하나의 사례를 이야기하려 합니다. 어떤 의사가 작은 … 작은 도시에서 … 혹은 아예 시골에서 … 의사가 … 그러니까 어떤 의사가… "

그는 다시 말을 더듬었다. 그러다가 갑자기 의자를 내 쪽으로 바싹 당겼다.

"안 되겠군요. 당신께 모든 걸 곧이곧대로 처음부터 이야기해야겠습니다. 그렇지 않으면 이해하지 못하실 겁니다. … 이론을 뒷받침하는 하나의 예인 것처럼 꾸며 이야기할 수는 없습니다. … 저는 당신께 제 경우를 이야기해야겠습니다. 부끄러울 것도, 숨길 것도 없습니다. … 제 앞에서 사람들은 옷을 홀딱 벗고 부스럼과 자신들의 오줌똥을 보여줍니다. … 도움을 원한다면 에둘러 이야기해서는 안 되며 아무것도 감추지 말아야 합니다. … 그러니 저는 당신께 어디서 들은 의사의 경우를 이야기하지 않으렵니다. … 저는 알몸을 드러내는 심정으로 제 … 이야기를 하렵니다. 이 망할 나라에서 끔찍이도 외롭게 살다 보니 저는 부끄러워하는 법을 잊어버렸습니다. 정말이지 이 나라는 사람의 영혼을 잡아먹고 척추의 골수를 파먹는다니까요."

내가 어떤 몸짓을 했나 보다. 그는 말을 멈췄다.

"아, 당신은 찬성하지 않는군요 … 이해합니다. 인도에 푹 빠지셨군요. 두 달짜리 여행객은 사원과 야자수를 보며 낭만에 흠뻑 빠지게 마련입니다. 네, 열대는 멋진 곳입니다. 기차나 자동차나 인력거를 타고 둘러본다면 말입니다. 7년 전 처음 이곳에 왔을 때는 저 역시 그렇게 느꼈으니까요. 당시에는 꿈에 한껏 부풀어 있었습니다. 현지어를 배워서 성전聖典을 원본으로 읽으려 했고 풍토병을 연구하려 했고 원주민들의 심리를 탐구하려 했습니다. 유럽인 식으로 말하자면 인류애와 문명을 전파하는 선교사 노릇을 하려 들었지요. 여기 오는 사람들은 모두 똑같은 꿈을 품습니다. 그러나 온실처럼 푹푹 찌는 그곳에 있다 보면 누구든 기운이 빠집니다. 열기에 – 아무리 키닌을 많이 씹어대도 열기를 피할 수는 없습니다 – 시달리다 보면 누구든 나른하고 게을러져서 엿가락처럼 축 늘어져 버립니다. 대도시에 살다가 이런 망할 늪지대에 오게 된 유럽인은 자신의 진정한 본질로부터 절단되어 있다고 봐야 하니까요. 그래서인지 시간이 어느 정도 지나면 다들 포기하고 약해집니다. 사람들은 술고래나 아편쟁이가 되거나, 치고받고 싸우다가 망나니가 되거나 합니다. 그렇게 다들 이런저런 바보짓에 말려듭니다. 저 같은 사람은 유럽이 그리운 나머지 다시 거리를 활보하고 탄탄한 건물의 환한 방에서 백인들과 함께 앉아 있는 꿈을 꿉니다. 해마다 그런 꿈을 꾸다가 휴가를 얻게 되지만 그때는 이미 너무 나태해져서 떠나지를 못합니다. 고향에서 잊힌 사람은 돌아가봤자 누구나 밟고 지나가는 바닷가 조개껍질처럼 낯선 존재일 뿐이라는 걸 아니까요. 그래서 사람들은 이 덥고 축축한 밀림에 머무르며 퇴보하고 썩어 갑니다. 어떤 저주받은 날에 저는 이 끔찍한 곳에 제 운명을 팔아버렸으니 …

그런데 제가 아주 자발적으로 그렇게 한 건 아니었습니다. 저는 독일에서 공부한 후 의사 면허를 취득했습니다. 제법 괜찮은 의사라서 라이프치히 종합병원에 채용되었습니다. 신종 주사를 처음으로 도입해서 언제인지 기억도 안 나지만 의학잡지에 대서특필되기까지 했지요. 그 무렵 여자 문제가 생겼습니다. 병원에서 알게 된 여자였지요. 그녀는 자신의 정부를 미치게 만들어서 그가 그녀를 총으로 쏘았다는데 곧 저 역시 그 녀석처럼 미쳐버렸습니다. 그녀는 오만하고 냉랭했는데 그런 모습에 제 피가 들끓었습니다. 항상 저는 교만하고 건방진 여자들 앞에서 꼼짝 못 하긴 했지만, 이 여자는 저를 거머쥐고는 뼈를 바스러트렸지요. 저는 그녀가 원하는 대로 했습니다. 저는 … 8년이 지났으니 얘기 못 할 이유가 없겠지요? 저는 그녀를 위해서 병원 금고에 손을 댔습니다. 그 일이 탄로 나자 난리도 그런 난리가 없었습니다. 백부 덕에 최악의 경우는 면했지만 제 경력은 끝장이 났습니다. 바로 그때 네덜란드 정부가 식민지에 파견할 의사를 모집하는데 계약금을 준다는 공고를 듣게 되었습니다. 흠, 계약금을 한꺼번에 준다니 만만한 일이 아닌 건 분명했습니다. 열대의 플랜테이션 지역에서는 무덤의 숫자가 여기 유럽에서보다 3배는 더 빨리 늘어난다는 것도 알고 있었습니다. 하지만 젊은 사람들은 열병에 걸려 죽는 건 내가 아닌 남들이라고 생각하기 마련이지요. 게다가 저는 선택의 여지가 없었기에 로테르담으로 가서 10년 계약을 체결하고는 상당한 액수의 수표 묶음을 받았습니다. 절반을 고향의 백부에게 보낸 후 남은 절반은 항구 지역을 누비는 어떤 여자가 낚아챘습니다. 그 망할 괭이 같은 여자를 똑 닮았기에 제가 가진 걸 모두 내어줄 수밖에 없었으니까요. 돈도, 손목시계도 없이, 아무런 환상도 없이 저는 유럽을 떠나는 배에 올랐기에 배가 항구를 벗어날 때 특별히 슬프지도 않았습니다. 그러고는 당신처럼, 다들 그렇듯이 갑판에 앉아서 남십자자리와 야자수를 보았지요. 순간 마음이 부풀어 올랐습니다. 아, 밀림과 고독과 정적, 그런 것들을 꿈꾸기까지 했으니까요! 흠 … 고독은 금세 질릴 만큼 즐기게 되었습니다. 저는 바타비아• 나 수라바야와 같이 사람들이 많고 클럽과 골프장과 책들과 신문이 있는 도시가 아니라 – 흠, 지역명은 그다지 중요하지 않습니다 – 어떤 행정구역에 배치되었는데 그곳에서 제일 가까운 도시로 가려면 꼬박 이틀이 걸렸습니다. 제 이웃이라고는 따분하고 축 처진 관리 몇 명과 혼혈인 몇 명뿐이었고 그 외에는 아무리 둘러보아도 숲과 플랜테이션과 덤불과 늪뿐이었습니다.

• 자카르타의 옛 이름

처음에는 견딜 만했습니다. 저는 온갖 연구를 했지요. 한번은 부총독이 자동차로 탐험 여행을 나섰다가 차 사고로 다리를 부러트렸습니다. 저는 조수 하나 없이 그를 성공적으로 수술해서 많은 관심을 받았지요. 원주민들이 쓰는 독과 무기들을 수집하는 등 나태해지지 않으려고 온갖 사소한 일들에 몰두하기도 했습니다. 그러나 그런 노력은 제가 유럽에서 가지고 온 힘이 아직 남아 있는 동안에만 가능했습니다. 그 힘이 고갈되자 저는 시들어버렸습니다. 몇몇 유럽인들은 따분하기만 해서 저는 그들과의 교류를 끊었습니다. 그러고는 술을 마시며 혼자 꿈속에 빠졌습니다. 어느새 계약 기간은 2년밖에 안 남았으니 곧 자유로운 몸이 되어 연금을 받게 될 것이고 유럽으로 돌아가서 다시 한번 인생을 시작할 수 있으리라고 말입니다. 정말이지 저는 가만히 누워 기다리고 또 기다리는 것 말고는 아무것도 하지 않았습니다. 만일 그녀가 … 그 일이 일어나지 않았다면 저는 오늘도 여전히 그렇게 주저앉아 있었겠지요."

어둠 속의 목소리가 멎었다. 파이프 역시 타오르지 않았다. 너무도 고요한 나머지 돌연 바닷물이 거품이 되어 뱃머리에 부서지는 소리가 들렸고 멀리서 엔진이 둔탁하게 돌아가는 소리도 들렸다. 나는 담뱃불을 붙이고 싶었지만, 성냥불이 확 타오르는 순간 빛에 비칠 그의 얼굴이 두려웠다. 그는 침묵하고 또 침묵했다. 그가 이야기를 마쳤는지, 졸고 있는지, 잠이 들었는지 알 길이 없을 정도로 죽음과도 같은 침묵이었다.

순간 배에 달린 종이 딱 한 번 힘차게 울렸다. 한 시였다. 그가 놀라서 움찔했다. 유리잔이 달그락대는 소리가 다시 들렸다. 아마 위스키를 따르는 듯했다. 한 모금 들이키는 소리가 나직이 들리더니 갑자기 그는 다시 말을 시작했다. 그런데 이번에는 이전보다 더 긴장감이 가득했고 더 많은 열정이 서려 있었다.

"네, 그러니까 … 잠깐만요 … 네, 그랬습니다. 거기서 저는 망할 놈의 거미줄 안에 앉아 있습니다. 몇 달째 꼼짝하지 않고 거미줄 안의 거미처럼 앉아 있는 중입니다. 마침 우기가 시작되었지요. 몇 주째 비가 지붕을 후려갈겼고 아무도 오지 않았습니다. 유럽인은 구경도 못 한 채 저는 하루, 또 하루를 제가 거느린 황인종 아낙네들과 함께 집에 틀어박혀 위스키만 마셔댔습니다. 그때 제 기분은 아주 밑바닥이었고 유럽이 그리워 미칠 지경이었습니다. 환한 거리와 백인 여자가 등장하는 소설을 읽으면 손가락이 덜덜 떨리기 시작했으니까요. 당신께 제 상태를 제대로 묘사할 수가 없군요. 일종의 열대병으로 분노가 치밀고 열이 치솟지만 무기력하게 향수에 젖는 상태인데 종종 저는 거기서 헤어나지 못했습니다. 당시 저는 그런 상태에서 지도를 펼쳐 들고 앉아서 여행을 꿈꾸고 있었나 봅니다. 순간 누가 세차게 문을 노크했습니다. 사환과 제 아낙네 중 하나가 밖에 서서는 놀란 눈을 휘둥그레 뜨고 있었습니다. 그들은 열심히 몸짓으로 말했습니다. 귀부인이, 숙녀가, 백인 여자가 와 있다는 겁니다.

저는 벌떡 일어섭니다. 마차나 자동차가 오는 소리도 나지 않았는데, 백인 여자가 이 밀림에 왔다고?

저는 계단을 달려 내려가려다가 순간 자제합니다. 잠시 거울을 보며 급히 매무새를 가다듬습니다. 신경이 곤두서고 초조해지며 왠지 불길한 예감에 편치 않습니다. 나를 찾아올 친구란 이 세상에 하나도 없다는 걸 잘 알고 있으니까요. 드디어 저는 내려갑니다.

응접실에서 귀부인이 기다리고 있다가 저에게 서둘러 다가옵니다. 그녀의 얼굴은 두툼한 베일로 가려져 있습니다. 저는 인사를 건네려 하지만 그녀는 급히 제 말을 가로챕니다. '안녕하세요, 선생님!' 그녀가 영어로 매끄럽게 말합니다. 지나칠 정도로 매끄러운 게 미리 할 말을 연습해 둔 듯합니다. "갑자기 들이닥쳐서 죄송합니다. 하지만 우리는 마침 이곳을 들렀어요. 자동차를 저기 세워두었지요." 왜 집 앞까지 차를 타고 오지 않았나 하는 의문이 번개같이 제 머리를 스칩니다.

'선생님이 여기 사신다는 게 생각나서요. 저는 선생님 말씀을 무척 많이 들었답니다. 정말이지 선생님은 부총독에게 기적을 베푸셨더군요. 그분은 다리가 말짱히 나아서 전처럼 골프를 치신답니다. 아, 도시 사람들 모두가 여전히 그 얘기를 하고 있어요. 선생님이 이리로 오신다면 우리 도시에 있는 불평꾼 외과 의사와 다른 의사 둘을 죄다 내어줘도 좋겠다고들 합니다. 그런데 왜 도시에서는 통 선생님을 뵐 수가 없나요? 명상에 빠진 도인처럼 사시는 건지… '

그런 식으로 그녀는 계속 재잘댑니다. 말이 점점 빨라지고 제게는 말을 꺼낼 틈도 주지 않습니다. 수다를 떠는 여자는 어쩐지 신경질적이고 흥분해 있기에 저까지도 불안해집니다. 왜 이 여자는 이렇게 말이 많은 걸까? 저는 속으로 물어봅니다. 왜 자기가 누군지 소개하지 않는 걸까? 왜 베일을 벗지 않는 걸까? 열이 나서 그러나? 병이 들었나? 미친 걸까? 저는 갈수록 신경이 곤두섭니다.

숨 돌릴 틈 없이 재잘대는 여자 앞에 말없이 서 있는 제 꼴이 한심하다 싶으니까요. 드디어 그녀가 잠시 말을 멈춘 틈을 타서 저는 그녀에게 올라오라고 청합니다. 그녀는 사환에게 따라오지 말라는 신호를 보내고는 내 앞에서 계단을 오릅니다.

'멋진 곳에 사시는군요.' 내 방을 둘러보며 그녀가 말합니다. '아, 멋진 책들이 많네요! 이걸 죄다 읽으면 얼마나 좋을까요!' 여자는 책장으로 다가가서 책들을 훑어봅니다. 나와 마주한 이후 여자가 침묵하는 최초의 1분입니다.

'차를 한 잔 드시겠습니까?' 제가 물어봅니다.

여자는 몸을 돌리지도 않고 책들만 들여다봅니다. '아니요, 괜찮습니다, 선생님… 우리는 곧 다시 출발해야 해서 … 시간이 얼마 없어요. … 잠시 나들이 나온 거라서 … 아, 플로베르 책도 있네요. 제가 몹시 즐겨 읽는 작가예요. … 『감정교육』이네요. 멋져요, 참 멋져요 … 프랑스어도 하시다니 … 선생님은 못 하시는 게 없으시네요! … 그래요, 독일인들은 학교에서 죄다 배우니까요. … 여러 언어를 하신다니 정말 대단해요! … 부총독은 선생님 팬이랍니다. 수술을 받아야 한다면 선생님께만 받겠다고 늘 말씀하시면서 … 우리 도시에 있는 외과 의사는 카드 게임을 할 때 말고는 쓸모가 없다고 하세요. … 그런데 선생님' – 여자는 여전히 내게 등을 돌린 채였습니다 – '오늘 문득 선생님께 한번 진찰을 받아야겠다는 생각이 나지 뭐예요. … 그래서 우리가 마침 여기를 지나는 김에 제가 … 그런데 지금 바쁘시지요 … 제가 다음에 다시 들르는 게 좋겠어요.'

'꾸물대지 말고 네 꿍꿍이를 털어놓으라고!' 저는 즉시 이렇게 생각합니다. 하지만 아무렇지도 않은 척을 하며 지금이든 나중이든 내가 도움이 된다면 영광이라고 답합니다.

'심각한 문제는 아니에요.' 반쯤 몸을 돌리고 책장에서 집어 든 책 한 권을 들추며 여자가 말했습니다. '심각한 문제가 아니라 … 사소한 … 여자들이 흔히 겪는 일이지요 … 어지럽고 기절을 하는 따위에요. 오늘 아침 일찍이 자동차가 커브를 돌 때 제가 갑자기 푹 쓰러졌어요. 그 자리에서 기절했다니까요. … 사환이 차 안에 저를 앉혀놓고는 물을 가져와야 했는데 … 아마 운전사가 너무 빨리 차를 몰았겠지요 … 그렇지 않아요, 선생님?'

'그 말만 듣고는 판단을 내릴 수 없습니다. 종종 그렇게 기절하신 적이 있으십니까?'

'아니요 … 그러고 보니 … 최근에는 … 정말 얼마 전부터는 … 맞아요 … 기절하고 메스꺼운 적이 몇 번 있어요.'

여자는 다시 책장 앞에 서서는 책을 도로 꽂아놓고 다른 책을 집어 들고는 책장을 넘깁니다. 이상한 일이야, 왜 이 여자는 늘 그렇게 … 그렇게 신경질적으로 책장을 넘기는 걸까? 왜 베일을 쓴 채 상대를 마주 보지 않는 걸까? 저는 일부러 아무 말도 하지 않습니다. 여자를 기다리게 하려는 겁니다. 드디어 여자는 다시 천연덕스럽게 재잘대기 시작합니다.

'선생님, 걱정할 문제는 아니지요, 그렇지요? 열대병이나 … 위험한 병은… 아니겠지요?'

'열이 있으신지 먼저 봐야겠습니다. 맥박을 짚어도 될까요?'

제가 다가가자 그녀는 조금 옆으로 비켜섭니다.

'아니에요, 괜찮습니다. 열은 없어요. … 확실해요, 정말 그렇다니까요 … 제가 … 제가 기절한 이후부터 날마다 직접 체온을 재었거든요. 열은 전혀 없고 항상 정확히 36,4도에요. 위도 말짱하답니다.'

저는 잠시 주저합니다. 처음부터 지금껏 의심이 꿈틀대고 있었는데 이제는 이 여자가 나한테서 무언가를 원한다는 걸 직감합니다. 플로베르에 관해 이야기하려고 밀림에 들르는 사람은 없으니까요. 저는 일 분, 이 분을 아무 말도 하지 않다가 단도직입적으로 말을 꺼냅니다.

'실례지만 제가 몇 가지 질문을 편히 해도 되겠습니까?'

'물론이지요, 선생님! 의사시잖아요.' 여자가 대답합니다. 하지만 여전히 제게 등을 돌린 채 책을 만지작거립니다.

'자녀분이 있으십니까?'

'네, 아들이 하나 있습니다.'

'그렇다면 부인은 … 전에 … 다시 말해 그 당시 …지금과 비슷한 상태이셨습니까?'

'네.'

여자의 음성은 돌변해 있었습니다. 아주 명료했고 단호했으며 전과는 달리 수다스럽지도 않고 신경질적이지도 않았습니다.

'그렇다면 부인께서 … 이런 질문을 하는 걸 용서해 주십시오 … 지금, 이전과 비슷한 상태이실 수 있다는 겁니까?'

'네.'

칼로 베듯 날카롭게 여자는 그 말을 내뱉습니다. 뒤로 돌리고 있는 머리는 조금도 꿈쩍하지 않습니다.

'흠, 일반 검진을 해 보는 게 좋을 듯합니다, 부인. … 진료실로

가실까요?'

여자가 갑자기 몸을 돌립니다. 차갑고 단호한 시선이 베일을 뚫고 나를 향하는 게 느껴집니다.

'아니오 … 그럴 필요 없습니다 … 저는 제 상태를 확실히 알고 있습니다.'"

그의 목소리가 잠시 주저했다. 어둠 속에서 위스키 잔이 반짝였다.

"듣다 보면 아시겠지만 … 그렇지만 일단 다음과 같은 상황을 참작해 주십시오. 외로움에 지친 남자에게 한 여자가 불쑥 찾아옵니다. 몇 년 만에 백인 여자가 처음으로 방에 들어선 겁니다. … 방에 뭔가 사악한 기운이 깃들었다고, 위험하다고 저는 돌연 직감합니다. 왠지 등골이 오싹해집니다. 재잘대며 다가와서는 순식간에 칼을 들이대듯 요구사항을 들이대는 여자의 굳건함과 단호함이 섬뜩했습니다. 여자가 제게 무엇을 원하는지는 진작 알고 있었습니다. 단번에 알았지요. 여자들이 제게 그런 걸 요구한 게 처음은 아니니까요. 하지만 그런 여자들은 달랐습니다. 그들은 부끄러워하거나 자비를 구하며 제게 와서는 눈물을 흘리거나 애원했습니다. 하지만 여기 이 여자는 … 굳건했고 남자처럼 단호했기에 … 저는 처음 본 순간부터 이 여자가 저보다 강하다는 것을 … 자신이 원하는 것을 저에게 강요할 힘을 지녔음을 직감했지만 … 하지만 … 하지만 제 안에는 못된 마음이 남아서 … 지지 않으려는 남자 심보 같은 것 때문에 분노가 차올랐습니다. 왜냐하면 … 이미 말했듯이 … 첫 순간부터, 어쩌면 그녀를 보기 전부터 이 여자를 적으로 느꼈으니까요.

저는 일단 아무 말 없이 완강히 심술궂게 침묵했습니다. 여자가 베일을 통해 저를 보는 걸 느끼겠더군요. 똑바로 도발적으로 보며 제가 말을 하도록 강요하려 든다는 걸 말입니다. 하지만 … 저는 모른 체하며… 어느새 대수롭지 않은 일을 재잘대는 여자의 방식을 흉내 냈습니다. 저는 마치 여자의 말을 알아듣지 못한 것처럼 굴었습니다. 왜냐하면 – 당신이 이해하실 수 있으실지 모르겠습니다만 – 저는 분명히 말하도록 여자를 강요하고 싶었습니다. 원하는 걸 그냥 내어주기보다는 … 부탁을 받고 싶었는데 … 그녀가 너무도 고압적이었기에 특히 그랬고 … 이런 오만하고 냉랭한 부류의 여자들이야말로 저를 꼼짝 못 하게 만든다는 걸 알고 있었기 때문이었습니다.

그래서 저는 말을 빙빙 돌렸습니다. 그런 일은 대수롭지 않으며 기절을 하는 것도 일반적인 과정에 속하며 오히려 만사가 잘 진행 중이라는 징후인 경우도 있다고 말입니다. 의학잡지에 실린 예들을 인용하기도 하면서 … 느긋이 맘 내키는 대로 지껄였고 여자의 경우를 전혀 대단치 않은 일로 취급했습니다. 그러는 내내 … 여자가 제 말을 끊기를 기다렸습니다. 여자가 제 수다를 견디지 못하리란 걸 알고 있었으니까요.

순간 여자가 그따위 말은 하지 말라는 듯 손사래를 치며 제 말을 날카롭게 막았습니다.

'제가 불안해하는 건 그래서가 아닙니다, 선생님. 제가 사내애를 가졌을 때는 제 몸에 문제가 없었지만 … 하지만 이제 저는 건

강하질 않습니다. … 심장질환이 있어서요 … ’

‘아, 심장질환이라고요,’ 저는 근심하는 척 말했습니다. ‘그렇다면 당장 살펴보겠습니다.’ 저는 일어서서 청진기를 가져올 것처럼 굴었습니다.

하지만 여자는 어느새 저를 막아섰습니다. 그러고는 이제 아주 날이 선 목소리로 단호히, 마치 명령을 내리는 사령관처럼 말했습니다.

‘저는 심장질환이 있습니다, 선생님. 제가 선생님께 말씀드리는 것을 믿어주셔야겠습니다. 진찰을 받느라 시간을 낭비하고 싶지 않습니다. 제 생각으로는 선생님이 좀 더 신뢰를 품고 저를 대하시면 좋을 듯합니다. 제 편에서는 선생님께 신뢰를 품고 있다는 걸 충분히 보여드렸으니까요.’

이제 싸움이 시작되었고 여자는 공공연히 도전해 왔습니다. 저는 도전을 받아들였습니다.

‘제 신뢰를 원하시면 아무것도 숨기지 마시고 솔직히 털어놓으셔야 합니다. 부디 명료하게 말씀하십시오. 저는 의사입니다. 그리고 제발 베일 따위는 벗으시고 자리에 앉으십시오. 책 얘기를 하시며 말을 돌리지 마십시오. 의사에게 올 때는 베일을 쓰지 않는 법입니다.’

여자는 저를 똑바로 당당하게 응시했습니다. 잠시 망설인 후 앉더니 베일을 위로 당겼습니다. 제가 본 얼굴은 두려워했던 그대로였습니다. 감정을 드러내지 않는 굳건한 얼굴은 쉬 꿰뚫어 볼 수 없었고 나이에 구애받지 않는 아름다움을 지니고 있었습니다. 영국인 특유의 회색 눈에는 평온함이 가득해 보였지만 그 이면에는 온갖 열정이 숨어 있으리라는 상상을 불러일으키는, 그런 눈이었습니다. 꾹 다문 가는 입술은 원하지 않는다면 결코 아무런 비밀도 털어놓지 않을 기세였습니다. 일 분가량 우리는 서로를 마주 보았습니다. 여자가 너무도 냉랭하고 굳건하며 잔인한 시선으로 명령하며 질문을 던지는 바람에 저는 견디지 못하고 저도 모르게 눈을 돌렸습니다.

손가락 마디로 탁자를 톡톡 두드리는 거로 보아 그녀 역시 신경이 곤두서 있었던 듯합니다. 이윽고 여자는 불쑥 물었습니다. '제가 선생님께 원하는 게 무엇인지 아시는 겁니까, 모르시는 겁니까?'

'안다고 짐작합니다. 하지만 우리 분명히 해 둡시다. 부인은 현재 상태를 끝맺기를 원하십니다. 기절이나 메스꺼움 같은 증상을 겪지 않으시게 제가 조치하기를 원하십니다. 그러려면 … 제가 그 원인을 제거해야 하겠군요. 맞습니까?'

'그렇습니다.'

기요틴의 칼날처럼 대답이 튀어나왔습니다.

'그런 시도가 … 양측 모두에게 … 위험하다는 것도 아십니까?'

'네.'

'법적으로 그런 일이 금지되어 있다는 것도요?'

'그 일이 금지되기는커녕 오히려 권장되는 경우도 있습니다.'

'그러려면 의학적으로 특정 요건이 충족되어야 합니다.'

'선생님께서는 그 요건을 찾아내실 겁니다. 의사시니까요.'

이 말을 하며 여자는 해맑은 눈으로 꿈쩍도 하지 않고 저를 응시했습니다. 그것은 명령이었습니다. 약자가 된 저는 불가사의하리만큼 교만하게 의지를 드러내는 그녀에 경탄한 나머지 전율했습니다. 하지만 저는 아직은 몸부림을 쳤습니다. 이미 정복당했음을 보이고 싶지 않았으니까요. – 서두르지 마! 이런저런 핑계를 대는 거야! 그녀가 부탁하도록 강요해 보자. 제 마음속에는 모종의 탐욕이 번득였습니다.

'그런 일은 늘 의사의 뜻대로 되지는 않습니다. 하지만 저는 기꺼이 종합병원의 동료와 함께…'

'선생님의 동료는 필요 없습니다… 저는 선생님께 왔으니까요.'

'왜 하필 제게 오셨는지 물어도 될까요?'

여자는 냉랭하게 저를 보았습니다.

'선생님께 말씀드리지 못할 이유가 없습니다. 선생님은 오지에 사시고 제가 누군지 모르시니까요. 그리고 좋은 의사이시기도 합니다. 게다가 선생님은…' – 이 지점에서 여자가 처음으로 주저했습니다 – '아마 이곳에 계속 머물지는 않으실 테니까요. 만일 선생님이 … 선생님이 거액을 지니고 귀국하실 수 있다면 말입니다.'

저는 등골이 서늘해졌습니다. 상인다운 명석함으로 계산을 마친 꿋꿋한 여자를 접하니 몸이 굳어버리더군요. 여태 여자는 제게 부탁의 말은 단 한마디도 하지 않았지만, 수지타산을 정확히 따져가며 일단 저를 점찍고 조사해 두었던 겁니다. 여자의 불가사의한 의지가 제 안을 헤집고 침입하는 걸 느끼면서도 저는 분노하며 저항했습니다. 저는 마음을 다잡고 사무적으로, 거의 빈정대다시피 굴었습니다.

'그렇다면 그런 거액을 부인이 … 부인이 제게 제공하시렵니까?'

'저를 도와주신 후 즉시 이곳을 떠나신다면 그렇게 하겠습니다.'

'그런 경우 제가 연금을 받지 못하게 된다는 걸 아십니까?'

'제가 그걸 보상해 드리겠습니다.'

'부인은 아주 분명하시군요 … 하지만 저는 더 분명히 알아야겠습니다. 어떤 액수를 사례금으로 책정해 놓으셨는지요?'

'만이천 굴덴입니다. 암스테르담에서 쓰실 수 있는 수표로 드리겠습니다.'

저는 … 저는 … 분노에 치를 떨면서도 … 경탄을 금치 못했습니다. 여자는 모든 걸 계산에 넣었습니다. 보상 액수를 정한 후 제가 이곳을 떠나지 않을 수 없게끔 지급 방식까지 정해 두었습니다. 여자는 저를 만나지도 않고서 제 가격을 매겼고 저를 사들였습니다. 자신의 의지만 믿고 저를 멋대로 다룬 겁니다. 여자 얼굴을 후려갈기고 싶은 마음에 복받쳐서 … 제가 떨면서 일어서자 여자도 따라서 일어섰습니다. 그렇게 그녀의 눈을 똑바로 마주 보고 있자니, 부탁하려 들지 않는 꾹 다문 입술과 숙이지 않으려는 오만한 이마가 눈에 들어오면서 저는 불쑥 … 그러니까 … 난폭한 욕망에 사로잡혔습니다. 여자도 제 심정을 어느 정도 느꼈던 것 같습니다. 성가신 사람을 내치기라도 하듯이 눈썹을 곧추세웠으니까요. 우리는 순식간에 적나라하게 증오심을 드러냈습니다. 그녀는 저를 필요로 했기에 저를 증오하고 있었습니다. 제가 그녀를 증오한 이유는 … 그녀가 부탁하려 들지 않았기 때문입니다. 단 1초, 1초에 걸친 침묵의 순간 우리는 처음으로 아주 솔직하게 서로 대화했습니다. 그때 갑자기 어떤 생각이 뱀의 이빨처럼 저를 꽉 물어버린 겁니다. 그래서 그녀에게 … 저는 그녀에게 … 말하기를 …

하지만 잠깐만요, 이대로 이야기를 계속하면 당신은 제가 한 행동과… 말을 … 오해하실 겁니다. 먼저 당신께 어쩌다가 … 제가 그런 얼빠진 생각을 하게 되었는지를 설명해야 할 것 같습니다. …”

다시 어둠 속에서 유리잔이 달그락댔다. 그의 목소리는 더욱더 달아올랐다.

“저 자신을 변명하고 합리화하거나 면죄부를 주려는 게 아닙니다. … 제가 애초부터 이른바 선량한 인간이었는지는 알 수 없습니다만… 항상 기꺼이 남을 도왔다고 생각합니다. … 그곳에서 고약한 삶을 살던 제게는 뇌에 집어넣은 얄팍한 학문으로 어떤 생명체가 목숨을 유지하도록 돕는 게 유일한 기쁨 … 일종의 구세주 같은 기쁨이었으니까요. …뱀에 물려 발이 퉁퉁 부은 황인종 녀석이 공포에 시퍼렇게 질려 제게 와서는 다리를 자르지 말아 달라고 울부짖은 적이 있었지요. 그 녀석을 구해낸 것이야말로 제게는 가장 큰 행복이었습니다. 웬 아낙네가 열병에 몸져누웠을 때 저는 몇 시간을 차를 몰고 갔습니다. 그리고 유럽의 병원에 근무하던 시절에도 이미 몇 번 그 여자가 요구했던 종류의 도움을 주었습니다. 하지만 그럴 때 저는 적어도 이 사람에게는 제가 필요하다는 사실을 느낄 수 있었습니다. 제가 누군가를 죽음으로부터, 혹은 절망에서 구한다는 걸 알고 있었습니다. 다른 사람에게 필요한 존재라는 느낌은 저 자신을 돕는 데 필요한 것이었습니다.

하지만 이 여자는 – 당신께 제대로 묘사할 수 있을지 모르겠군요 – 여자는 저를 흥분시켰습니다. 유유히 이리로 들어선 순간부터 그 교만함으로 인해 제 저항심을 자극했습니다. 그녀는 제 안의 모든 것을, – 어떻게 표현해야 할까요 – 억눌리고 숨어 있던 모든 사악함을 자극해서는 그녀에게 저항하게 했습니다. 생사가 걸린 상황인데도 귀부인 행세를 하면서 범접할 수 없이 도도하고 냉담하게 흥정을 시도한다는 사실이 저를 미치게 만들었습니다. … 게다가 또 … 그러니까 그저 골프를 치는 것만으로 임신하는 여자는 없다는 걸 … 저는 알고 있었습니다 … 다시 말해서 … 이 싸늘하고 오만하고 도도한 여자가, 제가 조금 맞서려고만 해도 눈썹을 가파르게 곧추세우며 … 밀쳐내듯 쏘아보기까지 하는 여자가 2~3달 전에는 침대에서 짐승처럼 벌거벗고 한 남자와 뜨겁게 엉겨서 뒹굴며 쾌감에 젖어 신음했을 테고 그들의 육체는 두 개의 입술처럼 서로 맞물렸을 거라는 생각이 – 이게 바로 조금 전에 말한 그 생각입니다 – 갑자기 끔찍하리만치 선명하게 떠오른 겁니다. 그녀가 몹시 오만하게, 범접할 수 없을 만큼 싸늘하게, 마치 영국 장교라도 된 듯 저를 바라보는 순간 그 생각이, 그 생각이 아찔하게 저를 덮쳤고 … 순간 제 안의 모든 것이 팽팽히 긴장해서는 … 저는 여자를 모욕하겠다는 생각에 사로잡혔습니다. … 이 순간부터 제 눈은 드레스를 뚫고 그녀의 알몸을 보았고 … 이 순간부터 저는 그녀를 갖겠다는 생각만 했습니다. 그녀의 꽉 다문 입술이 신음을 토해내게 하고, 이 차갑고 교만한 여자가 정욕에 탐닉하는 걸 느껴보겠다는 생각뿐이었습니다. 제가 모르는 그 남자, 다른 남자처럼 말입니다.

그걸 … 그걸 당신께 설명하고 싶었습니다. … 저는 비록 타락한 삶을 살긴 했지만, 지금껏 의사로서 그런 상황을 악용하려던 적은 한 번도 없었습니다. … 하지만 이번 일은 음탕함이나 색욕이나 성욕 따위와는 전혀 상관이 없었고 … 솔직히 고백하자면 … 오직 그녀의 교만함을 꺾고 … 남자답게 주도권을 쥐겠다는 욕망뿐이었습니다. … 앞서 말했듯이 교만하고 싸늘해 보이는 여자들은 전부터 저를 꼼짝 못 하게 했는데 … 그런데 지금은 그게 다가 아니었습니다. 저는 여기서 산 7년 동안 백인 여자를 가진 적이 없었기에 저항을 경험하지 못했습니다. … 이곳 여자들은 지저귀는 작은 새처럼 살갑게 굴며, 백인이, '주인님'이 자신들을 취하면 경외심에 떨며 … 공손히 납작 엎드립니다. 그들은 언제든 가질 수 있는 존재이고 언제든 꾸르륵 웃어대며 말없이 남자를 섬기려 들지만 … 하지만 바로 그런 비굴함과 노예근성 때문에 남자의 즐거움은 엉망이 되고 맙니다. … 이제 이해하시겠습니까? 갑자기 교만함과 증오심에 넘치는 어떤 여자가 나타났을 때 제가 얼마나 큰 충격을 받았는지 이해하시겠습니까? 여자는 손가락 끝까지 꼭꼭 닫혀 있으면서도 비밀스러운 빛을 내뿜고 있었고 전에 겪었던 열정의 흔적을 지닌 상태였으니 … 그런 여자가 외롭고 굶주린 야수와도 같은 인간이 갇혀 있는 철창 안으로 대담하게 들어왔다는 … 저는 이 사실을 … 그걸 말하려 했을 뿐입니다. 당신이 다른 일을, … 지금부터 벌어진 일을 이해하실 수 있게끔 말입니다. 그러니까 … 뭔지 모를 사악한 욕망에 가득 찬 저는 벌거벗은 그녀가 육감적인 자태로 몸을 허락했을 거라는 생각에 시달리면서도 한껏 자제하고는 태연한 척했습니다. 저는 싸늘하게 대꾸했습니다.

'만이천 굴덴이라고요? … 거절합니다. 그 대가로는 하지 않겠습니다.'

여자는 조금 창백해져서는 저를 보았습니다. 제가 거절하는 이유가 물욕 때문이 아님을 알아챘을 겁니다. 그래도 그녀는 질문을 이어갔습니다.

'그렇다면 얼마를 요구하시는 겁니까?'

저는 여자의 냉담한 어조에 더는 장단을 맞추지 않았습니다.

'우리 숨바꼭질은 그만둡시다. 저는 사업가가 아닙니다 … 『로미오와 줄리엣』에 나오는 가난한 약사는 더러운 돈을 받고 독을 팔지만 저는 그런 약사가 아닙니다. … 저는 아마도 사업가와는 상극인 사람인 듯하니 … 이런 식으로는 부인이 원하시는 바를 이룰 수 없을 겁니다.'

'그렇다면 선생님은 그 일을 하시지 않겠다는 건가요?'

'돈 때문에 하지는 않습니다.'

잠시 우리 사이에는 정적이 흘렀습니다. 너무도 조용해서 처음으로 그녀가 숨 쉬는 소리가 들릴 정도였습니다.

'선생님이 원하시는 다른 게 있습니까?'

저는 더는 참을 수가 없었습니다.

'저는 우선 부인이… 부인이 장사꾼 대하듯 제게 말씀하시지 말고 사람을 대하듯 말씀하시기를 원합니다. 도움이 필요하시다면 그 치사한 돈을 들이밀지 마시고 … 제게 부탁하십시오. … 제게 인간 대 인간으로 당신을 도와달라고 부탁하십시오. … 저는 의사이지만 그게 제 전부는 아닙니다. 진료 시간에 사람을 접하지만… 다른 시간에도 사람을 접하는 만큼 … 어쩌면 부인은 그런 시간에 저를 찾아온 듯하니 …'

여자는 잠시 침묵했습니다. 그러고는 입을 조금 삐죽거리며 달

싹대더니 급히 말했습니다.

'그렇다면 제가 선생님께 부탁을 드리면 … 하시겠습니까?'

'부인은 또다시 거래를 시도하십니다. 제가 먼저 그렇게 하겠다고 약속을 해야만 부탁하실 작정이시니까요. 부인이 먼저 제게 부탁하셔야 합니다. 그러고 나면 부인께 대답하겠습니다.'

여자는 고집쟁이 망아지처럼 고개를 높이 치켜들고는 분노에 차서 저를 보았습니다.

'아니요, 저는 부탁드리지 않겠습니다. 그럴 바에야 차라리 파멸의 길을 가렵니다'

순간 저는 분노에, 어리석은 분노의 불길에 휩싸였습니다.

'부인이 부탁하지 않으시겠다면 제가 대가를 요구하겠습니다. 분명히 말할 필요가 없을 겁니다. 제가 부인께 원하는 게 무엇인지 아시니까요. 그렇게 하신다면 – 그렇게 하신다면 부인을 돕겠습니다.'

잠시 여자는 저를 노려보았습니다. 그러고는 – 아, 차마 말이 나오질 않는군요. 정말이지 끔찍했으니까요 – 여자의 표정이 팽팽해졌습니다. 그러더니 … 갑자기 웃음을 터트리고는 … 이루 말할 수 없는 경멸감에 차서 저를 보며 깔깔 웃어댔습니다. … 경멸에 찬 웃음을 듣는 순간 저는 산산조각이 났고 … 그러면서도 황홀감에 취했습니다. … 갑자기 무엇이 폭발하며 튕겨 나오기라도 하듯, 경멸감에 찬 웃음은 엄청난 힘으로 드세게 터져 나왔습니다. 그래서 저는 … 저는 바닥에 주저앉아서 그녀의 발에 입을 맞추고 싶을 지경이었습니다. 일 초쯤 흘렀을까요. … 번개를 맞은 듯 제 온몸은 불타오르고 있는데 … 그녀는 이미 몸을 돌리고 서둘러 문을 향했습니다.

저는 본능적으로 그녀를 따라가려 했습니다 … 사과하고 … 애걸하려고요 … 제게는 저항할 힘이라곤 남아 있지 않았으니까요. … 그때 그녀가 다시 한번 몸을 돌리더니 말했습니다 … 아니 명령했습니다.

'감히 절 따라오거나 염탐하려 하지 마십시오 … 후회하실 겁니다.'

그러고는 그녀 뒤에서 문이 쾅 닫혔습니다."

다시금 그는 망설이며 침묵했다. … 달빛이 쏟아져 내리며 찰랑대는 소리가 들릴 뿐이었다. 이윽고 목소리가 다시 들렸다.

"문이 닫혔는데도 … 저는 꼼짝 않고 그 자리에 서 있었습니다. … 그 명령이 제게는 최면술사의 주문처럼 작용했던 겁니다. … 여자가 계단을 내려가고 현관문을 닫는 소리를 들었고 … 모두 다 들으면서 저는 여자를 쫓아가려고 했습니다. … 그녀를 … 어떻게 하려 했는지는 저도 모르겠군요 … 도로 불러들이거나 한 대 갈기거나 목을 조르든지 간에 …일단 쫓아가려고… 쫓아가려고 … 그런데 그럴 수가 없었습니다. 사지가 전기충격에 마비된 듯 꼼짝을 하지 않았습니다. 여자의 시선이 뿜어낸 위압적인 번개에 뼛속까지 맞아버린 겁니다. … 이런 일은 설명할 수도, 이야기할 수도 없다는 걸 저도 압니다. … 한심하게 들리겠지만 저는 그대로 마냥 못 박혀 있었기에 … 제가 한 발을 바닥에서 뗄 수 있기까지는 5분 아니면 10분쯤 걸렸을 겁니다.

그러나 한 발을 떼자마자 저는 후끈 달아올라 급히 … 쏜살같이 계단을 내려갔습니다. … 여자는 빨라봤자 문명 세계를 향하는 내리막길을 걷는 중이었을 테니까요. … 저는 자전거를 끄집어내려고 헛간으로 달려갔습니다. 아차, 열쇠를 잊었더군요. 저는 판자벽을 뜯어냅니다. 대나무가 가루가 되어 부서집니다… 이제 저는 자전거에 올라타고 그녀를 쫓아갑니다. …그녀가 자동차까지 가기 전에 그녀를 … 그녀를 따라잡아야 … 그녀와 얘기해야 하니까요. … 달리는 자전거 옆으로 먼지가 풀풀 날립니다. … 이제야 제가 위층에서 얼마나 오래 멍하니 서 있었는지 알겠더군요. … 저기 … 역 바로 앞 숲속 꼬부랑길에 그녀가 보입니다. 사환을 거느리고 꼿꼿한 걸음걸이로 거침없이 서둘러 걷고 있는 그녀가… 그녀 역시 저를 본 게 분명합니다. 그녀는 사환에게 무슨 말을 하고는 사환을 뒤에 남겨둔 채 혼자 계속 걸어가니까요. … 왜 그러는 걸까? 왜 혼자 가려는 걸까? … 사환을 떼어놓고 나와 단둘이 이야기하려는 걸까? … 이런 생각을 하며 미친 듯이 페달을 밟고 있는데 … 순간 갑자기 옆에서 무언가가 튀어나와 길을 막아섭니다. … 사환놈입니다 … 저는 간신히 핸들을 옆으로 틀고 넘어집니다. …

저는 욕을 하며 일어서서는… 저도 모르게 주먹을 치켜들고 그 얼간이를 한 대 갈기려 합니다. 하지만 녀석은 옆으로 비켜섭니다. … 제가 자전거를 세우고 올라타려 하는데 … 그때 그 악당이 달려들어 자전거를 부여잡고는 엉터리 영어로 지껄입니다. '가지 말고 여기 있는다.'

당신은 열대에서 사신 적이 없으실 테니 … 너절한 황인종이 백인 '주인님'의 자전거를 부여잡고 '주인님'에게 그대로 있으라고 명령한다는 게 얼마나 파렴치한 일인지 짐작도 못 하실 겁니다. 대답하는 대신 제가 그놈의 면상을 후려갈기자 … 놈은 비틀대면서도 자전거를 잡고 놓지 않습니다 … 꼴사납게도 겁에 질려서 두 눈을, 좁다랗고 비굴한 눈을 부릅뜨면서도 … 자전거를 잡고는 거머리처럼 들러붙어서는 … '가지 말고 여기 있는다.' 놈이 다시 더듬댑니다. 권총을 지니고 있지 않아 다행이었습니다. 그랬더라면 놈을 쏘아죽였을 테니까요. '비켜, 망할 놈아!' 제가 할 수 있는 건 욕뿐입니다. 놈은 움찔하며 저를 보면서도 자전거를 놓지 않습니다. 저는 다시 한번 놈의 머리를 갈기지만 놈은 여전히 꿈쩍하지 않습니다. 마침내 저는 분노를 터트립니다. … 여자는 보이지 않습니다. 아마 이미 달아났는지도 모릅니다. … 놈의 턱에 권투선수 못지않은 한 방을 갈기니 놈이 나가떨어집니다. 이제야 자전거를 다시 차지하고는 … 올라타 보지만 앞으로 나가질 않습니다 … 거칠게 잡아당기는 바람에 바큇살이 휘어버린 겁니다, … 저는 떨리는 손으로 바큇살을 펴려고 해 보지만… 되질 않아서 … 그래서 저는 자전거를 길가에 팽개칩니다. 길에 쓰러져 있던 악당 놈은 피를 흘리며 일어나 비켜섭니다. … 그리고 저는 – 아, 당신은 유럽인이 그곳 사람들 앞에서 … 달린다는 게 얼마나 기막힌 짓인지 짐작도 못 하실 겁니다. … 흠, 저는 제가 무얼 하는지도 이미 모르는 지경이었고 … 그녀를 쫓아가서 붙잡으려는 생각뿐이라서 … 그래서 저는 달렸습니다. 미친 사람처럼 오두막들이 늘어선 국도를 따라 달렸는데, 황인종 떼거리는 백인 의사 선생이 달리는 것을 보고 깜짝 놀라 몰려들었습니다.

땀을 뚝뚝 흘리며 역에 도착해서는 … 자동차가 어디 있냐고 일단 물어보니 … 방금 출발했다는 답이 돌아옵니다. … 사람들은 놀라며 저를 봅니다. 땀에 젖고 먼지를 뒤집어쓴 채 달려와서 채 멈춰서기도 전에 소리쳐 물어보는 제가 미친 사람처럼 보일 겁니다. 아래편 도로에서 자동차가 뽀얗게 먼지를 흩날리며 달리는 게 보입니다. … 여자는 해냈습니다. … 해내고말고요. 모든 것은 그녀가 고집스럽게, 무서우리만치 고집스럽게 계산한 대로 되어야 하니까요.

하지만 도망쳐봤자 소용없습니다 … 열대에 거주하는 유럽인들 사이에는 비밀이 없으니까요. … 모두가 서로를 알고 있고 온갖 일들이 화젯거리가 되는데 … 여자의 운전사가 한 시간가량 관청의 방갈로에서 대기하고 있었으니 자취가 남을 수밖에요. … 몇 분 후 저는 모든 걸 알아냅니다. 그녀가 누구인지, … 그녀는 저기 … 그러니까 행정도시에서 살고 있더군요. 제가 사는 데에서 기차로 8시간 걸리는 곳인데 … 그녀는 –사업가의 아내라고만 말하겠습니다. 엄청나게 부유하고 고상한 영국 여자이며 … 그녀의 남편은 다섯 달 전부터 미국에 가 있는데 며칠 후면 도착해서 아내를 데리고 유럽으로 돌아갈 예정이라는 사실도 알아냅니다. 하지만 여자가 현재의 상태가 된 건 고작해야 두세 달밖에 안 되지 않은가! … 이런 생각이 들자 독이 혈관에 퍼지기라도 하듯 아찔했습니다."

"지금까지는 모든 사건을 당신이 이해하실 수 있게끔 이야기했는데 … 아마 이 시점까지는 제가 저 자신을 이해했기에 그럴 수 있었을 겁니다. … 그때까지는 제 상태를 늘 직접 의사로서 진단했으니까요. 하지만 그 순간 이후로 저는 일종의 열병을 앓기 시작했고 … 자신을 통제하는 능력을 잃었습니다. … 다시 말해서 제가 했던 일이 얼마나 어리석은지를 정확히 알고 있었지만 더는 저를 다스릴 힘이 없었습니다. … 저 자신을 더는 이해할 수 없는 채로 … 광란 상태에서 제 목표를 향해 달렸고 … 잠깐만요, … 어쩌면 당신의 이해를 도울 수 있을 것 같아서 말인데 … 아모크에 관해 들어보셨습니까?"

"아모크라고요? … 기억이 날 듯합니다 … 말레이족에게서 나타나는 만취 상태라고 … "

"아모크는 만취 상태 이상의 것으로 … 광기입니다. 사람이 광견병에 걸렸다고나 할까 … 어처구니없는 살인적인 편집증 발작이라서 알코올 중독 같은 것과는 비교도 할 수 없는 그런 …. 저 자신이 열대에 머무는 동안 몇몇 경우를 연구했습니다만 – 다른 사람을 다룰 때는 누구든 아주 명석하고 사무적이니까요 – 그 원인에 관한 끔찍한 비밀을 밝혀내지는 못했는데 … 굳이 말하자면 기후와 연관이 있습니다. 이 후텁지근하고 농축된 대기는 악천후처럼 신경을 짓누르다가 결국은 아주 박살을 냅니다. … 그러니까 아모크는… 흠, 아모크는 이런 겁니다. 웬 말레이인이 하나 있습니다. 아주 단순하고 선량한 사람인데 싸구려 술을 들이켜며 … 멍하니 느긋하게 기운 없이 앉아 있습니다. … 제가 방에 앉아 있었던 것처럼 … 그러다가 갑자기 벌떡 일어서서는 단도를 거머쥐고 거리를 내달리는데 … 일직선으로, 항상 일직선으로만 내달립니다 … 어디로 가는지도 모르면서 … 무언가가 길을 가로막으면 사람이건 짐승이건 가리지 않고 단도로 찔러 죽입니다. 피 맛을 본 후에는 더욱 격렬해져서는 … 입에 거품을 물고는 미치광이처럼 고함을 지르며 … 그러면서 달리고 달리고, 또 달립니다. 더는 좌우를 둘러보지 않고 째지는 소리만 냅다 지르며 피투성이 단도를 쥐고는 섬뜩하리만치 일직선으로 달립니다. … 마을 사람들은 그 어떤 힘도 아모크 상태의 사람을 막을 수 없음을 알고 있기에 … 그래서 그들은 아모크 상태의 사람이 달려오면 미리 경고하며 고함을 지릅니다. '아모크! 아모크!' 그러면 다들 도망칩니다 … 하지만 그는 아무것도 듣지도 보지도 못한 채 그냥 달리며 마주치는 것을 찔러 죽이다가 … 미쳐 날뛰는 개처럼 총탄에 맞아 죽거나 제풀에 지쳐 거품을 물고 쓰러져야만 끝이 납니다 …

저는 그런 경우를 제 방갈로 창문으로 한번 보았는데 … 정말이지 참혹했습니다. … 하지만 그것을 직접 보았기에 며칠 동안의 저 자신을 이해할 수 있습니다. … 제가 그렇게, 정확히 그렇게, 무시무시한 눈빛으로 좌우를 둘러보지 않고 광란 상태에서 … 그 여자를 향해 돌진했으니까요. … 제가 어떻게 그럴 수 있었는지 정확히 기억이 나지는 않지만 정신 나간 듯이 말도 안 되게 빠른 속도로 달려 나갔으니까요 … 그 여자의 이름과 주소와 처지에 관해 모든 걸 알아낸 후 저는 … 10분, 아니 5분, 아니 2분 만에 급히 자전거를 빌려 타고 쏜살같이 집으로 돌아왔습니다. 그러고는 트렁크에 신사복을 쑤셔 넣고 돈을 챙기고는 제 차를 몰고 기차역으로 갔습니다. … 관할구역의 관리에게 외출 신고도 하지 않고 … 저를 대신할 의사도 정하지 않은 건 물론이고 집을 잠그지도 않고 있는 그대로 팽개쳐 둔 채로 … 하인들과 여편네들이 놀라서 저를 둘러싸고 이것저것 물어댔지만 저는 아무 대답도 하지 않았고 돌아보지도 않고 … 기차역으로 가서 도시로 가는 가장 빠른 기차에 올라탔습니다. … 이 여자가 제 방에 들어선 지 한 시간 만에 제 삶을 송두리째 내동댕이치고 아모크 상태에서 허공을 향해 치닫게 된 셈이지요 …

저는 머리로 벽을 들이박다시피 일직선으로 내달렸습니다. … 저녁 6시에 도착해서는 … 6시 10분에 여자의 집으로 가서 제 방문을 알렸는데 … 제가 한 행동은 … 당신도 동의하시겠지만 … 가장 황당하고 어리석은 짓이었습니다 … 하지만 아모크 상태의 사람은 아무것도 보지 못한 채 내달리며 자신이 어디로 가는지 알지도 못합니다. … 몇 분 후 하인이 돌아와서는 … 마님은 편치 않으셔서 손님을 맞을 수 없다고 공손하지만 차갑게 … 말했습니다.

저는 비틀대며 문을 나서서는 … 한 시간가량 집 주위를 서성댔습니다. 어쩌면 그녀가 저를 찾을지도 모른다는 황당한 희망을 품고 있었으니까요. … 그러다가 해안가 호텔에 방을 잡고는 위스키 두 병을 들이켰습니다. … 거기다가 베로날을 곱빼기로 삼킨 덕분에 … 간신히 잠이 들었습니다 … 이때 진흙 속에 파묻히듯 잠에 빠졌던 것이 삶과 죽음 사이에서 내달리던 며칠 동안 제가 취했던 유일한 휴식이었습니다."

배의 종이 울렸다. 댕 댕, 꿋꿋하고 힘찬 소리가 포근한 연못처럼 잠잠한 대기 속에서 울려 퍼지다가, 뱃머리에서 쉬지 않고 찰랑대는 나직한 물소리 속으로 잦아들었다. 그의 열기 서린 이야기 틈틈이 한결같이 들리던 바로 그 소리 속으로 말이다. 나와 마주 앉은 어둠 속의 사람은 깜짝 놀랐는지 말을 더듬었다. 그가 손을 뻗쳐 병을 잡는 듯하더니 나직이 꿀꺽 소리가 들렸다. 그러고는 진정이 된 듯이 조금 안정된 목소리로 말을 이어갔다.

"이후의 며칠을 이야기한다는 건 거의 불가능합니다. 지금 생각해보면 제가 당시 열에 들뜬 상태였던 듯합니다. 광기에 근접한 일종의 신경과민 상태였던 건 분명합니다. 이미 말씀드렸듯이 아모크 상태가 된 겁니다. 제가 도착한 게 화요일 밤임을 기억해 주십시오. 제가 알아낸 바에 따르면 토요일에는 그녀의 남편이 요코하마에서 출발하는 P & O호로 도착할 예정이었습니다. 그러니 남은 건 사흘뿐이었습니다. 그녀가 결정을 내리고 도움을 받으려면 사흘은 빠듯했지요. 이해하시겠습니까? 즉시 그녀를 도와야 한다는 걸 알고 있는데도 저는 그녀에게 말 한마디 건넬 수 없었습니다. 한심하고 광기 서린 제 언행을 사과하고 싶은 마음에 저는 잠시도 가만있을 수 없었습니다. 매 순간이 소중하며 그녀에게는 생사가 걸린 문제라는 걸 알고 있지만, 그녀에게 귀엣말을 하거나 신호를 보낼 만큼 다가갈 수가 없었습니다. 하필 제가 어리석게도 죽기 살기로 그녀를 쫓았기 때문에 그녀는 겁에 질렸던 겁니다. 그러니까 … 아, 잠시만요 … 한 사람이 다른 사람을 쫓아가서 살인자가 가까이 있다고 경고하려 한다고 칩시다. 그런데 다른 사람은 그 사람을 살인자라 여기고 계속 달리다가 파멸에 빠져버립니다. … 여자는 자신을 뒤따르는 저를 자신을 욕보이려 드는 아모크 상태의 사람으로만 보았지요. 하지만 저는 … 이거야말로 정말 끔찍한 모순인데 … 저는 절대 그런 생각을 하지 않았습니다. … 저는 이미 완전히 초토화된 상태였기에 그저 그녀를 돕고 섬기기만을 원했습니다 … 그녀를 도울 수만 있다면 살인을 비롯한 온갖 범죄를 저질렀을 텐데 … 하지만 그녀는, 그녀는 그걸 알지 못했습니다.

저는 아침에 눈을 뜨자마자 다시 그녀의 집으로 달려갔습니다. 제가 면상을 갈겼던 바로 그 사환이 문 앞에 서 있다가 멀리서 저를 보더니 서둘러 안으로 들어갔습니다. 제가 오길 기다리기라도 한 것 같았습니다. 어쩌면 사환은 내가 온 걸 몰래 알리려고 그렇게 했으며, 어쩌면 – 아, 이런 불확실한 상황이 얼마나 괴롭던지요 – 어쩌면 나를 맞아들이기 위해 모든 준비가 되어있었을지도 모르지만 … 하지만 사환을 본 순간 저의 치욕스러운 순간이 떠올랐고 저는 방문을 재차 시도할 엄두가 나질 않았습니다.

저는 이제 낯선 도시에서 무엇을 할지 암담하기만 했습니다. 발을 디딜 때마다 바닥이 불타오르는 느낌이었습니다. … 그러다가 문득 생각나는 게 있어서 차를 불러 타고 부총독에게 갔습니다. 전에 제게 수술을 받았던 바로 그 사람에게 가서 제가 왔다고 알렸는데 … 제 모습이 어딘지 미심쩍게 보였나 봅니다. 그는 몹시 놀란 눈빛으로 저를 보았으니까요. 정중하게 저를 대했지만 어쩐지 불안해하는 듯한 … 아마 그는 제가 아모크 상태에 있다는 걸 벌써 알아챘나 봅니다 … 저는 그에게 간결하고 단호하게 말했습니다.

'저를 도시로 옮겨주십시오. 제 근무지에서는 잠시도 더 버틸 수 없는 지경이라서 … 즉시 이리로 옮겨야겠습니다.' … 그는 저를 쳐다보았는데 … 그가 어떻게 저를 보았는지를 표현할 길이 없군요 … 의사가 환자를 보듯이 보았다고나 할까요…

'신경쇠약이시군요, 선생!' 그가 말했습니다. '이해가 가고도 남습니다. 흠, 이리로 옮기시는 건 가능할 겁니다. 하지만 기다리셔

야겠는데 … 일단 4주 정도라고 해 둡시다 … 선생을 대신할 의사를 찾아야 하니까요.'

'저는 기다릴 수 없습니다, 단 하루도 못 기다립니다.' 제가 대답했습니다. 다시 그는 묘한 시선을 던졌습니다. '어쩔 수 없습니다, 의사 선생!' 그가 엄격하게 말했습니다. '병동을 의사 없이 비워둘 수는 없으니까요. 하지만 제가 오늘 당장 일을 추진할 것을 약속하겠습니다.' 저는 이를 악물고 서 있었습니다. 제가 돈에 팔린 몸이며 노예 신세라는 걸 처음으로 뚜렷이 느꼈습니다. 그의 말을 반박하려고 하는 찰나에 그가 노련하게 선수를 쳤습니다. '선생은 사람들과 너무 어울리지 않고 지냈어요. 그러다 보면 결국 병이 들 수밖에 없습니다. 우리는 모두 선생이 한 번도 여기 들르지 않고 휴가를 가지도 않는 걸 이상하게 여겼습니다. 선생은 사람들과 더 많이 어울려야 하고 기분전환을 해야 합니다. 오늘 주 정부가 주최하는 파티가 있으니 거기라도 저녁때 오십시오. 이 지역 거주민들이 죄다 모일 겁니다. 오래전부터 선생을 뵙고 싶어 하는 사람들이 많습니다. 다들 종종 선생에 관해 묻고 선생이 여기 오시면 좋겠다고들 했지요.'

마지막 말에 정신이 번쩍 들었습니다. 나에 관해 물었다고? 그녀가 그랬을까? 저는 갑자기 다른 사람으로 돌변해서는 초대에 감사하며 시간 맞춰서 가겠다고 곧장 약속했습니다. 저는 정말 시간에 맞춰 갔는데 너무 일찍 간 듯싶었습니다. 초조함에 내몰려 파티장으로 가니 정부 청사의 큰 홀에는 저밖에 없었으니까요. 저는 맨발로 이리저리 날렵하게 움직이는 황인종 하인들에 둘러싸여 말없이 있었는데 제가 제정신이 아니어선지 그들이 등 뒤에서 저를 비웃는다는 느낌이 들었습니다. 하인들이 소리 없이 준비작업을 하는 가운데 유일한 유럽인인 저는 15분을 홀로 보냈습니다. 제 조끼 주머니의 시계가 재깍거리는 게 들리더군요. 그러고는 드디어 정부 관리 몇 명이 가족과 함께 왔고 주지사도 와서는 제게 꽤 오래 이야기를 시켰습니다. 저는 열심히, 제 나름으로는 요령껏 그의 질문에 대답했습니다. 그러는 중에 … 그러고 있는데 갑자기 불가사의하게도 신경이 곤두서면서 저는 여유를 잃고 더듬거리기 시작했습니다. 홀의 문에 등을 돌리고 있었지만, 문득 그녀가 들어왔음을, 그녀가 거기 있음을 느꼈으니까요. 어째서 그런 어처구니없는 확신이 들었는지 당신께 설명할 수는 없지만 전 주지사와 대화하며 그의 말을 제 귀로 듣는 동안에도 등에 눈이 달린 듯 어디엔가 그녀가 있음을 느꼈습니다. 다행히도 주지사와의 대화는 곧 끝이 났습니다. 그렇지 않았다면 저는 느닷없이 무례하게 등을 돌렸을 겁니다. 그 정도로 제 신경 속의 불가사의한 힘은 강렬했고 제 욕망은 뜨겁게 달아올라 있었습니다.

그런데 정말 제가 몸을 돌리자마자, 그녀가 있으리라고 막연히 예감했던 바로 그 자리에 그녀가 서 있는 게 보였습니다. 그녀는 노란 무도회복을 입고 있었는데 가냘프고 청초한 어깨는 상아처럼 아련히 빛났습니다. 한 무리의 가운데에 서서 담소를 나누며 미소를 짓고 있었지만, 얼굴은 굳어 있는 듯 보였습니다. 저는 가까이 다가가서 – 그녀는 저를 볼 수 없었거나 아니면 저를 보지 않으려 했습니다 – 가느다란 입술 주위를 감도는 쾌활하고 예의 바른 미소를 들여다보았습니다. 이 미소에 저는 새삼 매료되었습니다. 그것이 거짓이고 연극이고 기술이며 위장술의 백미임을 …알고 있었으니까요. 오늘이 수요일이라는 생각이 제 뇌리를 스쳤습니다. 토요일이면 남편을 태운 배가 도착할 텐데… 그녀는 어떻게 그토록 …자신만만하게 태평한 미소를 지을 수 있단 말인가? 손에 든 부채를 불안감에 짓이기는 대신 자연스럽게 나풀댈 수 있단 말인가? 내가 … 제삼자에 불과한 내가 이틀째 그 순간을 겁내며 벌벌 떨고 있는데 … 제삼자인 내가 그녀 몫의 불안과 공포를 미칠 듯한 감정으로 겪고 있는데 … 그녀는 무도회에 와서는 미소 짓고 또 미소 짓고 미소 짓다니……

홀 뒤편에서 음악이 울렸습니다. 무도회가 시작된 겁니다. 나이 든 장교가 그녀에게 춤을 청하자 그녀는 담소를 나누던 사람들에게 양해를 구하고는 장교의 팔을 잡고 다른 홀로 가면서 저를 지나쳤습니다. 저를 본 순간 그녀의 얼굴이 돌연 일그러졌습니다. 하지만 그건 단 1초뿐이었고 (저는 인사를 해야 할지, 말아야 할지 아직 결정도 하지 못했는데) 그녀는 어쩌다 아는 사람을 대하듯 정중히 제게 아는 체를 했습니다. '안녕하세요, 선생님.' 그러고는 벌써 지나가 버렸습니다. 그녀의 녹회색 눈이 숨기고 있는 것을 그 누구도 예감하지 못했을 겁니다. 저도, 저 역시도 알 길이 없었으니까요. 왜 인사를 하지… 왜 갑자기 내게 예의를 차리는 거지? … 방어책일까, 회유책일까? 아니면 놀라서 당황한 나머지 얼결에 그런 걸까? 남겨진 제가 얼마나 흥분했는지는 말로 표현할 수가 없습니다. 온갖 감정이 솟구치고 폭발하려는 것을 속으로 눌러야 했습니다. 그녀는 근심 걱정 없이 편안한 얼굴로 장교의 팔에 안겨 태연히 왈츠를 추고 있었지만 저는 그녀가 … 그녀가, 저와 마찬가지로, 오직 그것만 … 그것만 생각한다는 걸 알고 있었습니다. … 이 장소에서 우리 둘만이 무서운 비밀을 공유하고 있는데 … 그녀는 왈츠를 추고 있다니 … 이 순간 불안과 욕망과 경탄의 느낌은 전보다 더 열렬히 끓어올랐습니다. 저를 관찰하는 사람이 있었는지는 알 수 없지만 분명 제 거동은 그녀와는 달리 수상쩍게 보였을 겁니다. 다른 쪽으로 시선을 돌릴 수 없었으니까요. 저는 … 저는 그녀를 보아야 했습니다. … 태연함을 가장한 얼굴에서 잠시나마 가면이 벗겨지지 않을까 싶어 멀리에서 그녀의 얼굴에 시선을 고정하고 있었습니다. 그녀는 이처럼 강렬한 시선이 불쾌했을 겁니다. 파트너와 팔짱을 끼고 돌아오면서 1초 동안 물러나라는 듯 매섭게 호령하며 저를 보았으니까요. 분노할 때면 교만한 이마에 조그마한 주름이 생기는 걸 지난번에 보았는데 그런 주름이 또 이마에 흉하게 생겼습니다.

하지만 … 하지만 … 당신께 이미 말씀드렸듯이 … 저는 아모크 상태였기에 전혀 주변 사람들에 개의치 않았습니다. 저는 그녀가 원하는 게 무언지 즉시 이해하긴 했습니다 … 그녀의 시선은 이렇게 명령하고 있었습니다. '눈에 띄게 굴지 마! 자제하라고!' 그녀는 … 아, 어떻게 표현해야 할까요? … 그녀는 제가 공공장소인 홀에서 비밀을 누설하지 않기를 원했습니다. … 제가 지금 귀가하면 내일 그녀가 저를 손님으로 맞아들일 게 분명하며… 지금 제가 그녀를 잘 아는 사람처럼 대해서 남들의 이목을 끄는 일만은 어떻게든 막으려고 한다는 걸 알겠더군요. 그녀는 제가 서툴게 굴다가 소란을 일으킬까 봐 두려워하는 듯했고, 사실 그건 타당한 걱정이었습니다. … 이렇듯이 … 저는 모든 걸 알고 있었고 그녀의 회색 눈이 명령하는 것을 이해했습니다. 하지만… 하지만 그녀와 말하고 싶은 욕구는 너무도 강렬했습니다. 그래서 저는 그녀와 담소를 나누는 무리에게 휘청대며 다가가서는 그중 아는 사람이 거의 없는데도 느슨히 모여선 사람들 사이를 비집고 끼어들었습니다. 그저 그녀가 말하는 것을 듣고 싶을 뿐이었습니다. 그녀의 시선이 마치 제 뒤에 걸린 리넨 커튼이나 투명한 공기를 보듯이 저를 차갑게 스칠 때마다 저는 흠씬 두들겨 맞은 개처럼 겁에 질려 움츠렸습니다. 하지만 저는 그녀가 제게 말을 건네거나 제 의도를 이해했다는 신호를 보내기를 갈망했기에 담소하는 무리 속에 서서는 시선을 고정하고 망부석이 되어 있었습니다. 분명 제 거동은 사람들의 이목을 끌었을 겁니다. 아무도 제게 말을 건네지 않았으니까요. 그녀는 제가 우스꽝스럽게 그 자리에 버티고 있는 게 편치 않았을 겁니다.

제가 얼마나 오래 그렇게 서 있었는지는 모르겠는데 … 아주 한참을 서 있었던 듯도 하고요 … 의지가 마법에 걸린 상태에서 헤어날 수 없었으니까요. 저의 광기가 너무도 집요했기에 꼼짝을 할 수 없어서 … 하지만 그녀는 더는 참지 못하고 … 갑자기 특유의 눈부시게 경쾌한 태도로 신사들을 향해 몸을 돌리더니 말했습니다. '제가 좀 피곤해서요 … 오늘은 좀 일찍 잠자리에 들어야겠어요. … 안녕히 계세요!' … 어느새 그녀는 저에게 의례적으로 고개를 숙이며 제 곁을 스쳐 갔는데 … 주름이 새겨진 이마에 이어서 등이, 하얗고 서늘한 벌거벗은 등만이 보였습니다. 그녀가 가버렸다는 걸 이해하기까지는 1초가 걸렸습니다. … 이날 밤에는 그녀를 볼 수도, 그녀에게 말을 건넬 수도 없다니, 그녀를 구할 수 있는 마지막 밤인데 … 잠시 저는 뻣뻣이 서 있다가 그걸 깨닫고는… 그러고는… 그러고는…

하지만 잠깐만요 … 잠깐만 기다리세요… 그냥 곧장 이야기하면 당신은 제 행동이 얼마나 어리석고 한심한지를 제대로 이해하지 못하실 테니 …당신께 먼저 그 공간을 묘사해야겠군요. …우리는 정부 청사의 커다란 홀에 있었습니다. 빛을 환하게 밝힌 엄청나게 큰 홀은 거의 비어 있었습니다.… 사람들은 춤을 추려고 자리를 떴고 신사들은 카드놀이를 하러 갔으니 … 홀의 모퉁이에만 담소를 나누는 무리가 몇 있을 뿐 … 홀은 텅 비어 있어서 모든 움직임이 이목을 끌었고 현란한 빛에 노출되었습니다. …그런데 그 넓고 광대한 홀을 그녀는 천천히 경쾌하게 어깨를 펴고 걸어가면서 이따금 말로 표현할 수 없는 특유의 자태로 인사에 화답했습니다. …위엄 있고 싸늘하며 기품 서린 평온함, 그런 그녀에 제가 얼마나 매료되었던지 … 저는 … 저는 뒤에 머물러 있었습니다. 이미 말했듯이 그녀가 가 버렸다는 걸 깨닫기 전까지는 몸이 마비된 상태였으니까요 … 그리고 그 사실을 깨달았을 때 그녀는 이미 홀의 다른 편에 있는 문 앞에 당도해 있었으니 … 순간… 아, 지금도 그 일을 생각하면 수치심에 몸 둘 바를 모르겠습니다. … 순간 저는 갑자기 무언가에 사로잡혀서 달려갔습니다. 네, 제대로 들으셨습니다. 달려갔습니다. … 걸어간 게 아니라 구둣발로 우당탕 소리를 내며 홀을 가로질러 그녀를 향해 달려갔습니다. … 제 발걸음 소리가 요란하게 들렸고 깜짝 놀란 시선들이 죄다 저를 향하는 게 보였습니다. … 부끄러워 죽을 지경이었고… 달리는 동안에도 이게 미친 짓이라는 걸 알고 있었지만 …하지만 저는… 저는 돌아설 수 없었습니다. …문가에서 그녀를 따라잡았는데… 그녀는 몸을 돌렸고 잿빛 눈은 단검이 되어 제 몸을 꿰뚫었습니다. 그녀의 콧날이 분노에 파르르 떨렸습니다… 제가 더듬거리며 말을 꺼내려는데 …그때 …그때… 그녀가 갑자기 큰 소리로 웃었습니다 … 쾌활하고 태평스럽고 자연스러운 웃음이었습니다. 그러면서 크게 … 모두에게 들릴 만큼 크게… 말했습니다.

'아, 선생님, 이제야 제 아들 녀석의 처방전이 생각나셨군요. …정말이지 학자분들이란…'

가까이 서 있던 몇몇 사람은 친절하게도 함께 웃어주었습니다 … 저는 그 말을 이해했습니다. 민망한 상황을 구해낸 그녀의 노련한 솜씨를 감탄하며 얼결에 … 지갑에서 백지 메모지를 하나 뜯어내자 그녀는 그것을 태연히 받아들고는 … 고맙다며 차갑게 웃어 보이더니 … 가버렸습니다 … 그녀가 훌륭한 솜씨로 제 미친 짓을 잘 얼버무린 덕에 상황이 잘 처리됐으니 …… 저는 당장은 마음이 놓였지만 … 하지만 모든 게 끝장이라는 사실 역시 즉시 깨달았습니다. 이 여자는 제가 몸이 달아 바보짓을 하는 것을 증오하고 있으며 … 죽기보다도 더 증오하고 있기에 … 제가 수백 번을 더 그녀의 집으로 찾아간다 해도 저를 개처럼 쫓아낼 것임을…

비틀대며 홀을 가로지르려니 … 사람들의 시선이 느껴졌습니다 … 제가 어딘지 모르게 이상해 보였을 겁니다. 저는 뷔페로 가서는 코냑을 두 잔, 석 잔, 넉 잔 연거푸 들이켰고… 그러고 나니 쓰러지지 않고 버틸 수 있었습니다. …신경이 갈가리 찢겨나가기라도 한 듯 더는 견딜 수가 없어서… 저는 범죄자처럼 몰래 옆문으로 빠져나왔습니다. … 천만금을 다 준다고 해도 그녀의 째질 듯한 웃음소리가 사방에 들러붙어 있는 그 홀을 다시 가로지르지는 않았을 겁니다. … 저는 그냥 걸었고 … 어디로 가는지도 모르는 채 …술집 몇 군데를 들러서 마구 마셔댔고 … 맨정신을 몽땅 술독에 빠트리려는 사람처럼 마셔댔는데 … 하지만 …제 감각은 둔탁해지지 않았습니다 … 웃음소리가… 귀청을 찢을 듯이 새되고 악의에 찬 웃음소리가 제 안에 박혀 있어서 …웃음소리를, 그 망할 웃음소리를 잠재우지 못한 채 …그렇게 항구를 헤매고 다녔는데 …권총을 호텔에 놔두고 오지 않았더라면 저를 쏘아죽였을 겁니다. 권총 말고 다른 건 생각하지 않았고 그 생각만 하며 호텔로 돌아와서는 …권총이 책상 서랍 왼편에 있다는 생각만 하며…그저 그 생각만 …

제가 총을 쏘지 않은 건… 맹세컨대 비겁해서가 아닙니다 … 장전된 총의 방아쇠를 당겼다면 구원을 맛보았을 테니까요. …어떻게 설명해야 할지 모르겠지만… 저는 의무감을 느끼고 있었기에… 네, 도와야 한다는 의무, 그 망할 의무감을요… 그녀가 저를 필요로 할지도 모르는데, 그녀에게는 내가 필요한데 … 그런 생각을 하니 미칠 지경이었습니다. 제가 호텔로 돌아왔을 때는 벌써 목요일 아침이었고 토요일이면… 이미 말했듯이… 토요일이면 배가 도착할 테고 이 여자는, 오만하고 자존심 강한 여자는 남편과 사람들 앞에서 겪을 치욕을 참아내지 못할 게 분명했으니까요. … 아, 그런 생각을 하니 값진 시간을 그냥 흘려보내는 게 얼마나 고통스럽던지요. 제가 바보같이 허둥대는 바람에 늦기 전에 도울 기회를 날려 보냈다니 … 몇 시간을, 맹세컨대 정말로 몇 시간을 저는 방에서 이리저리 맴을 돌면서 어떻게 하면 그녀에게 접근할 수 있을지 머리를 쥐어짰습니다. 어떻게 하면 내 잘못을 만회하고 그녀를 도울 수 있을까 … 그녀가 저를 다시는 집에 들여놓지 않을 것임을 저는 잘 알고 있었습니다. … 그 웃음소리와 화가 나서 떨리던 콧날은 줄곧 제 뇌리를 떠나지 않았습니다. … 몇 시간을, 정말로 몇 시간을 3m 길이의 비좁은 방에서 이리저리 맴돌다보니 … 어느새 날이 밝고 오전이 되더군요 …

그러다가 문득 저는 책상으로 달려가서는 …편지지를 꺼내 들고 그녀에게 편지를 쓰기 시작했는데 … 모든 것이 적힌 … 개처럼 애걸복걸하는 편지였습니다… 저는 그녀에게 용서를 빌면서 저 자신을 미친놈이며 범죄자라 불렀고… 저를 믿고 일을 맡겨 달라고 간청했습니다… 일을 마치고 나면 저는 곧장 이 도시에서, 이 일대에서 사라질 것이며 그녀가 원한다면 이 세상에서 사라지겠다고 맹세했습니다. … 그저 저를 용서하고 저를 믿고 더 늦기 전에, 남아 있는 마지막 시간 안에 제 도움을 받아달라고 … 열에 들뜬 채 스무 쪽을 써 내려갔는데 … 정신착란 상태에서 광인이 씀직한, 말로는 표현할 수 없는 편지였을 겁니다. 책상에서 일어나니 몸은 땀에 흠뻑 젖어 있었고 … 방은 빙글빙글 돌아갔습니다. 일단 물 한 잔을 마시고는 … 그러고 나서 편지를 다시 한번 읽어보려고 했지만, 첫 줄을 읽으니 두려워져서… 떨리는 손으로 편지를 접고는 봉투를 집어 들었는데… 그때 갑자기 생각나는 게 있었습니다. 정말로 결정적인 말이 돌연 떠오른 겁니다. 그래서 다시 한번 펜을 쥐고 마지막 장에 덧붙여 썼습니다. '여기 해변 호텔에서 용서의 말을 기다리겠습니다. 7시까지 아무런 답이 없으면 저는 권총으로 자살하겠습니다.'

그러고는 사환을 불러서 편지를 즉시 전달하라고 명령했습니다. 드디어 할 말을 다 했습니다. 모두 다!”

옆에서 무언가가 달그락대며 굴렀다. 그가 급히 움직이다가 위스키병을 밀쳐버렸다. 그의 손이 바닥을 더듬으며 병을 찾는 듯하더니 힘껏 꽉 움켜쥐는 소리가 들렸다. 빈 술병이 큰 포물선을 그리며 배 밖으로 날아갔다. 몇 분 동안 목소리는 침묵하고 있었다. 이윽고 그는 열을 올리며 이야기를 계속했다. 이전보다 더 흥분해서 허둥대고 있었다.

“저는 오래전부터 크리스천이 아니기에… 제게는 천국이나 지옥은 존재하지 않으며 … 지옥이 있다 해도 두렵지 않습니다. 그날 오전부터 저녁까지 겪었던 시간보다 더 끔찍하지는 않을 테니까요. … 한번 어느 비좁은 방을 상상해보십시오. 햇빛을 받아 무더운 방은 정오가 될수록 점점 더 찜통이 되어 갑니다. 그 좁은 방 안에는 책상과 의자와 침대뿐이고 책상에는 탁상시계와 권총 한 자루 말고는 아무것도 없습니다. 책상 앞에 선 사람은… 그 사람은 탁자 위 시계의 초침을 뚫어져라 보고만 있습니다. 먹지도, 마시지도 않고 담배를 피우지도 않고 움직이지도 않은 채 한결같이 …한결같이 세 시간 동안 … 숫자판이 새겨진 하얀 원과 똑딱대며 원의 둘레를 도는 바늘만 보고 있는 사람을 상상해보십시오. …그렇게… 그렇게 … 저는 그날을 보냈습니다. 그저 기다리고, 기다리고 또 기다렸습니다. 하지만 저의 기다림은 … 어리석은 짐승처럼 미친 듯 맹목적으로 한 방향으로 돌진한다는 점에서 아모크 상태에서 달리는 것과 흡사했습니다.

자 … 그 시간을 더 묘사하려 들지는 않겠습니다. … 그런 건 묘사할 수 없는 데다가 …저 역시 어떻게 제가 미쳐버리지 않고 그런 시간을 견뎌낼 수 있었는지 이해가 되질 않습니다. … 그러니까… 3시 22분에 …시계를 응시하고 있었기 때문에 정확히 압니다 … 갑자기 누가 방문을 노크했고 …저는 벌떡 일어나서 … 사냥감에 달려드는 호랑이처럼 한걸음에 방을 가로질러 문으로 달려갑니다. 문을 열어젖히니… 조그만 중국 소년이 꼭꼭 접은 쪽지를 손에 들고 쭈뼛대며 서 있습니다. 제가 허겁지겁 쪽지를 받아쥐는 순간 소년은 어느새 잽싸게 사라집니다.

쪽지를 펼쳐서 읽으려 하는데 … 읽을 수가 없고 … 눈앞이 벌겋게 흔들거립니다. … 드디어, 드디어 그녀가 보낸 전갈을 받았는데 … 글자가 제 동공 앞에서 요동치며 춤추고 있으니… 얼마나 고통스러웠을지 한번 상상해보십시오. … 머리를 물속에 담그니 …그러고 나니 정신이 좀 들어서… 저는 다시 쪽지를 들고 읽습니다.

'너무 늦었습니다! 하지만 호텔에서 기다리십시오. 어쩌면 선생님을 부를 수도 있으니까요.'

묵은 팸플릿에서 뜯어낸 듯한 구겨진 종이에는 서명이 없습니다. … 평소에는 단정한 필체의 소유자가 넋 나간 상태에서 급히 연필로 갈겨쓴 듯했습니다. …왜 이 쪽지가 제게 큰 충격을 주었는지 이유를 모르겠지만 … 그 쪽지에는 무언지 모를 공포와 비밀이 서려 있었습니다. 도망가다가 선 채로 창틀에 대고 썼거나 달리는 차 안에서 쓴 것처럼 보였고 …도저히 묘사할 수 없는 불안과 조급함과 섬뜩함을 이 은밀한 쪽지는 뿜어내고 있어서 저는 마음이 철렁했지만 …하지만 그래도… 그래도 저는 행복했습니다. 그녀가 내게 쪽지를 써 보냈으니 나는 죽지 않아도 되고 그녀를 도울 수 있을 것이고 … 어쩌면… 나는 다시… 아, 저는 황당한 추측을 하며 희망에 부풀어서는 … 수백 번, 수천 번 쪽지 조각을 읽고 입 맞추었고 … 행여 잊어버리거나 건너뛴 단어가 있나 싶어 샅샅이 들여다보았습니다. … 저는 어수선한 몽상에 점점 더 깊이 빠져들었습니다. 눈을 뜬 채 자듯이 기괴한 꼴로 … 몸이 마비된 채 멍청하면서도 불안한 심정으로 비몽사몽 15분쯤, 아니면 한 시간쯤을 보냈습니다.

갑자기 저는 소스라쳤습니다 … 누군가 문을 두드린 것 같은데? … 저는 숨을 죽였고 … 1분, 2분 정적이 흐르더니… 그러더니 다시 아주 나직이, 생쥐가 찍찍대듯이 나직이, 그러면서도 조급히 누군가가 문을 두드렸습니다. … 저는 벌떡 일어나 비틀대며 문을 열어젖혔습니다. 밖에 사환이, 그녀의 사환이 서 있었습니다. 제가 며칠 전 입을 주먹으로 갈긴 바로 그 녀석이었는데 …그의 갈색 얼굴은 퍼렇게 질려 있었고 눈빛은 넋이 나가 있는 거로 보아 불행한 일이 일어난 게 분명했습니다.… 즉시 저는 공포에 휘말려서는 …'무슨 …무슨 일이냐?'라고 더듬대며 물었습니다. '빨리 오세요.' 그는 이렇게 말하고는 … 더는 말을 잇지 못했습니다. … 저는 당장 계단을 뛰어 내려갔고 그는 저를 쫓았습니다. … 우리는 대기 중인 작은 수레에 올라탔습니다. '무슨 일이 일어난 거냐?' 제가 묻자 …놈은 떨면서 저를 보더니, 입술을 악물고 아무 말도 하지 않았고 … 저의 거듭된 물음에도 계속 아무런 답이 없었습니다… 마음 같아서는 그놈 얼굴을 또 주먹으로 갈기고 싶었지만 … 그가 개처럼 그녀에게 충성을 바친다는 사실에 감동했기에 …그래서 더는 묻지 않았습니다 … 말이 끄는 수레가 인파를 뚫고 급히 달리는 바람에 사람들은 욕을 퍼부으며 흩어졌습니다. 수레는 해변에 자리한 유럽인 거주 지역을 벗어나서 하층민이 사는 도시로 달렸고 어느새 시끌벅적한 중국인촌을 향하더니 … 드디어 아주 변두리에 있는 비좁은 골목길로 접어들었고 … 납작한 건물 앞에서 멈췄습니다 … 지저분하고 곧 무너져 내릴 듯한 건물 앞쪽에는 양초를 밝힌 작은 상점이 있었는데 … 아편 가게나 사창가, 도둑의 소굴 아니면 장물아비의 창고를 뒤편에 숨기고 있을 듯한, 그런 상점이었습니다. 사환이 급히 문을 두드리자 …문이 빼꼼히 열리더니 문 뒤에서 웬 목소리가 속닥이며 이것저것 물어댔습니다. … 제가 더는 참지 못하고 수레에서 뛰어내려서 한 뼘만 열린 문을 활짝 열어젖혔더니 … 웬 중국 노파가 비명을 지르며 물러섰습니다. …사환이 따라와서 저를 복도로 인도하더니… 다른 문 하나를 열었는데 … 문 뒤의 어두운 공간에서는 브랜디와 피비린내가 역하게 코를 찔렀고 …어떤 물체가 그 안에서 신음하고 있었습니다. … 저는 손으로 더듬으며 들어섰습니다 …"

목소리는 다시 멎었다. 그러고 나서 그는 말한다기보다는 흐느끼며 이야기를 이어갔다.

"제가 … 제가 더듬대며 들어가니…거기에는… 거기에는 더러운 돗자리에 …사람 몸뚱이 하나가 … 고통에 몸부림치며 신음하고 있었는데 …바로 그녀였습니다.

어두워서 그녀의 얼굴을 볼 수 없었지만 … 제 눈은 아직 어둠에 익숙해지질 않아서 … 손을 뻗으니…그녀의 손은… 뜨거웠습니다… 타는 듯이 뜨거운 게…그녀는 열에, 고열에 시달리고 있었습니다… 저는 몸서리를 쳤습니다… 당장 모든 걸 알겠더군요 … 그녀는 저를 피해 이리로 도망쳐서는 … 이곳에서는 비밀이 더 잘 지켜질 거라 믿으며 웬 지저분한 중국 여자에게 자신을 난도질하라고 내맡긴 겁니다. … 저를 믿고 맡기기보다는 차라리 누군지도 모를 마귀할멈 손에 죽으려 한 겁니다. … 제가 미쳐버렸기 때문에 … 제가 그녀의 자존심을 보호하지 않았기 때문에, 그녀를 즉시 돕지 않았기 때문에 …그녀는 죽음보다 저를 더 두려워했기 때문에… 그래서 그렇게 된 겁니다…

저는 불을 밝히라고 소리 질렀습니다. 사환이 달려 나갔고 흉측한 중국 노파는 떨리는 손에 그을린 석유램프를 들고 왔습니다. … 그 누런 사기꾼에게 달려들어 목을 조르고 싶은 것을 간신히 참았습니다. 램프를 탁자에 세우자 … 노란빛이 고문당한 육체를 환히 비쳤고 … 그리고 순식간에… 순식간에 온갖 무기력함과 분노, 쌓여있던 욕정 따위의 온갖 불순한 감정들이 저에게서 떨어져 나갔고 …저는 그저 의사일 뿐이었습니다. 상황을 파악하고 알아내서 도우려는 인간일 뿐 … 저는 저 자신을 잊고는 … 또렷하고 명료한 감각으로 끔찍한 결말에 맞서 싸웠는데 … 제가 꿈속에서 욕망하던 그녀의 벌거벗은 몸은 제게는 그저 … 어떻게 표현해야 할까요?… 생명을 지닌 물체에 불과했기에 …저는 이제 그녀를 느끼는 대신 죽음에 맞서 싸우는 생명만을 느꼈고 죽을 것 같은 고통에 몸부림치는 인간을 느꼈습니다. …그녀의 피가, 뜨겁고 성스러운 피가 제 손을 타고 철철 흘렀지만 저는 쾌감도 공포도 느끼지 않았습니다. …저는 그저 의사였고 …고통만을 보고 … 또 볼 뿐이었습니다 …

그러고는 곧 알아챘습니다, 기적이 일어나지 않는 한 모든 게 끝났음을… 그녀는 범죄자의 어설픈 손에 치명상을 입고 피를 절반쯤 잃어버렸는데 … 그런데 이 냄새가 풀풀 나는 골방에는 지혈에 필요한 물품 하나 없었고 깨끗한 물조차 없었고 …제 손에 닿는 것들은 모두 지저분하기 짝이 없었으니 …

'당장 병원으로 가야 합니다.' 제가 이렇게 말하자마자 괴로워하던 몸이 경련을 일으키며 꿈틀댔습니다. '안 돼 … 안 돼요 …차라리 죽겠어요… 아무도 알면 안 돼요…아무도 알면 안 돼… 집으로… 집으로…'

저는 이해했습니다, …그녀는 오직 비밀을 유지하고 자신의 명예를 지키기 위해 싸울 뿐 …자신의 목숨은 아랑곳하지 않는다는 것을 … 그리고 – 저는 복종했습니다 …사환이 가마를 가져왔고… 우리는 그녀를 거기 눕혀서는 …그렇게 … 축 늘어진 채 고열에 시달리는 그녀를 마치 송장 나르듯 … 한밤중에 집으로 날랐습니다. … 놀란 하인들이 질문을 퍼붓지 않게끔 그들을 피해서 …우리는 도둑처럼 그녀를 내실로 나르고는 문을 잠갔습니다 …그러고 나서 …그러고 나서 싸움이, 죽음에 맞선 긴 싸움이 시작되었습니다. …"

갑자기 손 하나가 내 팔을 움켜쥐는 바람에 나는 놀라고 아파서 비명을 지를 뻔했다. 어둠 속에서 그의 얼굴은 돌연 기괴하게 보였다. 그는 분노를 터트리며 하얀 치열을 드러냈고 그의 안경은 반사되는 달빛을 받아서 왕방울만 한 한 쌍의 고양이 눈처럼 가물가물 빛나고 있었다. 이제 그는 말을 하는 게 아니라 – 엄청난 분노에 휘말려 소리를 질러댔다.

"당신은, 제게는 타인인 당신은 여기 갑판 의자에 여유롭게 앉아서 세계를 돌아다니고 계십니다. 그런데 당신은 한 인간이 죽는 걸 지켜보는 게 어떤지 아십니까? 몸을 꿈틀대고 시퍼런 손톱으로 허공을 움켜잡고 목구멍을 그르렁대는 사람 곁에 있었던 적이 있습니까? 사지를 버둥거리고 열 손가락을 뻗쳐가며 끔찍한 최후에 저항하는 사람을, 말로는 표현할 수 없는 공포에 눈을 부릅뜨는 사람을 본 적이 있습니까? 당신은 세계를 누비고 다니며 유유자적 즐기면서 도와주는 게 의무라고 말씀하시는데, 당신은 그런 일을 한 번이라도 겪어보셨습니까? 의사인 만큼 저는 그런 일을 종종 보았습니다. … 이를테면 임상 경험을 했던 겁니다. – 하지만 그것을 제대로 체험한 것은 그때가 처음이었습니다. 저는 그날 밤 그것을 그녀와 함께 체험했고 함께 죽었습니다. … 그 끔찍한 밤에 그칠 줄 모르고 샘솟는 피를 멎게 하려고, 열에 시달리는 그녀를 보며 열을 떨어트릴 방도를 알아내려고, 찾아내려고, 새 방식을 고안해내려고 머리를 쥐어짰고 … 점점 다가오는 죽음을 막으려 했지만, 그것을 쫓아낼 수 없었습니다.

온갖 병에 대해 모르는 게 없는 의사인데도 – 당신이 현자답게 언급하셨던 도와야 할 의무가 있는 직업이지요 – 죽어가는 여자 옆에 무기력하게 앉아서 아무런 힘도 없이… 아는 것이라고는 내 몸의 동맥을 죄다 끊어낸들 그녀를 도울 수 없다는 끔찍한 사실뿐일 때 어떤 기분이 들었을지 아십니까? … 사랑하는 육체가 처참하게 피를 흘리며 고통에 시달리는 걸 보아야 했고, 맥박이 급히 뛰다가 곧 잠잠해지더니 … 꼼짝하지 않는 것을 제 손가락으로 느껴야 했으니 … 의사이면서도 아무것도, 아무것도, 아무것도 모른 채 … 신이 존재하지 않는다는 걸 알면서도 멍하니 앉아서 교회의 쭈그렁 할멈처럼 기도나 웅얼대고 있다가 다시 주먹을 불끈 쥐고 한심한 신을 향해 휘둘렀으니 … 당신은 그런 걸 아십니까? 그런 걸 아시냐고요? 제가… 제가 이해하지 못하는 게 하나 있습니다. 어떻게 … 그런 순간에 같이 죽지 않을 수 있는지… 다음 날 아침에 잠에서 깨어나 이를 닦고 넥타이를 맬 수 있는지 … 그런 감정을 겪고서 여전히 살 수 있다니 … 난생처음 영혼을 죄다 바쳐서 한 사람을, 그 사람의 목숨을 지키기 위해서 안간힘을 쓰며 싸웠는데 … 그 사람은 내 손에서 빠져나가고 …어딘지 모를 곳으로 빨리, 점점 더 빨리 빠져나가는데 …1분, 또 1분이 지나고 아무리 머리를 굴려도 이 사람을 잡아두기 위해 무엇을 해야 할지 전혀 모르다니 …

게다가 그것만으로는 부족한지 … 잔인하게도 제 고통을 곱절로 만드는 일이 더 있었습니다 … 저는 그녀 옆에 앉아서 고통을 줄이려고 모르핀을 주사하고는 누운 그녀를 보았습니다. 뜨겁게 달아오른 뺨은 납빛이었습니다. 그런데… 제가 그렇게 앉아 있는 동안 제 뒤에서는 한 쌍의 눈이 지독히도 기대에 차서 계속 저를 바라보지 뭡니까! … 사환 녀석은 바닥에 쭈그리고 앉아서 조용히 뭔지 모를 기도를 중얼거리고 있었는데 …저를 보는 그의 시선은

… 아, 도저히 말로 표현할 수가 없군요… 개처럼 무언가를 애걸하고 있었고 … 감사를 그득 전하고 있었습니다. 동시에 그는 그녀를 구해달라고 간청하는 듯 저를 향해 양손을 치켜들었습니다. … 이해하시겠습니까? 마치 신을 대하듯이 저를, 저를 향해 … 아무것도 할 수 없는 나약한 놈인 저를 향해 손을 치켜들다니 … 저는 모든 게 끝장이며… 제 존재는 바닥을 기는 개미만큼이나 쓸모없다는 걸 알고 있는데 … 아, 그의 그런 시선이, 제 기술에 대한 맹목적이고 무지한 기대가 얼마나 저를 괴롭혔던지요! … 녀석에게 고함을 지르고 발로 짓밟고 싶었습니다. 그 정도로 그는 저를 힘들게 했지만 … 하지만 우리 둘 다 그녀를 사랑하고 … 비밀을 공유한다는 점에서 서로 가까운 사이임을 저는 느꼈습니다. … 망을 보는 짐승처럼 꼼짝 않고 웅크린 채 그는 제 뒤에 바싹 붙어 있다가 … 제가 무언가를 요구하기만 하면 벌떡 일어나 맨발로 소리 없이 움직이며 그것을 떨면서 …기대에 차서 건네주었습니다. 마치 그렇게 하면 도울 수 있고 … 기적이 일어나기라도 할 듯이 … 그녀를 도울 수만 있다면 녀석은 자신의 동맥을 잘라냈을 겁니다. …그녀는 그런 여자였습니다. 사람들에게 그런 힘을 행사하는 여자였다고요 … 그런데 저는 …저는 그녀의 피 한 방울이라도 멈추게 할 힘을 지니지 못하다니요… 오, 그날 밤은, 삶과 죽음 사이를 오가던 그 끔찍한 밤은 어찌나 길었던지요!

아침 녘에 그녀는 다시 한번 깨어나서 … 눈을 떴는데 … 두 눈은 이제 교만하지도 냉랭하지도 않았고 …열기가 촉촉하니 반짝이더군요. …두 눈이 낯설다는 듯 방을 더듬더니… 이제야 그녀는 저를 보았습니다. 제 얼굴을 보며 누군지 기억해내려고 곰곰 생각하는 듯하더니 …그러더니 갑자기 … 기억이 난 게 … 분명했습니다… 공포와 반감이 … 뭔가… 뭔가 적의와 경악에 찬 표정이 그녀의 얼굴을 덮었으니까요. …그녀는 달아나기라도 할 듯이… 나에게서 멀리, 멀리 달아나려는 듯 팔을 휘저었습니다 …그녀가 그 일을 …그때 그 시간을 생각한다는 걸 알겠더군요. … 하지만 곧 그녀는 상황을 파악하고는… 저를 조용히 보며 힘겹게 숨 쉬었는데 … 무언가 말을 하고 싶어 하는 것 같았습니다 …그녀는 다시 양손을 뻗치고는 …일어나려 했지만 그러기에는 기운이 없었습니다.… 제가 그녀를 진정시키고는 제 몸을 굽히자 … 그러자 그녀는 저를 오랫동안 고통스럽게 보며 … 입술을 나직이 들썩였는데 … 눈을 감기 직전에 건네는 마지막 말이었습니다 …

'아무도 모르겠지요? … 아무도?'

'아무도 모를 겁니다.' 저는 그녀를 확신시키기 위해 갖은 힘을 다해 말했습니다. '제가 부인께 약속드리겠습니다.'

하지만 그녀의 눈은 여전히 불안해 보였고 … 열에 들뜬 입술로 그녀는 거의 알아들을 수 없는 말을 토해냈습니다.

'맹세하세요 … 아무도 모르게 하겠다고 … 맹세를'

저는 서약을 하듯 손가락을 들었습니다. 그녀는 저를 …이루 말할 수 없는 눈빛으로 …응시했습니다. 부드럽고 따듯한 눈빛으로 … 고마워하는 … 네, 정말로 정말로 고마워하는 그런 눈빛으로 … 그녀는 무언가를 더 말하려 했지만, 기운이 없었습니다… 말하느라 지쳐서 눈을 감고는 오래 누워 있었습니다. 이윽고 끔찍한 일이 … 끔찍한 일이 시작되었고 …그녀는 아주 힘들게 싸웠습니다. 아침이 되어서야 그 싸움은 끝이 났습니다.…"

그는 오래 침묵했지만 나는 갑판에 걸린 종이 울리며 정적을 깨트릴 때까지는 그 사실을 알아채지 못했다. 한 번, 두 번, 세 번 – 어느덧 세 시였다. 달빛은 희미해졌지만 무언지 모를 또 다른 노란 빛이 어슴푸레하게 허공을 떠돌고 있었다. 이따금 바람이 살포시 불었다. 30분이 지나고 1시간이 지나더니 이윽고 날이 밝으며 공포는 환한 빛에 가려 사라져 갔다. 이제 그늘이 전처럼 짙고 어둡게 우리가 앉은 구석을 덮지 않았기에 그의 얼굴이 지금은 또렷하게 보였다. 그는 모자를 벗은 채였고 고통스러워하는 얼굴은 더욱 무시무시해 보였다. 하지만 그는 곧 마음을 추스르고는 번쩍이는 안경을 낀 눈으로 다시금 나를 보았다. 그의 목소리는 자조적이고 날이 서 있었다.

“이제 그녀가 할 일은 없었습니다. 하지만 제 경우는 그렇지 않았습니다. 저는 낯선 사람의 집에서 시체와 단둘이 있었으니까요. 이곳은 비밀이라곤 없는 도시였는데 제 편이 되어줄 사람은 아무도 없었습니다. 그런데 저는 … 저는 비밀을 지켜내야 했으니 … 자, 다음과 같은 상황을 한번 머릿속에 그려보십시오. 식민지 사교계에서 최상층에 속하는 부인이 있는데 그녀는 나무랄 데 없이 건강했고 전날 저녁 정부가 주최하는 무도회에서 춤을 추었습니다. 그런데 그녀는 느닷없이 침대에 누운 채 죽어 있습니다. … 누군지도 모를 의사가 그녀 곁에 있는데 하인이 자신을 불렀다고 말하지만 … 부인의 집에 사는 그 누구도 언제 어디로 그 의사가 집에 들어왔는지 보지 못했습니다. … 여자는 밤에 가마로 실려 와서는 잠긴 문 뒤로 사라졌는데 … 아침에는 죽어 있습니다. …그러고 나서야 의사는 하인들을 불렀습니다. 갑자기 모든 식솔이 비명을 지르며 법석입니다. …순식간에 이웃들과 도시 전체가 이 사실을 알게 됩니다 … 그런데 이 모든 걸 설명해야 할 사람은 단 하나뿐이고 … 바로 저입니다. 멀리 떨어진 구역에서 온 의사이자 모두에게 낯선 사람입니다. … 정말이지 유쾌한 상황이 아닐 수 없겠지요?

저는 할 일이 무언지 알고 있었습니다. 다행히도 사환이 제 곁에 있었습니다. 그 우직한 녀석은 제 눈빛만 봐도 뭘 해야 할지 알아차리더군요. 노란 피부의 아둔한 짐승조차도 아직 싸움이 끝나지 않았음을 알고 있었습니다. 저는 그에게 이렇게만 말했습니다.

'부인은 무슨 일이 있었는지 아무도 모르길 원한다.' 녀석은 눈물에 젖은 눈으로 개가 주인을 보듯 저를 보았지만 그래도 그의 시선은 결기에 차 있었습니다. '옛썰.' 그는 이렇게만 대답했습니다. 그러고는 바닥에서 핏자국을 닦아냈고 모든 것을 깔끔히 정리했습니다. 그런 그의 결연함에 저도 새삼 결연해졌습니다.

살면서 그때처럼 응축된 에너지를 발휘했던 적은 없었으며 다시는 그럴 수 없을 겁니다. 모든 걸 잃어버린 사람은 최후의 것을 지키기 위하여 필사적으로 싸우기 마련입니다. 최후의 것이란 비밀을 지켜달라는 그녀의 유언이었습니다. 저는 침착하게 사람들을 불러 모아서 모두에게 꾸며낸 이야기를 똑같이 들려주었습니다. 그녀가 의사를 불러오라고 사환을 보냈는데 그가 우연히 길에서 저를 만났다고 말입니다. 저는 겉보기에는 태연히 이야기했지만 … 그러는 내내 중대한 인물인 … 사체 검사원을 기다리고 있었습니다. 그가 와야만 관에 그녀를 넣을 수 있고 그렇게 관을 닫은 후에야 그녀의 비밀을 밀봉할 수 있으니까요. … 그때가 금요일이었고 토요일이면 그녀의 남편이 올 예정임을 기억하시겠지요…

9시 정각에 드디어 관청 소속 의사가 왔다고 하인이 제게 알렸습니다. 제가 그를 불렀는데 그는 서열상 제 상관이었고 저의 경쟁자이기도 했습니다. 그녀가 며칠 전 한심하다고 헐뜯던 바로 그 의사였지요. 그는 제가 근무지 이전을 원한다는 걸 벌써 알고 있었을 겁니다. 그와 눈을 마주하자마자 적의가 느껴지더군요. 하지만 그럴수록 저는 의지를 굳건히 다졌습니다.

응접실에서 그가 물었습니다.

'언제 ×× 부인이 사망하셨습니까?' 그가 그녀의 이름을 언급하며 물었습니다.

'아침 6시입니다.'

'당신을 부르러 사람이 온 건 언제입니까?'

'밤 11시입니다.'

'제가 그녀의 담당 의사라는 걸 선생은 아셨습니까?'

'네, 하지만 위급한 상황이었던 데다가 … 그리고 … 고인은 분명히 제가 오기를 원했고 다른 의사를 부르는 것을 금지하셨습니다.'

그가 저를 빤히 보았습니다. 그의 희뿌옇고 기름진 얼굴이 금세 벌개지는거로 보아 화가 난 듯했습니다. 하지만 상황이 그렇게 불리해질수록 저는 제 모든 에너지를 총동원하여 급히 결판을 내려고 집중했습니다. 제 신경이 더 오래 버티지는 못하리라고 느꼈기 때문입니다. 그는 무언가 적의에 찬 말로 응수하려는 듯하다가 태연히 말했습니다.

'선생은 저따위는 없어도 된다고 여기실지라도 저는 직책상 사망을 확인하고… 어떻게 그렇게 되었는지 확인할 의무가 있습니다.'

저는 대답하지 않고 그를 앞서게 했습니다. 그러고는 뒤로 물러서서 방문을 잠그고 열쇠를 탁자 위에 놓았습니다. 그는 깜짝 놀라 눈썹을 치켜올렸습니다.

'어쩌자는 겁니까?'

저는 차분히 그를 마주 보며 섰습니다.

'이 경우 사망원인을 찾아내는 건 중요하지 않습니다. 오히려 진실이 아닌, 다른 원인을 생각해 내야만 합니다. 이 부인은 … 모종의 수술 사고로 인한 부작용을 치료해달라고 저를 불렀지만 … 저는 그녀를 구할 수 없었습니다. 그러나 그녀의 명예를 지켜주겠다고 약속했고 그렇게 할 겁니다. 그러니 부디 선생께서 저를 도와주십시오!'

그는 놀라서 눈을 아주 크게 부릅떴습니다. 그러더니 더듬거리며 말했습니다.

'설마 선생은 관청소속 의사인 제게 지금 범죄를 은닉하라고 말씀하시는 건 아니겠지요?'

'바로 그렇습니다. 저는 그러길 원하며 그럴 수밖에 없습니다.'

'선생의 범죄 때문에 제가 …'

'선생께 말씀드렸듯이 저는 이 부인을 건드리지 않았습니다. 제가 그런 짓을 했더라면… 그랬더라면 저는 선생 앞에 서 있을 수조차 없었을 테고 이미 저 자신을 처단했을 겁니다. 그 부인은 – 선생이 굳이 그렇게 부르셔야 한다면 – 잘못의 대가를 치렀으니 온 세상이 그걸 알아야 할 필요는 없습니다. 저는 부인의 명예가 불필요하게 더럽혀지는 걸 두고 보지 않겠습니다.'

저의 결연한 말투는 그를 더욱 자극할 뿐이었습니다.

'두고 보지 않으시겠다고요 … 그러니까… 흠, 선생이 제 상관이시던가요 … 아니면 벌써 제 상관이 됐다고 믿고 계시나 본데 … 원하신다면 제게 한번 명령을 내려보시지요 … 사람들이 선생을 오지에서 불러들였을 때부터 뭔가 지저분한 일이 벌어지고 있다고 당장 생각했는데 … 처음 하시는 일부터 정말이지 더러운 티가 나는군요. 더러운 일을 시도하시려나 본데 … 하지만 이제 제가, 제가 조사할 겁니다. 제 이름으로 나가는 조서는 올바르다는 것을 확신하셔도 좋습니다. 거짓 내용에는 서명하지 않을 겁니다.'

저는 꿈쩍도 하지 않았습니다.

'아니, 이번에는 그렇게 하셔야 합니다. 그러시기 전에는 이 방을 나가실 수 없을 테니까요.'

저는 이 말을 하며 호주머니에 손을 넣었습니다. 권총을 가지고 있지 않았는데도 그는 움찔하며 물러났습니다. 저는 한걸음 그에게 다가가서 그를 마주 보았습니다.

'부디 제가 하는 말을 들으시고 … 최악의 경우로 치닫지 않도록 해 주십시오. 제게 제 생명은 아무런 의미가 없고 … 다른 사람의 생명 역시 마찬가지라서 … 저는 이제 이런 지경까지 와 있기에 … 제게 의미 있는 유일한 일은 부인이 어떻게 죽었는지를 비밀에 부치겠다는 약속을 지키는 것뿐입니다. … 만일 선생이 이 부인이 어떤 … 그러니까 어떤 우연한 일로 인해 사망했다는 증명서를 만들어 주신다면 저는 한 주 안에 이 도시는 물론이고 인도를 떠날 것임을 제 명예를 걸고 약속드리겠습니다. … 원하신다면 권총을 쥐고 자살이라도 하겠습니다. 관이 땅속에 묻혀서 아무도 … 무슨 말인지 아시겠지요, 아무도 더는 조사할 수 없게 된 후에는

무엇이든 하겠습니다. 이 정도면 선생은 만족하실 겁니다. 만족하셔야만 합니다.'

제 음성에는 위협적이고 섬뜩한 그 무엇이 깃들어 있었나 봅니다. 제가 무심결에 그에게 다가서자 그는 경악한 나머지 눈을 부릅뜬 채 뒷걸음질 쳤습니다. 마치 … 마치 아모크 상태의 사람이 단도를 휘두르며 미친 듯 달릴 때 사람들이 그 사람을 피해 도망치듯이 … 순식간에 그는 달라져서는 …풀이 죽고 위축되었다고나 할까요… 그의 완강한 태도는 무너졌습니다. 그는 마지막으로 별 의미가 없는 저항의 말을 중얼거렸습니다.

'허위 증명서에 서명한다는 건 제 삶에서 처음 있는 일이겠지만 … 하여튼 그럴싸한 형태로 둘러댈 수 있을 겁니다 … 만일 그러지 않으면 … 무슨 일이 생길지 모르니까요… 하지만 저는 그냥 그렇게 할 수는…'

'분명 선생은 그러실 수는 없을 겁니다.' 저는 그의 의도를 굳히기 위해서 거들었습니다. ('빨리빨리! 빨리빨리!' 제 머릿속에서 무언가가 이렇게 다그쳤습니다.) – '하지만 현재로는 선생이 그러시지 않는다면 살아 있는 한 남자에게 굴욕감을 주고 죽은 여자에게 끔찍한 상처를 입힌다는 걸 아시는 만큼 주저하지 않으시리라 믿습니다.'

그는 고개를 끄덕였습니다. 우리는 탁자로 갔습니다. 몇 분 후 진단서가 완성되었습니다. (이 진단서는 신문에도 실렸는데 신빙성 있게 심장마비를 사인으로 규정하고 있었습니다.) 그러고는 그는 일어나서 저를 보았습니다.

'선생은 이번 주 안에 출발하시겠지요?'

'제 명예를 걸고 약속드립니다.'

그는 다시 저를 보았습니다. 그가 엄격하고 사무적으로 굴려고 하는 게 느껴졌습니다.

'곧 관을 하나 준비시키겠습니다.' 당황함을 감추기 위해 그가 말했습니다. 하지만 제 모습이 너무도 … 너무도 끔찍하고 … 고통스러워 보였던 걸까요 – 갑자기 그는 제게 손을 내밀더니 진심으로 친구를 대하듯이 저와 악수를 했습니다.

'잘 버텨 내십시오.' 그가 말했습니다. 그 말이 무슨 뜻인지 저는 알 수가 없었습니다. 내가 병이 든 걸까? 내가 …미친 걸까? 저는 그와 함께 문으로 가서 열쇠로 문을 열어주고는 마지막 남은 힘으로 그의 뒤에서 문을 닫았습니다. 그러자 다시 머릿속이 윙윙댔고 모든 게 휘청대며 빙글빙글 돌았습니다. 저는 간신히 그녀의 침대 앞까지 와서는 쓰러졌습니다. … 아모크 상태에서 달리던 사람이 결국 만신창이가 되어서 의식을 잃고 쓰러지듯이 …그렇게… 그렇게…"

다시 그는 말을 멈추었다. 왠지 모르게 나는 오싹함을 느꼈다. 마침 아침 바람이 배 위로 솨솨 불어오는 탓일까? 그의 고통스러운 얼굴이 이제 새벽빛을 받아서 반쯤 보였다. 곧 그는 다시 마음을 다잡고 이야기를 계속했다.

"얼마나 오래 그렇게 돗자리에 누워 있었는지는 모르겠습니다. 그런데 무언가가 저를 건드렸습니다. 저는 벌떡 일어났습니다. 사환 녀석이 공손한 몸짓으로 주춤대며 제 앞에 서서는 쩔쩔매며 저를 바라보았습니다.

'들어오고 싶어 하는 사람이 하나 있어서요 … 부인을 보고 싶다는데…'

'아무도 들여보내선 안 돼.'

'네 … 하지만…'

그의 눈은 겁에 질려 있었습니다. 이 충실한 짐승은 무언가를 말하고 싶지만, 엄두가 나지 않아 괴로워하는 듯했습니다.

'대체 누구야?'

녀석은 매를 맞을까 봐 겁이 난 듯 떨면서 저를 보았습니다. 그러고는 … 어떤 이름을 댔습니다 … 어떻게 해서 이처럼 비천한 존재가 갑작스럽게 그토록 많은 것을 알 수 있을까요? 이처럼 아둔한 인간이 잠시나마 이루 표현할 수 없는 섬세한 감정을 갖는 게 어떻게 가능할까요? … 이윽고 녀석은 …몹시, 아주 몹시 겁내며 말했습니다…

'그분입니다.'

저는 놀랐고 즉시 이해했습니다. 그러고는 곧 이 미지의 남자를 보고 싶은 욕망에 달아올랐습니다. 한번 생각해보십시오, 저는 욕망과 불안과 조바심에 들떠 온갖 고통을 겪으면서도, … 놀랍게도 '그 남자'를 까맣게 잊고 있었으니 … 한 남자가 더 연루되어 있다는 사실을 잊은 겁니다. 여자가 사랑했던 남자 … 그녀는 저에게는 거절했던 것을 열정을 다해 그 남자에게 주었기에 … 12시간 전이라면, 24시간 전이라면 저는 그 남자를 증오했을 테고 박살을 내 버렸을 테지만 … 그런데 지금은 … 그를 보고 싶은 마음이 얼마나 강렬하던지요. 그녀가 사랑한 사람이었기에 … 그를 …사랑하고 싶을 뿐이었습니다.

단숨에 저는 문으로 돌진했습니다. 젊은, 새파랗게 젊은 금발의 장교가 서 있었습니다. 그는 아주 야위었고 아주 창백한 데다가 아주 어색해하는 모습이 마치 어린아이처럼 보였습니다. 맘이 뭉클할 만큼 …그토록 젊은 데다가 … 남자답게 굴려고, 자세를 흩트리지 않으려고 …흥분을 감추려고 애쓰는 모습에 저는 이루 말할 수 없이 마음이 아팠습니다. … 모자를 벗으려 할 때 양손이 떨리는 걸 보고는 … 그럴 수만 있다면 그를 끌어안고 싶은 마음뿐이었습니다. … 그는 제가 바라던 대로였으니까요. 이 여자를 소유한 남자가 이랬으면 하고 바란 그대로… 바람둥이도 아니었고 오만하지도 않은 데다가 … 절반은 소년인 남자, 이런 순수하고 보드라운 존재에게 그녀는 자신을 선물했던 겁니다.

젊은이는 당황해하며 제 앞에 서 있었습니다. 제가 열정적으로 달려와 맞아들이고는 열심히 들여다보는 바람에 그는 더욱 어쩔 줄 몰랐습니다. 입술 위의 앙증맞은 콧수염을 파르르 떨면서 … 이 애송이 장교는, 이 젊은이는 대놓고 훌쩍이지 않으려고 무진 애를 쓰고 있었습니다.

'실례를 용서하십시오.' 그가 드디어 입을 열었습니다. '××부인을 뵈었으면 … 합니다.'

저는 무엇에 홀리듯 생면부지 청년의 어깨에 팔을 두르고는 환자를 대하듯 그를 인도했습니다. 그는 놀라면서도 몹시 따듯하고 감사에 찬 시선으로 저를 보았는데 … 이 순간에 이미 우리는 서로가 한 운명임을 이해했던 듯합니다.… 우리는 죽은 여자에게로 갔는데 …그녀는 흰옷을 입고 흰 리넨에 싸여 누워 있었습니다. 제가 가까이 있으면 그가 더 힘들어하는 것 같기에 …저는 뒤로 물러셨습니다. 그는 천천히 … 떨리는 발걸음을 간신히 떼며… 다가갔는데 … 그의 어깨를 보니 그가 얼마나 격앙되어 고통스러워하는지 알겠더군요. … 그는 마치 … 무시무시한 폭풍을 향해 다가가는 사람처럼 …그렇게 걸어가더니 …그러더니 갑자기 침대 앞에서 무릎을 꿇고 쓰러졌습니다 … 제가 그랬듯이 똑같이 무너져내린 겁니다.

저는 즉시 달려가서 그를 일으키고는 안락의자에 앉혔습니다. 그는 더는 부끄러워하지도 않고 마구 흐느끼면서 자신의 고통을 쏟아냈습니다. 저는 아무런 말도 할 수 없었고 손을 뻗어서 그의 솜털처럼 보드라운 금발 머리를 쓰다듬기만 했습니다. 그는 제 손을 … 살며시 불안에 떨며 움켜쥐더니 … 돌연 저를 빤히 보면서 더듬대며 물었습니다. … '제게 진실을 말해주십시오, 선생님. 부인이 스스로 이렇게 한 건가요?'

'그렇지 않습니다.' 제가 말했습니다.

'그렇다면 …그게 아니라면 … 누군가 …누군가가 잘못을 범해서 부인이 죽게 된 겁니까?'

'그렇지 않습니다.' 전 이렇게 말하긴 했지만, 마음속으로는 그를 향해 소리 지르고 있었습니다. '내가 그랬소! 내가! 내가 말이오! … 그리고 당신이! … 우리 둘이 그런 거요! 그리고 그녀가 고집을, 고집을 부려 불행을 자초한 탓이오!' 하지만 저는 자제했습니다. 그러고는 다시 한번 말했습니다. '아닙니다. … 그 누구의 잘못도 아니고 … 그저 운명의 장난입니다!'

'저는 도저히 믿을 수가 없습니다.' 그가 신음했습니다. '믿을 수가 없어요. 그녀는 그저께 무도회에 왔었습니다. 제게 미소 짓고

손을 흔들었지요. 어떻게 이럴 수가 있습니까, 무슨 일이 있었던 겁니까?'

저는 거짓말을 길게 늘어놓았고 그에게도 그녀의 비밀을 털어놓지 않았습니다. 그날부터 우리는 형과 아우처럼 항상 함께하며 이야기를 나누었습니다. 우리를 연결하는 어떤 감정에 휩싸였다고나 할까요 … 우리는 그 감정을 상대에게 털어놓지 않았지만, 우리의 삶 전부가 이 여자에 달려 있었음을 둘 다 느끼고 있었고 … 몇 번 진실이 입 밖으로 튀어나올 뻔했지만 그럴 때마다 저는 이를 악물고 참았습니다. 그녀가 그의 아이를 가졌고 … 제가 그 아이를, 그의 아이를 죽여야 할 처지였는데 결국은 그녀가 아이와 함께 파멸의 길을 갔다는 사실을 그는 전혀 알지 못했습니다. 하지만 우리는 지난 며칠 동안 오직 그녀에 관해서만 이야기했습니다. 저는 그의 숙소에 숨어 있었는데 … 왜냐하면 – 이걸 말하는 걸 그만 잊어버렸군요 – 저는 수색 대상이었습니다. …

그녀의 남편은 관이 이미 닫힌 후에야 도착해서는 … 사망진단서를 믿으려 하지 않았고 … 사람들은 온갖 얘기를 수군댔고 … 남편은 저를 만나려 했습니다… 하지만 저는 그 남자를 보는 걸 견딜 수가 없었습니다. 그녀가 그와 살면서 고통을 겪었음을 알고 있었으니까요. …저는 숨어서… 나흘을 밖에 나가지 않았습니다. 우리 둘은 집 밖으로 나가지 않았습니다 … 그녀의 연인은 제가 도망갈 수 있게끔 저를 위해 가짜 이름으로 배의 선실을 예약해 주었습니다. … 아무도 저를 알아보지 못하게끔 저는 도둑처럼 한밤중에 배로 기어들었습니다. …제가 가진 모든 것을 남겨둔 채로 … 7년에 걸친 노동의 결실인 저의 집과 제 모든 재산은 지금 누구라도 가져갈 수 있게 방치된 데다가 … 제가 휴가를 받지도 않고 근무지를 이탈했기 때문에 행정부처의 신사들은 저를 파면했을 겁니다. … 하지만 그 집과 그 도시와 ……이 세상은 모두 그녀를 기억나게 했기에 저는 거기서 더는 살 수가 없어서 …그래서 도둑처럼 한밤중에 도망쳤습니다 … 그녀에게서 벗어나려고 …어떻게든 잊으려고…

그러나 …제가 배에 도착했을 때 … 밤에… 자정 무렵… 제 친구와 함께 와 보니 … 그때… 그때 … 무언가가 기중기로 들어 올려지고 있었고 … 직사각형의 검은 물체였는데… 그녀의 관이었습니다 … 아시겠습니까, 그녀의 관이었다고요 … 제가 전에 그녀를 쫓았다면 이제 그녀가 저를 여기까지 쫓고 있었습니다. … 저는 낯선 사람인 양 지켜보아야 했습니다. 그가, 그녀의 남편이 옆에 있었으니까요… 그는 관을 영국으로 운송하도록 했는데 … 아마 거기서 부검시키기 위해서겠지요 …그가 그녀를 차지한 겁니다 … 이제 그녀는 다시 그의 것이 되어 있었고 … 더는 우리의, 우리의… 우리 둘의 것이 아닙니다… 하지만 저는 아직 살아 있으니… 마지막 순간까지 그녀와 함께 할 겁니다. … 그는 비밀을 알아내지 못할 겁니다 …알아낼 수 없습니다. … 저는 누가 어떤 시도를 하더라도 거기에 맞서 …그녀를 죽음으로 몰아넣은 악당에 맞서 … 그녀의 비밀을 지켜낼 것입니다. 아무것도, 아무것도 그는 알아내지 못할 겁니다 … 그녀의 비밀은 제 것이니까요. 오직 저만의 것이니…

이제 이해하십니까… 이제 이해하시냐고요… 왜 제가 사람들을 보려고 하지 않는지… 남녀가 시시덕대고 어우러져서 … 낄낄 웃어대는 소리를 들으려 하지 않는지를 … 저 아래 …저 아래 창고에는 차茶 뭉텅이와 브라질너트 사이에 관이 놓여 있으니까요. … 창고가 잠겨 있어서 그리로 갈 수는 없지만 … 하지만 제 모든 감각은 그 사실을 알고 있으며 … 왈츠와 탱고가 울려 퍼진다 해도 … 매 순간 그 사실을 알고 있습니다 … 저기 저 바다는 수백 만의 시체를 몰고 다니며 우리가 딛고 다니는 땅은 어디든 썩어가는 시체를 한 뼘 당 하나는 품고 있다고 생각하면 어리석기 그지없지만 ……하지만 저는 참을 수가 없습니다. 가면무도회를 즐기는 사람들이 음탕하게 웃는 걸 참을 수가 없을 만큼… 죽은 여자의 존재를 느낍니다. 그녀가 제게 무얼 원하는지 알고 있습니다. …알고말고요. 제게는 아직 의무가 하나 남아 있어서… 아직은 끝을 낼 수가 없습니다… 그녀의 비밀은 아직 안전하지 않으니까요… 그녀는 저를 아직 놓아주지 않고 있다고요 …"

배의 중앙부에서 발걸음 소리와 쿵쾅대는 소리가 들렸다. 선원들이 갑판을 청소하기 시작했다. 그는 정신이 번쩍 든 듯이 튀어 올랐다. 그의 일그러진 얼굴에는 불안한 기색이 역력했다. 그는 일어서더니 중얼댔다.

"저는 이만 가보겠 … 이만 가보겠습니다."

그를 보자니 마음이 아팠다. 그의 시선은 비탄에 빠져 있었고 그의 퉁퉁 부은 눈은 술에 취해서인지, 울어서인지 핏발이 서 있었다. 내 연민을 뿌리치며 움츠리는 그의 모습에서는 수치심이 느껴졌다. 밤새 자신의 속내를 내게 털어놓은 게 수치스러웠을 것이다.

나는 본능적으로 이렇게 말했다.

"제가 오후에 당신 객실로 찾아가도 되겠습니까?"

그는 나를 보았다 – 그의 입은 비웃는 듯 싸늘하고 경멸에 찬 표정을 지었고, 입에서 나오는 모든 말은 악의에 차서 뒤틀려 있었다.

"아하 …당신이 말한 멋들어진 의무인가요, 도와야 할 의무 … 아하 … 당신은 그런 명언을 지껄여서 제가 수다를 떨게 만드는 데 성공했습니다. 하지만 이제는 그런 건 사양하겠습니다. 저는 제 오장육부를 모조리, 제 대장 안에 든 배설물까지 당신에게 까발렸지만 그렇다고 해서 제 마음이 가벼워졌다고 착각하지는 마십시오. 제 삶은 엉망진창이 되었고 그 누구도 그걸 땜질할 수 없으니 … 저는 명예로운 네덜란드 정부에 봉사했지만 아무런 대가를 받지 못하게 됐습니다. … 연금은 날아갔고 빈털터리로 유럽으로 돌아가는 중이니 … 훌쩍대며 관을 쫓아가는 개 같은 신세라고나 할까… 아모크 상태에서 내달리는 사람은 머지않아 벌을 받게 마련이라서 결국에는 한 방에 푹 쓰러지지요. 저는 제가 곧 끝장나기를 바랄 뿐이라서 … 당신은 친절하게도 저를 방문하시겠다지만 사양하겠습니다… 선실에는 이미 제 친구가 있으니까요. …해묵은 위스키 몇 병이 종종 저를 위로해 주고 거기다가 지난 세월을 같이 한 충실한 친구가 하나 있습니다. 제가 제때 그 친구를 찾지 않은 것이 안타까울 뿐입니다. 브라우닝 권총 말입니다 … 암만 수다를 떨어봤자 결국 도움이 되는 건 그 녀석이니 … 부디 쓸데없이 애쓰지 마십시오… 사람이 갖는 유일한 권리는 원하는 대로 뒈지는 것이고… 돕겠다고 나선 낯선 사람한테 방해받지 않는 겁니다."

그는 다시 한번 나를 조롱하듯이 … 도발적으로 보았다. 하지만 그가 그러는 건 수치스러워서, 너무나도 수치스러워서임을 난 느꼈다. 그는 곧 어깨를 움츠리고는 인사도 없이 돌아서더니 기묘하게 구부정한 자세로 이미 환해진 앞 갑판을 지나 선실을 향해 힘없이 걸어갔다. 나는 그를 다시는 보지 못했다. 밤마다 그 자리에서 그를 찾았지만 헛일이었다. 그는 사라져버렸다. 승객 중에 팔에 상장을 두른 한 남자가 눈에 띄지 않았더라면 내가 꿈을 꾸었거나 환상 속에서 헛것을 보았다고 여겼을 것이다. 네덜란드 사업가인데 얼마 전에 부인이 열대병으로 사망했다고 사람들이 알려주었다. 그는 진지하고 괴로운 표정으로 다른 사람들과 떨어져 거닐고 있었다. 내가 그의 가장 은밀한 근심을 알고 있다고 생각하니 묘하게도 주눅이 들었다. 그가 맞은 편에서 올 때면 나는 늘 옆으로 피했다. 내가 그의 운명에 대해 당사자보다 더 많은 것을 알고 있음을 눈빛으로 드러낼까 봐서였다.

그러고는 나폴리 항에서 앞서 말한 기이한 사고가 일어났는데, 나는 낯선 사람이 들려준 이야기에 사고를 설명할 단서가 있다고 믿는다. 승객 대부분은 저녁에 하선했다. 나 역시 오페라를 보러 갔고 그러고 나서는 시내의 환히 불 밝힌 카페에 머물렀다. 노젓는 배를 타고 증기선으로 돌아오니 횃불과 아세틸렌 램프를 밝힌 소형 선박 몇 척이 우리 배를 뱅 둘러싸고 무언가를 찾고 있는 게 눈에 들어왔다. 어둑한 배에서는 경찰관들과 헌병들이 슬금슬금 돌아다녔다. 나는 한 선원에게 무슨 일이냐고 물어보았다. 그가 질문을 피하는 거로 보아서 함구령이 내려진 게 분명했다. 다음 날 배는 다시 평화롭게 아무런 일도 없었다는 듯이 제노바를 향해 떠났고 나는 아무것도 알아낼 수 없었다. 나중에 나는 이탈리아 신문에서 나폴리 항구에서 발생한 사고를 낭만적으로 각색한 기사를 읽었다. '그날 밤 네덜란드 식민지에서 살던 귀부인을 실은 관이 증기선에서 소형 선박으로 옮겨질 예정이었다. 인적이 드문 시간이었던 까닭은 승객들이 이런 광경을 보고 심란해하지 않도록 하려는 배려였다. 관은 부군의 입회하에 줄사다리에 실려 내려가는 중이었는데 갑판 위쪽에서 뭔지 모를 묵직한 것이 떨어지며 관을 바다 깊이 내리박았다. 관을 끌어내리던 인부들과 그들을 돕던 부군도 덩달아 바다에 빠졌다.' 다른 신문은 어떤 미치광이가 계단을 곤두박질치다가 줄사다리를 덮쳤다고 주장했고, 또 다른 신문은 사다리가 과다한 무게를 견디지 못해 저절로 끊어졌다고 썼다. 어쨌든 선박회사는 정확한 사정을 감추려고 모든 노력을 다한 듯했다. 바다에 빠진 인부들과 고인의 남편은 어렵사리 구조되었지만, 납으로 된 관은 곧장 바다 깊숙이 가라앉는 바람에 건져 올릴 수가 없었다. 마흔 가량의 남자 시체가 항구로 떠밀려 왔다는 짧은 기사가 같이 실려 있었는데, 다들 이 기사가 낭만적인 사고를 다룬 기사와 연관이 있다고는 전혀 보지 않는 듯했다. 하지만 그 짤막한 기사를 읽자마자 문득 신문지 뒤에서 달처럼 창백한 유령 같은 얼굴이 번뜩이는 안경 너머로 나를 다시금 노려보는 듯했다.

책벌레 멘델

■■■

빈에 머물 때 일이다. 나는 변두리 지역을 방문한 후 돌아가는 길에 갑자기 소나기를 만났다. 세차게 내려치는 빗줄기에 쫓긴 사람들은 급히 건물 입구나 처마 밑으로 달음박질쳤고 나 역시 서둘러 비를 피할 장소를 찾았다. 다행히 빈에는 어디든 커피숍이 있기에 바로 맞은편에 있는 가게로 들어갔다. 이미 모자에서는 물이 뚝뚝 떨어지고 있었고 어깨도 흠씬 젖어 있었다. 들어가 보니 판에 박은 듯한 옛날식 변두리 커피숍이었다. 독일을 본떠서 만든 시내의 뮤직홀과는 달리 값싼 최신 유행품으로 꾸미지 않은, 고풍스러운 부르주아 풍의 빈 카페였고 평범한 손님들이 가득했다. 케이크를 먹는 이들보다는 신문을 읽는 사람들이 더 많았다. 저녁 무렵이라 워낙 탁한 공기는 동글동글한 파란 담배 연기 때문에 뿌옇게 얼룩져 있었지만, 새로 장만한 듯한 벨벳 소파와 알루미늄으로 만든 계산대 덕분에 커피숍은 말쑥해 보였다. 급히 들어오느라 가게의 이름을 읽어보지도 않았다. 그럴 필요가 없지 않은가? 나는 따뜻한 가게에 앉아서 이 성가신 비가 몇 킬로 저편으로 옮겨가기를 기다리며 초조하게 빗물이 흘러내리는 창을 바라보고 있었다.

그렇게 하릴없이 앉아 있으려니 어느새 나른한 기분에 빠져들었다. 빈의 토박이 커피숍들은 취한 듯 몽롱하게 만드는 공기를 슬며시 뿜어내곤 한다. 이런 멍한 느낌으로 사람들을 하나하나 들여다보았다. 흡연실의 인공조명 탓에 눈 주위에 회색 그늘이 져서인지 다들 환자처럼 보였다. 계산대에 선 여직원이 기계적인 동작으로 커피잔 하나하나에 각설탕과 티스푼을 얹어서 웨이터에게 넘기는 것을 보다가 벽에 붙은 싸구려 포스터를 반쯤 잠든 상태로 무심히 읽어도 보았다. 이렇게 멍청히 있는 게 편안하기까지 했다. 그런데 희한하게도 나는 비몽사몽 하던 상태에서 갑자기 끌려 나왔다. 내 안에서 무언가가 불안하게 꿈틀대기 시작했다. 가벼운 치통을 느끼면 아픈 데가 오른쪽인지 왼쪽인지, 윗니인지 아랫니인지 아직 모르는 것처럼 나 역시 무언지 모를 긴장감과 불안감을 느낄 뿐이었다. 갑자기 – 까닭은 알 수 없으나 – 오래전에 여기 온 적이 있으며 이 벽과 의자와 탁자와 담배 연기 자욱한 공간에 어떤 기억이 얽혀 있음을 깨달았기 때문이다.

하지만 기억을 끄집어내려고 하면 할수록 기억은 심술궂게도 미끄덩대며 뒤로 물러섰다. 마치 의식 가장 깊숙이에서 해파리가 빛을 발하고 있지만, 그것을 움켜쥐고 끌어올릴 수는 없는 상황이라고나 할까. 나는 온갖 물건들을 차근차근 들여다보았지만 허사였다. 물론 몇 가지는 처음 보는 것이었다. 예를 들어 따르릉 소리를 내는 자동기계가 부착된 계산대와 장미목처럼 보이게 만든 갈색 벽지 등은 본 적이 없었다. 하지만 분명 나는 20년 전이나 그보다 더 전에 여기에 온 적이 있었다. 이곳에는 나의 일부가, 오랜 세월에 파묻혀버린 나의 일부가 마치 나무에 박힌 못처럼 보이지 않게 숨어 있는 게 분명했다. 나는 내 모든 감각을 힘껏 뻗쳐서 이 공간과 나의 내부를 샅샅이 들쑤셔보았다. 하지만 젠장! 기억이 내 안에 매몰되어 사라졌는지, 도무지 실마리를 잡을 수 없었다.

짜증이 났다. 사람들은 무언가를 해내지 못하면 자신의 지적 능력이 부족하고 불완전하다는 걸 통감하면서 짜증을 내곤 한다. 하지만 나는 기억을 되찾겠다는 희망을 버리지 않았다. 사소한 단서 하나만 있으면 충분했기 때문이다. 내 기억력은 희한한 모양새를 하고 있어서 좋다고도 할 수 있고 나쁘다고도 할 수 있다. 말을 안 듣고 고집을 부리다가도 어느새 믿기 어려울 만큼 정확하게 옛일을 되살리곤 한다. 나의 기억은 어떤 사건이나 사람의 얼굴, 읽은 내용이나 경험한 것 중에서 가장 중요한 부분을 맨 밑바닥의 암흑지대에 쟁여놓고는 아무리 의지로 다그쳐도 암흑세계에 있는 것을 단 하나도 자발적으로 내어놓지 않기 일쑤이다. 하지만 그림엽서 한 장이나 편지 봉투에 적힌 글씨 몇 자나 색이 바랜 신문지 같은 지극히 사소한 단서 하나만 있으면 잊고 있던 것들이 곧장 낚싯바늘에 걸린 물고기처럼 어두운 물을 박차고 솟아올라서는 꿈틀대며 모습을 드러내곤 한다. 그러면 나는 어떤 사람을 아주 세세하게 기억해낼 수 있다. 그의 입 모양새는 물론이고, 웃을 때 왼편에 이빨이 빠진 틈이 보이며 웃음소리는 거칠며 웃을 때 콧수염이 꿈틀댄다는 게 기억나며 그가 웃으면 전혀 다른 얼굴로 변한다는 것까지 기억난다. 그렇게만 되면 곧 전체 모습이 아주 생생하게 떠오르고 몇 년 전에 그가 내게 했던 말들이 죄다 생각난다. 하지만 내가 지나간 일들을 감각적으로 보고 느끼기 위해서는 항상 구체적인 자극이 필요하며 현실로부터의 작은 도움이 필요하다. 그래서 나는 좀 더 집중해서 숙고하기 위해서, 신비로운 낚싯바늘을 빚어내기 위해서 눈을 감았다. 하지만 허사였다. 이번에도 허사라니! 모든 것이 망각 속에 파묻혔단 말인가! 내 두개골 속에 있는 한심하고 고집스러운 기억 장치가 너무도 괘씸해서 내 이마를 주먹으로 갈기고 싶은 심정이었다. 망가진 자동판매기가 돈만 삼키고 원하는 것을 내어주지 않을 때 자동판매기를 부여잡고 흔들 듯이 말이다. 기억을 되살리는 데 실패했다는 게 화가 나서 더는 조용히 앉아 있을 수가 없었다. 울분을 가라앉히려고 일단 일어섰다.

그런데 신기하게도 가게를 몇 발짝 거닐자마자 마치 도깨비불이 가물대며 깜박이는 듯하더니 머릿속이 환히 개이기 시작했다. 계산대 오른쪽으로 가면 창 없이 인공조명으로만 밝힌 방이 있을 거라고 기억이 말했다. 정말 그랬다. 조금 침침한 장방형의 뒷방은 오락실이었는데 벽지는 전과 달랐지만 다른 것들은 옛날 그대로였다. 눈 가는 대로 거기 있는 물건들을 하나하나 보고 있자니 기뻐서 신경이 우쭐댔다. 곧 모든 걸 알게 되리라는 느낌이 왔다. 당구대 두 대가 잠잠한 초록의 늪처럼 빈둥대고 있었고 구석에는 게임용 탁자가 몇 개 웅크리고 있었다. 한 탁자에서는 추밀고문관이나 대학교수인 듯한 남자 둘이 체스를 두고 있었다. 철제 난로 바로 옆 구석, 전화박스로 가는 길목에는 작은 사각 탁자가 하나 있었다. 순간 머릿속에서 섬광이 번득였다. 뭉클한 충격이 격하게 몰려오며 나는 다행히도 단번에, 단번에 알아차렸다. 이럴 수가, 이건 멘델의 자리야. 야코프 멘델, 책벌레 멘델, 내가 20년 만에 알저 거리 위편에 있는 그의 아지트 카페 글루크로 다시 왔구나! 야코프 멘델, 내가 어떻게 그를 이토록 오랫동안 잊을 수 있었단 말인가! 그는 괴짜 중의 괴짜였고 전설적인 인물이었다. 다시없을 기적과도 같은 존재였던 멘델은 대학교수들과 소수의 숭배자에게 명성이 자자했다. 내가 그를 기억해내지 못했다는 게 말이나 되는가! 책의 마법사이며 중개인인 멘델은 여기서 매일 아침부터 저녁까지 줄곧 머물면서 지식의 상징으로 카페 글루크에 명성과 명예를 가져다주지 않았던가!

잠시 눈을 감고 내 안으로 시선을 돌리자마자 금세 그의 모습을 너무도 또렷하고 생생하게 그려낼 수 있었다. 곧 그가 언제나처럼 회색 대리석 판을 얹은 사각 탁자 앞에 앉아서 책과 인쇄물을 가득 쌓아놓고 있는 게 보였다. 그는 의연하고 꿋꿋이 거기 앉아서 최면에라도 걸린 듯 안경 낀 눈으로 책을 뚫어져라 보고 있었고 뭔가를 읽을 때면 노래를 부르듯 웅얼대며 몸과 엉성히 손질한 대머리를 앞뒤로 흔들었다. 동유럽 유대인의 초등 교육기관인 헤데르를 다니며 얻은 습관이었다. 그는 책과 팸플릿을 항상 이 탁자에서 읽었는데 탈무드 학교에서 독서법을 배운 사람답게 읽은 것을 나직이 읊조리며 몸을 흔들 때면 시커먼 요람이 넘실대는 듯했다. 어린아이들은 일정한 박자로 흔들리는 요람 안에서 세상모르고 곤한 잠에 빠져든다. 신심이 깊은 유대인들은 마찬가지 원리로 몸을 느긋이 흔들면 정신 역시 명상의 상태로 쉽사리 빠져드는 은총을 누릴 수 있다고 여겼다. 정말로 야코프 멘델은 주위에서 일어나는 일들을 보지도 듣지도 않았다. 옆에서는 당구를 치는 사람들이 웅성대며 시비를 벌였고 점수를 매기는 사람들이 오갔으며 전화벨이 울렸고 일꾼이 바닥을 청소하고 난로에 불을 땠지만, 그는 전혀 알아채지 못했다. 한번은 불붙은 석탄이 난로에서 튀어나와서는 그의 자리에서 두 발짝 떨어진 나무 바닥을 그슬리며 연기를 뿜어댔다. 그제야 고약한 냄새를 맡은 한 손님이 위험하다는 걸 알아채고 달려들어서 급히 불을 끄려 했다. 하지만 정작 딱 두 발짝 거리에 있는 멘델은 연기에 눈이 따가웠을 텐데도 아무것도 모르고 있었다. 책을 읽고 있었기 때문이다. 다른 이들이 기도나 도박에 흠뻑 빠져들 듯이, 주정뱅이가 넋을 잃고 허공만 응시하듯이 멘델은 감동적일 만치 몰입해서 책을 읽었다. 그를 알고 난 이후 다른 사람들의 책 읽기가 저속하다고 여길 정도였다. 청년 시절 나는 갈리치아 출신의 자그마한 책 장수 야코프 멘델에게서 처음으로 완벽한 집중이라는 위대한 비밀을 목격했다. 이 비밀을 알아야 예술가와 학자가 될 수 있고, 진정한 현자 혹은 아예 미친 사람이 되기도 하니, 완벽히 몰입한다는 일은 행복과 불행이 함께 하는 비극이라 하겠다.

나를 그에게 데리고 간 이는 대학 시절의 선배이자 동료였다. 당시 나는 파라켈수스 학파의 의사이며 자기磁氣 치료사인 메스머(오늘날에는 거의 잊힌 인물이다)에 대한 연구를 하느라 쩔쩔매고 있었다. 그에 관한 참고 문헌이 부족했기 때문이다. 순진한 풋내기답게 도서관 사서에게 도움을 청했지만 사서는 문헌 조사는 내가 할 일이지 자기가 할 일은 아니라고 퉁명스럽게 쏘아붙였다. 그때 앞서 말한 동료가 처음으로 멘델의 이름을 언급했다. "멘델을 소개해 줄게." 그가 내게 약속했다. "멘델은 모르는 게 없고 무엇이든 구해내거든. 독일에서 가장 외진 헌책방에 파묻혀 있는 거의 알려지지 않은 책을 구해올 수 있을 정도라니까. 빈에서 가장 유능하고 게다가 괴짜야. 멸종 위기에 있는 애서가 중에서도 선사시대의 공룡 같은 존재라네."

그렇게 우리 둘이 카페 글루크로 갔더니 거기 책벌레 멘델이 앉아 있었다. 검은 옷에 안경을 쓰고 헝클어진 수염을 늘어트린 채 책을 읽으면서 몸을 흔드는 모습이 바람에 나부끼는 검은 덤불 같았다. 우리가 다가가도 그는 알아채지 못했다. 여전히 책을 읽으며 꼭두각시 인형처럼 상체를 앞뒤로 흔드는 바람에 그의 뒤에서는 못에 걸린 낡은 검정 외투가 팔랑대고 있었다. 외투 주머니는 신문과 쪽지들로 불룩했다. 우리가 왔다는 걸 알리려고 동료가 헛기침을 크게 했다. 하지만 멘델은 두꺼운 안경을 책에 바짝 들이댄 채 아무것도 눈치채지 못했다. 결국, 내 동료는 마치 문에 노크하듯이 탁자를 힘껏 탕탕 두드렸다. 그제야 멘델은 우리를 올려다보며 손에 익은 동작으로 투박한 금속 테 안경을 이마 위로 급히 밀어 올렸다. 제멋대로 뻗친 잿빛 눈썹 밑에 자리한 독특한 두 눈이 우리를 응시했다. 작고 검은 눈은 초롱초롱했고 날렵하게 이리저리를 훑는 게 꼭 뱀의 혀 같았다. 내 동료는 나를 소개했고 나는 그에게 내 용건을 밝혔다. 먼저 동료가 귀띔해준 대로 짐짓 화난 척하며, 아무런 도움도 주지 않으려는 사서를 비난하는 전략으로 시작했다. 멘델은 몸을 뒤로 젖히더니 조심스럽게 침을 뱉었다. 그러고는 짧게 웃더니 강한 동유럽 악센트로 말했다. "주지 않으려고 했다고요? 줄 수가 없었겠지요! 멍청이에다가 비루먹은 개처럼 한심한 친구니까요. 20년 전부터 아는 사람인데 그동안 아무것도 배운 게 없다니까요. 월급 챙기는 거 말고는 할 줄 아는 게 없는 사람투성이예요. 배웠다는 사람들이 그 꼴이니 원, 책 앞에 멍청히 앉아 있느니 벽돌이라도 날라야 할 거요."

그가 이처럼 소탈하게 속내를 털어놓으니 서먹한 분위기가 금세 가셨다. 그는 인심 좋게 나를 대리석 탁자 맞은편에 앉으라고 손짓했다. 나는 아직 몰랐지만, 쪽지들로 가득 덮인 네모난 탁자는 애서가가 계시를 경청하는 제단이었다. 나는 그에게 서둘러 자기 치료법에 대한 당대의 저서들과 메스머에 대한 찬반 의견이 담긴 후세의 문헌들이 필요하다고 설명했다. 내가 말을 마치자마자 멘델은 잠시 왼쪽 눈을 찡긋 감았는데 그것은 바로 사수가 총을 쏘기 직전의 모습이었다. 딱 일 초를 이처럼 집중하더니 이내 보이지 않는 카탈로그를 줄줄 읽어내리듯이 서른 권가량의 책들을 거침없이 언급했다. 책 하나하나의 발간 장소와 발간 연도, 대략의 가격까지 알려 주었다. 나는 어안이 벙벙했다. 어느 정도 예상은 했지만, 이 정도일 줄은 몰랐다. 내가 놀라움을 감추지 못하자 그는 기분이 좋아졌는지, 당장 자신의 기억을 총동원해서 나의 주제에 관련된 문헌들을 소재로 황홀한 변주곡을 연주하기 시작했다. 그는 내게 몽유병과 최초의 최면 실험에 대해서 알고 싶은지, 가스너의 엑소시즘과 크리스천 사이언스, 마담 블라바츠키에 대해서도 관심이 있는지 등등을 물었다. 이번에도 역시 무수한 인명들과 책 제목들과 책에 대한 설명이 줄줄이 이어졌다. 이제야 내가 야코프 멘델이라는 다시없을 기억력의 천재를 마주하고 있음을 깨달았다. 진정 그는 걸어 다니는 백과사전이자 카탈로그 총서와 다름없었다. 갈리치아 출신의 볼품없고 꾀죄죄하기까지 한 왜소한 책 장수 안에 서지학의 천재가 숨어 있다니, 나는 넋을 놓고 그를 뚫어져라 보았다. 그는 내게 대략 80명의 이름을 쏟아낸 후 덤덤한 척했지만, 비장의 무기를 마음껏 펼쳐 보인 것을 흡족해하며 원래는 하얀색이었을 손수건을 꺼내 안경을 닦았다. 나는 놀라움을 조금 감추려고, 그가 언급한 책 중에 어떤 것을 구해줄 수 있느냐고 조심스럽게 물었다.

"흠, 어떻게 될지는 두고 봐야죠." 그가 중얼거렸다 "내일 다시 오세요. 몇 가지는 구해놓을 테니까요. 바로 찾을 수 없는 것은 다른 데서 찾아야지요. 감을 잡으면 운도 따르거든요."

나는 정중히 그에게 고맙다고 하고는 내 딴에는 친절을 베풀려다가 그만 큰 실수를 저지르고 말았다. 필요한 책들의 제목을 쪽지에 적어주겠다고 제안했는데 순간 동료가 팔꿈치로 나를 쿡 찌르는 걸 느꼈다. 하지만 때는 이미 늦었다. 멘델은 묘한 눈빛으로 나를 보았는데 – 정말이지 잊을 수 없는 눈빛이었다! – 승리감을 만끽하면서도 모욕감을 느끼는 자, 냉소와 우월감을 함께 느끼는 자만이 지을 수 있는 그 눈빛은 한마디로 제왕다웠다. 패배를 모르는 영웅 맥베스가 멕더프로부터 싸움을 멈추고 항복하라는 황당한 요구를 들었을 때의 눈빛을 셰익스피어가 묘사한 것을 떠올리면 될 것이다. 그러고 나서 그는 잠시 웃었는데 큼직한 목젖이 희한하게 이리저리 요동치는 거로 보아 거친 말이 나오려는 걸 애써 꿀꺽 삼킨 듯했다. 선량하고 고지식한 멘델, 그로서는 온갖 거친 말을 할 만했다. 다른 사람도 아닌 야코프 멘델에게 서점의 수습직원이나 도서관의 하급 직원에게 하듯이 책의 제목을 적어주겠다는 모욕적인 제안을 하는 사람은 아무것도 모르는(그의 표현을 빌자면 '골이 텅 빈') 문외한 말고는 없었을 것이다. 다이아몬드처럼 출중한 두뇌로 책을 꿰고 있는 그가 단 한 번이라도 그런 조야한 보조수단을 썼을 리가 없지 않은가!

나중에야 그 유별난 천재가 나의 정중한 제안에 얼마나 감정이

상했을지 이해가 됐다. 야코프 멘델은 주름진 얼굴에 수염이 더부룩했고 구부정하기까지 한 갈리치아 출신의 왜소한 유대인이었지만, 기억력에 관한 한 거인이었다. 잿빛 먼지로 뽀얗게 덮인 널찍한 이마 뒤에는 책 표지에 인쇄된 적이 있는 모든 인명과 제목이 마치 금속활자로 찍어놓은 듯 보이지 않게 씌어 있었다. 그는 어제 나온 책부터 200년 전에 나온 책까지 모든 책의 발간 장소와 저자, 새로 살 경우와 헌책으로 살 경우의 가격을 곧장 기억해낼 뿐 아니라 어떤 책이건 장정과 삽화와 부록 사본까지 눈으로 보듯 정확하게 기억해냈다. 몸소 손에 쥐었던 책들 뿐 아니라 진열대나 도서관에 있는 걸 멀리서 흘깃 본 책들까지도 죄다 또렷한 모습으로 떠올릴 수 있었다. 작품을 창조하는 예술가가 다른 사람들이 볼 수 없는 형상을 자기 안에서 보듯이 말이다. 가령 어떤 책이 레겐스부르크의 헌책방 카탈로그에 6마르크로 나온 경우, 그는 즉시 똑같은 책이 2년 전 빈의 경매에서 4크로네에 팔렸으며 누가 그 책을 샀는지를 기억해냈다. 이렇듯 야코프 멘델은 책 제목이나 발간 연도를 잊는 적이 절대 없었다. 책으로 이루어진 우주가 끝없이 진동하고 계속 뒤흔들릴지라도 그는 이 우주에 존재하는 모든 식물과 벌레와 별들을 알고 있었다. 모든 분야에서 전문가를 능가하는 지식을 가졌고 사서보다도 더 훤히 도서관을 꿰뚫고 있었으며 대부분의 출판사의 재고품을 그 출판사의 대표보다 더 잘 파악하고 있었다. 대표들이야 메모와 색인에 의존했겠지만, 그는 그런 것 없이 마법과도 같은 기억력만으로 그들을 능가했다. 그의 다시없을 기억력을 입증하는 예는 차고 넘친다.

물론 그의 기억력이 인간의 경지를 넘은 정확성을 익히고 갖추게 된 비결이 딱 하나 있었는데 그것은 모든 완벽성에 내재한 영원한 비밀로, 다름 아닌 집중이었다. 이 기이한 인물은 책 말고는 세상에 대해 아는 게 아예 없었다. 그는 존재하는 모든 현상이 활자화되어서 책 속에 담겨야만, 다시 말해 그렇게 살균소독을 거쳐야만 그것을 현실로 받아들였다. 게다가 그는 책을 읽어서 거기 담긴 의미나 지적 내용, 스토리를 이해하려고 하지조차 않았다. 그가 열렬히 관심을 두는 것은 책의 제목과 가격, 겉모습과 표지뿐이었다. 중고서적에 특화된 야코프 멘델의 기억력은 어떤 포유동물이 도서 카탈로그에 기록된 수십만 개의 인명과 제목을 자신의 대뇌피질에 새겨놓은 것에 불과했기에 궁극적으로는 비생산적이고 비창조적이었다. 하지만 그의 기억력은 타의 추종을 불허하는 완벽한 경지에 이르렀다는 점에서 사람의 얼굴을 기억하는 나폴레옹, 수많은 언어를 구사하는 메초판티, 수많은 체스 오프닝을 기억하는 라스커, 숱한 음악 작품을 기억하는 부소니 등의 능력에 못지않은 일대 사건이었다. 대학에서 가르치는 공적인 지위에 있었더라면 멘델은 그 두뇌로 1,000명 아니 10만 명의 학생들과 학자들에게 가르침을 주었을 테고 그들의 감탄을 받으며 학문의 발전에 기여했을 것이다. 그의 존재는 우리가 도서관이라 부르는 공공의 보물창고에 더할 나위 없는 이익이 되었을 것이다. 그러나 이러한 높은 세계는 탈무드 학교 외에는 다니지 않은 왜소하고 학벌 없는 갈리치아의 책 장수에게는 영원히 닫혀 있었다. 그래서 그의 환상적인 능력은 카페 글루크의 대리석 탁자에서 신비한 학문으로만 영향력을 행사할 수 있었다. 하지만 언젠가 위대한 심리학자가 등장해서 (이런 일을 정신세계에 종사하는 우리는 여전히 기다리고 있다) 일찍이 뷔퐁• 이 인내와 끈기로 동물들의 변종을 정리하고 분류한 것처럼, 우리가 기억이라 부르는 마법의 힘을 대상으로 삼아 그 원형과 종류와 변종을 죄다 세세히 묘사하고 설명하려 한다면 그 심리학자는 가격과 제목을 죄다 기억하는 천재이며 서지학의 이름 없는 대가인 야코프 멘델을 빠트릴 수는 없을 것이다.

멘델의 직업은 문외한이 보기에는 대단치 않은 책 중개인에 불과했다. 일요일마다 「신자유 신문」, 「신 빈 신문」 등에는 “헌책 최고가로 즉시 방문 구매. 멘델, 알저 거리 위편”이라는 판에 박힌 문구의 광고가 전화번호와 함께 실렸는데 그건 실은 카페 글루크의 번호였다. 그는 창고들을 샅샅이 뒤졌고 황제 풍의 수염을 기른 나이 든 일꾼과 함께 매주 새 전리품을 자신의 아지트로 날랐다가 다시 넘기곤 했다. 정식 서점을 할 수 있는 자격증이 없었던 그는 수입이 적은 책 중개인으로 일할 수밖에 없었다. 고학년 학생들이 그에게 판 교재를 저학년 학생들에게 넘기는 게 그의 일이었다. 그 외에도 어떤 책을 찾아달라는 청탁을 받으면 약간의 수수료만 받고 해결해 주었다. 그는 저렴한 가격으로 훌륭한 조언을 해 주었다. 그의 세계에서 돈은 아무런 역할도 하지 않았다. 그는 늘 똑같은 해진 상의를 입고 다녔고 아침과 오후와 저녁에는 우유와 빵 두 조각을 먹었고 점심으로는 식당에서 배달된 간단한 요리를 먹었다. 그는 담배를 피우지 않았고 노름도 하지 않았다. 살아 있지조차 않는다고 말할 수도 있을 것이다. 유일하게 살아있는 안경 뒤의 두 눈은 불가사의한 그의 뇌에 단어와 제목과 인명이라는 양분

• 뷔퐁 백작, 조르주-루이 르클레르Georges-Louis Leclerc, Comte de Buffon(1707~1788)은 프랑스의 수학자·박물학자·철학자이며 다윈 이전에 진화론에 근접한 연구를 했다.

을 쉴 새 없이 공급했고, 보드랍고 비옥한 뇌세포는 이 많은 것들을 빨아들였다. 풀밭이 수도 없이 많은 빗방울을 빨아들이듯이 말이다.

그는 인간에게는 관심이 없었다. 인간의 온갖 열정 중 그가 아는 것이 딱 하나 있었는데 그것은 가장 인간적인 열정이라고 할 수 있는 허영심이었다. 누군가가 어떤 책을 찾아 수백 군데를 뒤지고 다니다가 지쳐서 그를 찾아왔을 때 그는 단번에 해결해 줄 수 있었는데, 그는 이 사실에 만족해했고 즐거워했다. 빈과 그 주변에 그의 지식을 높이 평가하고 필요로 하는 이들이 2, 30명가량 있다는 사실에도 즐거워했던 듯하다. 수백만이 뒤엉켜 사는 비대한 물체를 우리는 대도시라고 부르는데, 어떤 대도시든 몇몇 지점에는 단 하나뿐인 거대한 우주를 지극히 작은 표면에 담아 비추는 미세한 절단면이 노출되어 있기 마련이다. 대다수 사람은 그 절단면을 볼 수 없으며 열정을 공유하는 소수의 전문가만이 그것의 가치를 알아본다. 책 전문가들은 다 야코프 멘델을 알고 있었다. 악보에 관해서 조언을 구하려면 음악애호가 협회로 가서 오이제비우스 만디체프스키•를 찾으면 됐다. 그곳에는 회색 모자를 쓴 만디체프스키가 서류와 악보에 둘러싸여 앉아 있다가 한번 쓱 올려다보고는 아무리 어려운 문제라도 웃으며 해결해 주곤 했다. 옛 시절 빈의 극장과 문화에 관해 설명을 듣고 싶으면 지금도 척척박사 글로씨•• 할아버지에게 가면 된다. 마찬가지로 빈의 몇 안 되는 독실한

• Eusebius Mandyczewski(1857~1929). 오스트리아의 음악학자이며 작곡가. 루마니아 출신이다. 1887년부터 음악애호가 협회의 문서실 실장으로 재직했다.

•• Karl Glossy(1848~1937). 오스트리아의 문학사가이며 빈의 박물관장을 역임했다.

애서가들은 어려운 문제에 부딪히면 너무나도 당연하다는 듯이 성지로 순례를 하러 가듯이 멘델이 머무는 카페 글루크로 향했다.

호기심 많은 청년이었던 나는 책을 감정하는 멘델을 지켜보며 특별한 쾌감을 느끼곤 했다. 별 가치 없는 책이 앞에 있으면 그는 경멸하듯이 책 표지를 덮으며 "2 크로네!"라고 퉁명스럽게 말했지만 어쩌다가 희귀본이나 하나밖에 없는 진품을 만나게 되면 경의를 표하려는 듯 몸을 뒤로 젖히고는 책 밑에 종이 한 장을 깔았다. 잉크가 묻고 손톱 밑에 때가 낀 자신의 더러운 손을 갑자기 부끄러워하는 게 보였다. 잠시 후 그는 다정하리만큼 조심스럽게, 경외심에 차서 희귀본을 한 장 한 장 넘기기 시작했다. 누구도 그런 순간에 그를 방해해서는 안 되었다. 독실한 신자의 기도를 방해해서는 안 되듯이 말이다. 정말이지, 책을 바라보고 만지고 냄새를 맡아보고 무게를 재보는 일련의 그의 행동은 정해진 절차대로 진행되는 종교의 제식祭式 같았고 어딘가 장중한 분위기가 서려 있었다. 그는 구부정한 등을 이리저리 흔들며 으르렁대듯 중얼거렸고 머리를 긁적이며 기이하게 들리는 모음을 토해냈다. 감탄에 빠져들 때는 놀랍다는 듯 "아", "오" 같은 말을 길게 내뱉었고 한 페이지가 없거나 책벌레가 종이를 갉아 먹은 걸 보면 경악해서 "헉", "허, 이런" 따위의 말을 빠르게 내뱉었다. 그러다가는 가죽 표지의 고본을 조심스럽게 손에 들고는 눈을 반쯤 감은 채 킁킁거리며 육중한 장방형 책의 냄새를 맡았다. 그럴 때는 진귀한 꽃의 향기를 맡는 감상적인 소녀처럼 감동에 벅차 했다. 이처럼 간단하지 않은 절차가 진행되는 동안 책의 소유자가 꾹 참고 기다려야 했던 건 당연한 일이다. 하지만 책 감정이 끝나면 멘델은 열광하면서 온갖 정보를 흔쾌히 제공했다. 그럴 때면 늘, 유사한 판본의 가격이 극적으로 오르내린 사건에 대한 일화들을 장황하게 늘어놓기를 잊지 않았다. 그런 순간 그는 평소와는 달리 명랑하고 젊고 활기에 차 있었지만 그러다가도 처음 온 고객이 책을 감정한 대가를 그에게 주려고 할 때만은 몹시 화를 내곤 했다. 마치 화랑을 방문한 미국 관광객이 박물관장의 설명을 들은 후 관장의 손에 팁을 쥐여주려 할 때처럼 멘델은 불쾌해하며 뿌리쳤다.

그에게 값진 책을 손에 쥐는 일은 다른 남자들에게 여자와의 만남이 갖는 의미를 지니고 있었다. 그런 순간은 그에게는 플라토닉한 사랑의 밤이었다. 그를 움직일 수 있는 것은 돈이 아니라 오로지 책이었다. 그랬기에 거물급 수집가들이 (그중에는 프린스턴 대학의 창립자도 있었다) 그를 자신들의 도서관 고문 겸 책 구매자로 채용하려 했지만 야코프 멘델은 죄다 거절했다. 그는 카페 글루크가 아닌 다른 곳에서 일하는 걸 생각조차 할 수 없었다. 33년 전, 턱에 까만 솜털이 송송 나고 이마에 동글동글한 곱슬머리가 늘어진 왜소하고 구부정한 청년은 동유럽에서 빈으로 와서는 랍비가 되는 공부를 하려고 했다. 하지만 곧 그는 엄격한 유일신 여호와를 떠나서 휘황찬란한 수천의 신들이 깃든 책을 섬기게 되었다. 그때 처음 카페 글루크로 오게 되었고 차츰 카페는 그의 작업실이자 아지트이며 사서함이 되었고 그의 전 세계가 되기에 이르렀다. 천문학자가 천문대에 홀로 앉아 밤마다 망원경의 작고 동그란 구멍을 통해서 무수한 별들의 신비로운 행로를 관찰하고 별들이 소멸했다가 다시 생성하는 것을 지켜보듯이, 야코프 멘델도 네모난 탁자 앞에서 자신의 안경을 통해서 책으로 이루어진 또 다른 우주를 바라보았다. 이 우주 역시 원을 그리며 영원히 돌고 있었고 거듭 새것을 생성해내며 우리의 세계 위에 군림하는 세계였다.

당연히 그는 카페 글루크에서 높이 추앙받는 존재였다. 가게의 이름은 오페라 「알체스티」와 「이피게니아」를 작곡한 유명한 음악가 크리스토프 빌리발트 글루크의 이름을 따 온 것이었지만 우리에게 그 카페는 멘델의 비공식적인 강의실로 유명했다. 그는 낡은 벚나무로 만든 계산대, 여러 군데 땜질한 두 당구대, 그리고 놋쇠로 된 커피 주전자와 마찬가지로 카페의 재산 목록에 속했기에 그의 탁자는 성역으로 보호받았다. 가게 직원들은 그를 찾아온 수많은 고객과 정보원들에게 매번 무엇이든 주문하라고 은근히 압박했기에 그의 학식에서 비롯된 수익금 대부분은 사실은 수석 웨이터 도이블러가 허리에 매단 커다란 가죽 주머니 속으로 흘러 들어갔다. 그 대가로 책벌레 멘델은 다양한 특권을 누렸다. 전화를 마음대로 쓸 수 있었고 우편물 관리를 카페에 맡겼고 소포도 죄다 그리로 배달시켜 받았다. 화장실을 청소하는 늙은 여자는 그의 외투를 손질해주고 단추를 꿰매주었으며 매주 속옷을 빨아다 주었다. 옆 식당에서 점심을 배달시켜 먹을 수 있는 손님은 멘델뿐이었다. 매일 아침 카페 주인 슈탄트하르트너 씨는 몸소 그의 탁자로 와서 그에게 인사를 건넸다. 물론 대개 멘델은 책에 푹 빠져서 인사하는 것도 눈치채지 못했지만 말이다. 그는 정확히 아침 7시 30분에 와서는 직원들이 불을 끄고 나서야 카페를 나서곤 했다. 다른 손님들과 대화하는 일은 절대 없었고 신문도 읽지 않았으며 변화가 있어도 알아채지 못했다. 한번은 슈탄트하르트너 씨가 희미한 가스 등 대신 전기불빛 아래서 책을 읽으니 훨씬 낫지 않냐고 정중하게 물어본 적이 있었다. 그러자 그는 어리둥절해서 전구를 올려 보았다. 여러 날에 걸쳐 공사하느라 망치가 쿵쿵대며 요란했지만, 그는 이런 변화를 전혀 모르고 있었다. 안경의 동그란 구멍 둘, 다시 말해서 번쩍이며 흡입하는 렌즈 둘을 거쳐서 걸러진 검은 벌레와도 같이 무수한 글자들만이 그의 뇌로 들어갈 뿐이었고 그 밖의 모든 사건은 공허한 소음으로 그를 스쳐 갔다. 사실 그는 30년이 넘는 세월을 여기서 보냈으니 깨어 있는 시간 전부를 이 네모 탁자에서 읽고, 읽은 내용을 비교하고 계산하며 보낸 셈이었다. 잠자는 동안만 끊기는 지속적인 꿈을 계속 꾸고 있다고 할 수 있을 것이다.

그랬던 만큼 야코프 멘델이 계시를 내리는 데 쓰이던 대리석 탁자가 텅 빈 채로 묘지를 덮은 대리석 판처럼 뒷방에서 가물대는 것을 본 순간 섬뜩한 느낌이 들었다. 나이가 든 지금에야 비로소 멘델과 같은 사람이 사라질 때마다 얼마나 많은 것이 그 사람과 더불어 사라지는지를 깨닫게 되었다. 걷잡을 수 없이 단조로워지는 우리의 세계에서 유일무이한 것들은 날이 갈수록 드물어지기 때문이다. 게다가 젊고 미숙한 청년이었던 나는 야코프 멘델을 진심으로 좋아했다. 그런데도 나는 그를 잊고 지냈다. 물론 몇 년에 걸친 전쟁이 있었고 나 또한 나 자신의 작품에 몰두하는 정도가 그와 비슷하다 보니 그렇게 된 것이다. 빈 탁자를 마주한 지금, 나는 그를 잊었다는 게 부끄러웠고 동시에 호기심이 새삼 일었다.

그는 대체 어디에 있는 걸까? 그에게 무슨 일이 일어난 걸까? 나는 웨이터를 불러 물어보았다. "모르겠습니다. 유감스럽게도 멘델 씨라는 손님은 알지 못합니다. 그런 이름의 신사는 이 카페 손님 중에는 없습니다. 혹시 수석 웨이터가 알지도 모릅니다." 배가 불룩 나온 수석 웨이터는 느릿느릿 다가와서는 머뭇거리며 한참을 생각했다. "아니요. 저도 멘델 씨란 이름을 들은 적이 없습니다. 혹시 만들 씨를 찾으시는 게 아닌가요? 플로리안 거리에서 철물점을 하는 만들 씨 말입니다." 입안이 씁쓸해졌다. 무상함에서 오는 씁쓸함이었다. 바람이 우리의 발 뒤에서 우리의 마지막 흔적을 지워버린다면 우리는 대체 무엇을 위해 사는 걸까? 30년, 아니 거의 40년 동안 한 사람이 이 자그마한 공간에서 숨 쉬고 읽고 생각하고 말을 했는데도 고작 삼사 년이 지나가면 카페 글루크 사람들은 야코프 멘델을, 책벌레 멘델을 알지 못한다니! 새 파라오가 등장하면 사람들은 요셉을 기억하지 못한다고 했던가.• 나는 수석 웨이터에게 슈탄트하르트너 씨를 볼 수 있느냐, 혹시 옛날부터 일하던 직원 중 누가 남아 있지 않느냐고 따지듯이 물어보았다. "아, 슈탄트하르트너 씨 말씀입니까? 아니 저런, 그분은 오래전에 카페를 파시고는 돌아가셨습니다. 전임 수석 웨이터는 지금은 크렘스 지역에서 살고 있습니다. 아무도 남아 있질 않으니 … 아니 그렇지 않네요. 화장실 청소부(통칭은 초컬릿 부인이라고 한다) 슈포르쉴 부인이 아직 있군요. 하지만 손님들을 일일이 기억하지는 못할 겁니다." 나는 즉시 야코프 멘델을 잊어버릴 사람은 없다고 생각하며 그 여자를 불러 달라고 했다.

여자가, 헝클어진 백발을 한 슈포르쉴 부인이 뒤편 방에서 부은 다리로 힘겹게 걸으며 다가왔다. 급히 벌겋게 부르튼 앙손을 수

• 출애굽기 1장 8절에 나오는 일화이다. 요셉과 그의 열한 형제가 후한 대접을 받으며 이집트로 이주한 후 세월이 흐르며 후손들이 늘어나자 유대인들이 파라오의 박해를 받게 되는 상황을 말한다.

건으로 문지르는 거로 보아 조금 전까지 자신의 침침한 골방을 청소하거나 창문을 닦고 있었던 듯했다. 나는 그녀의 주눅 든 모습에서 큼직한 전구가 빛나는 카페 앞쪽의 고상한 구역으로 갑자기 불려온 걸 불편해한다는 걸 즉시 알아챘다. 그래서인지 그녀는 처음에는 눈을 아래로 깔고는 불신에 차서 몹시 조심스럽게 나를 올려다보았다. 이런 그녀에게서 무슨 좋은 얘기를 들을 수 있을까 싶었다. 하지만 내가 야코프 멘델에 관해 묻자마자 그녀는 곧 눈물이 그렁그렁한 눈을 치켜뜨고 나를 정면으로 보더니 이내 어깨를 들썩였다. "아이고, 가엾은 멘델 씨, 아직 그분을 기억하는 사람이 있다니! 그 가엾은 분을." 그녀는 이렇게 말하며 잠시 울먹이기까지 했다. 늙은이들이 젊은 시절을 떠올리거나, 잊고 있던 기억을 공유하는 사람을 만나면 늘 그렇듯이 그녀는 몹시 감동했다. 나는 그가 아직 살아 있냐고 물어보았다. "아이고, 가엾은 멘델 씨, 5~6년 전에, 아니 7년 전에 벌써 돌아가셨어요. 참 좋은 분이었죠. 생각해보니 25년 넘게 알고 지냈어요. 제가 처음 이리 왔을 때 이미 계셨으니까요. 그분이 그렇게 죽게 내버려 두다니 정말 수치스러운 일이에요." 그녀는 점점 더 흥분하더니 혹시 내가 그의 친척이냐고 물었다. 아무도 그를 보살피지 않았고 아무도 그에 관해 물어보지 않았다는 것이다. 그에게 무슨 일이 일어났는지 정말 모르냐고도 물었다.

나는 아무것도 모른다고 말하고는 알고 있는 걸 죄다 이야기해달라고 부탁했다. 이 선량한 여인은 난감해하며 계속해서 축축한 손을 비볐다. 더러운 앞치마를 두르고 산발이 된 흰 머리를 한 청소부의 몰골로 커피숍 중앙에 서 있는 걸 민망해하고 있다는 걸 알 수 있었다. 게다가 그녀는 혹시 웨이터 중 누가 엿듣나 싶어 불안해하며 계속 좌우를 살폈다. 그래서 나는 이야기하기 편하게 함께 오락실에 있는 멘델의 자리로 가면 어떠냐고 제안했다. 내가 자신의 속내를 이해한 걸 고마워하며 그녀는 고개를 끄덕였다. 그러고는 늙은 여자는 다리를 조금 절룩대며 앞장섰고 나는 그 뒤를 따랐다. 웨이터 둘이 의아한 표정으로 우리를 건너다보며 둘 사이에 무슨 연관성이 있나 궁리하는 듯했다. 몇몇 손님들도 이상하다는 듯 전혀 어울리지 않는 한 쌍인 우리를 쳐다보았다. 그의 탁자에서 그녀는 나에게 야코프 멘델, 책벌레 멘델의 몰락에 대해 들려주었다. (몇몇 사실은 다른 데서 들은 이야기에서 보충한 것이다.)

그녀가 이야기를 시작했다. "멘델 씨는 전쟁이 시작된 후에도 여전히 여기에 오셨어요. 날마다 아침 7시 반에 와서는 여기 앉아서 늘 그렇듯이 온종일 공부만 하셨어요. 멘델 씨는 전쟁이 일어난 것조차 알아채지 못한 것 같다고 다들 수군대곤 했지요. 그는 신문도 안 보고 다른 사람들과 얘기도 하지 않았어요. 신문팔이가 호외를 들고 와서 고래고래 소리를 치면 다른 사람들은 그리로 몰려들었지만, 그는 일어서지도 않았고 귀를 기울이지도 않았어요. 고를리체• 에서 전사한 웨이터 프란츠가 보이지 않아도 눈치채지 못했고, 슈탄트하르트너 씨의 아들이 프르체미슬에서 포로가 된 것도 몰랐지요. 빵이 갈수록 형편없어지고 우유 대신 맛이 고약한 대용커피를 마시게 되어도 아무런 말이 없었어요. 딱 한 번 자신을 찾는 학생들이 너무 적다고 의아해한 게 다예요. 아이고, 그 딱한 양반은 책 말고는 낙이 없었고 다른 건 신경도 안 썼어요."

• 폴란드 남동부 마워폴스카주에 위치한 도시로 타르누프 남쪽에 있다.

"그러던 어느 날 일이 터지고 말았어요. 오전 11시에 경찰 한 사람이 비밀경찰을 하나 데리고 여봐란듯이 이리로 왔어요. 경찰관은 단춧구멍에 달린 배지를 가리키더니 여기 야코프 멘델이라는 손님이 있느냐고 묻더군요. 그러고는 둘이 곧장 멘델 씨가 있는 탁자로 갔어요. 멘델 씨는 그저 책을 팔러왔거나 뭘 물어보려고 온 사람들이라 여겼어요. 하지만 그들은 함께 가자고 요구하면서 그를 일으켜 세웠어요. 우리 카페로서는 창피스러운 일이었지요. 다들 모여들어 가엾은 멘델 씨를 에워쌌어요. 멘델 씨는 두 사람 사이에 서서 안경을 이마에 올리고는 이 사람 저 사람을 번갈아 보며 그들이 자신을 어쩌려는지 짐작도 하지 못했어요. 저는 곧장 경찰관에게 말했어요. 멘델 씨는 파리 한 마리도 죽이지 못하는 사람인데 뭔가 잘못 안 게 아니냐고요. 그러자 비밀경찰이 나라가 하는 일에 끼어들지 말라고 제게 버럭 소리쳤어요. 그러더니 두 사람은 멘델 씨를 데리고 갔어요. 그러고는 2년이 되도록 그를 볼 수 없었어요. 그때 경찰이 왜 그를 끌고 갔는지 난 지금도 모르겠어요. 하지만 난 맹세할 수 있어요." 늙은 여자는 흥분해서 말했다. "멘델 씨가 나쁜 짓을 했을 리 없어요. 그들이 잘못 안 거예요. 내가 틀렸다면 손에 장을 지지겠어요. 그들이 가엾고 죄 없는 사람에게 잘못을 저지른 거라고요!"

감동적일 만치 착한 슈포르쉴 부인, 그녀가 옳았다. 우리의 친구 야코프 멘델은 정말 아무 잘못도 하지 않았다. 내가 나중에 알아낸 바에 의하면 그는 믿기지 않을 정도로 황당한 바보짓을 했을 뿐이었다. 당시의 정신 나간 분위기에서조차도 황당하기 그지없는 바보짓이었는데 이를 설명하려면 멘델이 완전히 몰입하면 달나라에 있는 거나 다를 바 없다는 믿기 힘든 사실에서 출발해야 한다. 다음과 같은 일이 일어났다. 외국으로 가는 우편물을 감시하던 군 검열국에 하루는 야코프 멘델이라는 사람이 쓴 엽서 한 장이 걸려들었다. 외국 우송료에 해당하는 우표가 붙어 있었는데 어이없게도 적국으로 가는 엽서였다. 엽서에는 파리 그르네르가街의 장 라부르데 씨라는 주소가 적혀 있었고, 발송인 야코프 멘델은 일 년 치 정기 구독료를 선지급했는데도 지난 여덟 달 동안 월간지 「프랑스 도서 회보」를 받지 못했다고 항의하고 있었다. 검열국의 하급 관리는 고등학교 교사였고 사적으로는 프랑스 문학을 사랑하지만 징집되어 파란 군복을 입고 있었다. 그는 이 엽서를 보고 놀랐지만, 곧 누가 바보 같은 장난을 친 거로 생각했다. 우편물에서 미심쩍은 전갈이나 첩자들이 쓰는 암호를 찾아내려고 매주 2,000통이 넘는 편지를 샅샅이 뒤졌지만, 지금껏 이처럼 황당한 일을 다룬 적은 없었다. 어떻게 오스트리아 사람이 태연히 프랑스 주소를 적고는 조국과 전쟁 중인 국가로 가는 엽서를 아무렇지도 않게 우편함에 넣을 수 있단 말인가! 국경은 1914년 이후 철조망으로 빽빽이 봉쇄되었고 프랑스와 독일과 오스트리아와 러시아는 날마다 번갈아 가며 적대국 남성 국민의 숫자를 수천 명씩 줄여주던 시절이었다. 그래서 그 관리는 처음에는 이 엽서를 진기한 물건 취급하며 서랍에 넣고는 이 황당한 일을 상관에게 보고하지 않았다. 하지만 몇 주 후 동일 인물 야코프 멘델이 쓴 엽서가 또 걸려들었다. 이번에는 런던의 홀번 스퀘어에 있는 서적상 존 엘드리지가 수취인이었는데, 「고서적」이란 잡지의 과월호 몇 권을 보내 달라는 내용이었다. 이 엽서를 쓴 기이한 인물 야코프 멘델은 아무렇지도 않다는 듯 자신의 주소를 써놓기까지 했다.

이렇게 되니 어쩌다 군복을 입게 된 고등학교 교사도 마음이 편치 않았다. 이 어리석은 농담 뒤에는 수수께끼 같은 암호로 쓰인 어떤 의미가 숨어 있는 건 아닐까? 모를 일이었다. 그는 자리에서 일어나 소령에게 가서는 발꿈치를 철컥 붙이며 경례한 후 엽서 두 장을 책상에 놓았다. 소령은 양어깨를 옴츠렸다. '이상한 일이군!' 일단 그는 야코프 멘델이라는 사람이 실제로 존재하는지 알아보라고 경찰에 지시했다. 한 시간 후 붙잡힌 멘델은 놀라서 휘청대는 상태에서 소령에게 인도되었다. 소령은 그에게 기괴한 엽서들을 내놓으며 이걸 쓴 사람이 당신이냐고 다그쳤다. 중요한 도서목록을 읽다가 끌려왔는데 불친절한 말까지 듣자 화가 난 멘델은 퉁명스럽게 맞받아쳤다. "물론 내가 썼지요. 정기 구독료를 낸 사람이라면 간행물을 보내 달라고 요구할 권리쯤은 있으니까요." 소령은 안락의자에서 몸을 비스듬히 돌리고는 옆 탁자에 앉은 중위와 의미심장한 시선을 교환했다. '아주 정신 나간 녀석이군.' 둘은 이렇게 결론을 내렸다. 그러고서 소령은 이 멍청이를 호되게 나무란 후 쫓아낼지, 아니면 이 일을 심각하게 다뤄야 할지 생각해보았다. 이처럼 결론을 내지 못해 난감한 경우, 관리들은 대개 일단 보고서부터 작성하려 든다. 보고서는 항상 옳다. 도움이 되지 못하더라도 해가 되지도 않으며 수백만 장의 종이에 쓸데없는 종이 한 장이 추가될 뿐이다.

하지만 이번 경우에 보고서는 유감스럽게도 아무것도 모르는 가엾은 사람을 해치고 말았다. 세 번째 질문에서 이미 큰 재앙이 닥쳤기 때문이다. 보고서는 우선 그의 이름으로 시작했다. 야코프,

정확하게는 야인케프 멘델. 직업: 행상인. 앞서 말했듯이 멘델은 서점 상인의 자격증이 없었고 행상인 증명서만 가지고 있었다. 출생지를 묻는 세 번째 질문이 말썽이었다. 야코프 멘델은 페트리카우의 작은 마을 이름을 댔다. 소령의 눈꼬리가 올라갔다. 페트리카우라니, 러시아령 폴란드에 있는 국경선 인접 지역이 아닌가? 수상하군! 몹시 수상해! 그래서 그는 이제부터 더 엄격하게 심문하기 시작했다.

"언제 오스트리아 국적을 얻었소?"

멘델은 영문을 모르겠다는 듯 안경 너머로 소령을 주시했다. 질문을 이해할 수 없었다.

"젠장, 신분을 증명하는 서류가 있소? 있다면 어디에다 두었소?"

"행상인 증명서 말고 다른 신분증은 없소이다."

소령이 눈을 치켜뜨는 바람에 이마에 주름이 깊이 파였다.

"그렇다면 당신 국적이 무엇인지 한번 제대로 설명해 보시오. 당신 아버지는 오스트리아인이요, 아니면 러시아인이요?"

지극히 차분하게 멘델이 답했다. "물론 러시아인이지요."

"그럼 당신은?"

"아, 나는 33년 전에 러시아 국경을 넘어 이리로 와서는 쭉 빈에 살고 있소이다."

소령은 갈수록 평정심을 잃었다. "오스트리아 국적을 얻은 건 언제요?"

"그걸 얻어서 뭐 하게요?" 멘델이 물었다. "나는 그런 일에는 신경도 쓰지 않았어요."

"그렇다면 당신 국적은 여전히 러시아요?"

이런 따분한 질문에 짜증이 났던 멘델은 심드렁하게 대답했다. "따지자면 그래요."

소령이 경악하며 몸을 털석 뒤로 기대는 바람에 안락의자가 삐걱댔다. 이게 과연 있을 수 있는 일인가! 타르누프의 대공세• 이후 전쟁이 한창인 1915년 말, 러시아인이 오스트리아의 수도 빈을 아무런 제지도 받지 않고 활보하면서 프랑스와 영국에 편지질을 마구 해대는데 경찰은 아무것도 모르고 있다니! 이러는데도 신문사의 얼간이들은 콘라트 폰 회첸도르프•• 가 바르샤바로 진격하는 게 왜 이리 더디냐며 투덜대지 않는가! 군대의 동향이 매번 첩자들에 의해 러시아에 보고될 때마다 군 고위층은 고개만 갸우뚱대지 않는가! 중위도 일어나서 책상 옆에 섰다. 질문에 날이 서며 심문이 이어졌다.

"왜 당신은 외국인이라고 즉시 신고하지 않았소?"

여전히 천하태평인 멘델은 노래하는 듯한 유대인 특유의 말투로 대답했다. "아니 내가 왜 신고를 해야 하나요?"

멘델이 질문에 질문으로 답하자 소령은 이를 도발로 간주하고 위협하듯이 물었다. "포고문을 읽지 못했단 거요?"

"못 봤어요."

"그럼 신문도 읽지 않소?"

"안 읽어요."

멘델은 무슨 영문인지 몰라 땀을 좀 흘리고 있었고 그런 그를

• 1915년 5월 독일과 오스트리아 동맹국 군대는 고를리체 타르누프 전투에서 러시아 군대에 승리하면서 러시아령 폴란드를 점령한다. 이로써 동맹국 군대는 동부전선에서 당분간 우위를 차지하게 된다.
•• 프란츠 콘라트 폰 회첸도르프 백작Franz Graf Conrad von Hötzendorf은 오스트리아-헝가리 제국의 원수였다. 1906년부터 1911년, 1912년부터 1918년까지 참모총장으로 군대를 통솔했다.

두 장교는 마치 사무실 한가운데 떨어진 달덩이를 보듯이 기막혀 하며 응시했다. 이윽고 전화기가 달그락대고 타자기가 덜컹거리고 전령이 달려 나간 후, 멘델은 막사 감옥에 갇혔다. 다음 열차로 집단 수용소로 보내지기 전까지 거기서 대기해야 했다. 두 병사를 따라가라는 지시를 받은 멘델은 멍하니 앞만 보았다. 사람들이 자신을 어쩌려는지 짐작이 가지 않았지만, 걱정은 하지 않았다. 목깃에 금테를 두른 남자는 목소리가 거칠긴 했지만 나 멘델에게 나쁜 짓을 할 리는 없지 않은가? 그의 드높은 책의 세계에는 전쟁도, 오해도 없었다. 그 세계에는 숫자와 단어, 제목과 인명에 대한 지식과 더욱 많은 지식을 얻으려는 의지가 있을 뿐이었다. 그래서 그는 태평히 두 병사 사이에 끼어 계단을 내려갔다. 경찰관들이 그의 외투 주머니에 있는 책들을 죄다 압수하고는 수많은 중요한 쪽지들과 고객의 주소를 넣어둔 지갑을 내놓으라고 하자 비로소 그는 화를 내며 난동을 부리기 시작했다. 사람들은 그를 제압해야 했는데 이 와중에 불행하게도 그의 안경이 바닥에 떨어져 버렸다. 정신의 세계를 보는 마법의 망원경은 이렇게 박살이 나고 말았다. 이틀 후 그는 여름옷 차림으로 코모른에 있는 러시아 민간인 포로수용소로 이송되었다.

야코프 멘델이 2년 동안 집단 수용소에서 어떤 끔찍한 경험을 했는지는 알아낼 길이 없다. 그토록 사랑하는 책 없이 무일푼이 되어서, 그 무엇에도 관심이 없고 난폭한 데다가 대부분 문맹인 인간 쓰레기들 틈에서 부대끼며 얼마나 고통스러웠을까? 유일무이한 드높은 책의 세계에서 끌려 나온 그는 날개를 잘려서 창공을 날지 못하는 독수리의 심정이었으리라.

광기에서 깨어난 세계가 차츰 깨달은 것이 있다. 전쟁하는 동안 온갖 잔혹 행위와 불법 행위가 있었지만, 이미 군 복무 시기를 넘긴 아무것도 모르는 민간인을 붙잡아서 철조망 뒤에 가둔다는 것은 그 무엇보다도 더 어리석고 불필요한 짓이며 도덕적으로 용납될 수 없다는 사실이다. 멘델 같은 사람들은 낯선 나라를 고향 삼아 여러 해를 살았고 난민의 권리를 – 퉁구스족이나 남미 토인들조차도 신성시하는 권리를 – 굳게 믿은 나머지 늦기 전에 도망치려는 시도조차 안 하지 않았던가! 문명에 대한 어리석은 범죄가 프랑스와 독일과 영국은 물론이고 유럽 방방곡곡에서 미친 듯이 행해졌다. 우연이, 오스트리아에서나 있을 법한 우연이 아슬아슬한 순간에 멘델을 다시 그의 세계로 데려오지 않았더라면 그는 아마 수백 명의 무고한 수감자들이 그랬듯이, 미쳐버렸거나 이질, 탈진이나 정신착란으로 비참한 최후를 맞았을 것이다.

그가 사라지고 난 뒤 고위층 고객들이 보낸 편지가 여러 통 그의 주소로 왔다. 슈타이어마르크주州의 총독이었던 쇤베르크 백작은 문장紋章에 관한 책들을 열심히 수집하고 있었고, 신학 대학 학장을 역임한 지겐펠트는 아우구스티누스에 대한 주해서를 쓰고 있었고, 80세의 퇴역 제독인 에들러 폰 피제크는 회고록을 집필하는 중이었다. 그의 충실한 고객이었던 이 명사들은 여러 번 카페 글루크로 멘델에게 편지를 보냈다. 이 편지 중 몇 통은 집단 수용소에 있는 수취인에게 전송되었고, 친절한 소장이 우연히 그것들을 보게 되었다. 소장은 왜소하고 반쯤 눈이 먼 더러운 유대인이 고위층 인사들을 알고 있다는 사실에 깜짝 놀랐다. 안경이 깨어진 이후 새것을 장만할 돈이 없어서 두더지처럼 앞도 못 보고 말없이 구석에 웅크리고 있는 사람이 아닌가! 이런 친구들을 가진 사람이라면 뭔가 특별한 인물임이 틀림없다. 그래서 소장은 멘델이 후원자들에게 도와달라는 답장을 쓰도록 허락했다. 정말 도움의 손길이 왔다. 고위 공직자와 학장들은 모든 수집가가 그렇듯 뜨겁게 뭉쳐서 자신들의 연줄을 총동원했다. 그들이 함께 그의 신원을 보증한 덕분에 책벌레 멘델은 감금된 지 2년 후인 1917년에야 다시 빈으로 돌아올 수 있었다. 조건이 하나 있었는데, 날마다 경찰에 출석하여 신고해야 했다. 하지만 어쨌든 그는 다시 자유로운 세계로 돌아오게 되었다. 전처럼 작은 다락방에서 묵으며 즐겨 찾던 책 진열대를 둘러볼 수 있게 된 것은 물론이고 카페 글루크로 돌아올 수 있게 된 것이다.

지옥과도 같던 암흑세계에 머물던 멘델이 카페 글루크로 돌아오던 광경은 목격자 슈포르쉴 부인이 직접 내게 들려주었다. "어느 날, 아이고 맙소사, 저는 정말이지 제 눈을 믿을 수가 없었어요. 문이 비스듬히 아주 작은 틈새만큼 열리더니 (선생님도 멘델 씨가 문을 여는 버릇은 아시지요) 전에 그랬던 것처럼 그 양반이, 가엾은 멘델 씨가 카페로 들어오는 거예요. 누덕누덕 기운 넝마 같은 군복 외투를 걸치고 머리에는 누가 버린 듯한 모자 나부랭이를 쓰고 있었어요. 목깃도 달고 있지 않았고 얼굴과 머리카락은 잿빛인 데다가 깡말라서 해골 같은 몰골이 정말 딱해 보였어요. 그는 아무 일도 없었다는 듯이 안으로 들어와서는 아무 말 없이 곧장 자기 탁자로 가더니 외투를 벗었어요. 하지만 전처럼 가볍게 움직이질 못하고 힘겹게 숨을 헐떡이기까지 했어요. 전과는 달리 책 한 권 가져오지 않았더군요. 멘델 씨는 그냥 자리에 앉더니 아무 말 없이 초점 없는 눈으로 멍하니 앞만 보았어요. 우리가 독일에서 온 편지들을 한 무더기 가져다주고 나서야 그걸 읽기 시작하더군요. 하지만 옛날과는 사뭇 달랐어요."

그랬다. 그는 예전의 그가 아니었다. 다시없을 기적의 존재도, 온갖 책의 목록을 꿰고 있는 마술사도 아니었다. 당시의 그를 보았던 모든 사람은 애통해하며 똑같은 이야기를 들려주었다. 잠자듯 고요하게 책을 읽던 예전의 눈빛 중 일부분은 되돌릴 수 없이 파괴된 듯했다. 무언가가 박살이 나 버린 것이다. 전쟁이라는 잔인한 핏빛 혜성이 쏜살같이 질주하면서 변두리에서 평화롭게 조용히 머물던 별을, 즉 책으로 이루어진 그의 세계를 쾅당 들이받은 게 분명했다. 몇십 년을 부드럽고 조용한, 곤충과도 같은 글자들에 익숙해져 있었던 그의 눈은 철조망에 갇힌 인간의 무리 속에서 끔찍한 것을 보았던 게 분명했다. 전에는 그토록 날렵하고 영민하게 반짝이던 눈동자 위에는 묵직한 눈꺼풀이 드리워져 있었고 생기에 넘치던 눈은 가느다란 끈으로 간신히 묶어 수선한 안경 뒤에서 졸린 듯 핏발이 선 채 희미하게 가물댔다. 그러나 그게 다가 아니었다. 그의 경이로운 기억 장치를 떠받치는 어떤 기둥이 하나 무너지면서 전체 구조가 뒤엉켜버린 것이다. 우리의 뇌는 극히 섬세한 물질로 구성된 연동장치이기에 지극히 예민하다. 우리가 아는 것들을 정밀 공학의 원리로 조율하는 일종의 기계인 까닭에 모세혈관 하나가 막히거나 신경에 무리가 가거나 세포 하나가 탈진하거나 심지어 분자 하나가 위치를 바꾸기만 해도 뇌는 탈이 날 수밖에 없고, 광대한 영역을 아우르며 훌륭히 조화를 이루어내던 정신은 침묵하게 된다. 멘델의 기억은 온갖 음을 내는 피아노처럼 비길

데 없이 완벽한 악기였건만 그가 돌아온 후에는 건반을 눌러도 소리가 나지 않는 피아노가 되어버렸다. 이따금 누군가가 상담하러 오면 멘델은 기운 없이 그 사람을 마주 볼 뿐, 그가 하는 말을 정확히 이해하지 못했다. 상대가 하는 말을 흘려듣거나 잊어버리는 일도 잦았다. 세계가 이전의 세계가 아니듯이 멘델 또한 이전의 멘델이 아니었다. 책을 읽을 때 그는 이전처럼 몰입하여 앞뒤로 몸을 흔들지 않았다. 대부분 굳은 자세로 앉아서 기계적으로 안경 낀 눈을 책에 들이댔지만, 책을 읽는 건지 아니면 멍청히 있는 건지 알 수가 없었다. 슈포르쉴 부인에 따르면 그는 자주 머리를 책에 떨구고 밝은 대낮에 잠이 들었으며 때로는 생소한 냄새를 풍기는 아세틸렌 램프(석탄이 부족하던 시기에 그의 탁자를 밝히던 램프이다)만 몇 시간씩 뚫어져라 보곤 했다. 멘델은 이제 더는 옛날의 멘델이 아니었다. 다시없을 기적의 존재가 아니라 더부룩한 수염에 누더기를 걸친 게으름뱅이가 되어 가쁘게 숨을 내쉬었고, 일찍이 신탁을 내리는 데 쓰던 안락의자를 하는 일 없이 차지하고 있을 뿐이었다. 그는 이제 더는 카페 글루크의 자랑거리가 아니었고 오히려 수치이며 오점이었다. 악취를 풍기는 꼴사나운 노인네였고 거추장스러운 식객일 뿐이었다.

카페 새 주인의 생각도 그랬다. 그는 레츠 출신으로 다들 기근에 허덕이던 1919년, 밀가루와 버터를 암거래해서 부자가 되었는데, 종이돈이 휴짓조각이 되던 시기에 고지식한 슈탄트하르트너 씨에게서 고작 8만 크로네로 카페를 사들이는 데 성공했다. 그는 농부답게 팔을 걷어붙이고는 유서 깊은 구식 카페를 고상하게 개조하려고 나섰다. 때맞게 헐값으로 새 안락의자를 샀고 정문을 대리석으로 꾸몄으며 뮤직홀을 지을 땅을 얻으려고 이웃 가게들과 협상을 벌였다. 이처럼 미화 작업에 한창인 그가 갈리치아 출신의 비렁뱅이를 곱게 볼 리가 없었다. 게다가 멘델은 아침부터 밤까지 온종일 탁자 하나를 혼자 차지하고는 커피 석 잔과 빵 다섯 개 말고는 주문하지 않았다. 슈탄트하르트너 씨는 새 주인에게 이 오랜 손님을 잘 대해달라고 간곡하게 부탁했고, 야코프 멘델이 얼마나 중요한 인물인지를 설명하려고 나름 애쓰기는 했다. 달리 말하자면 물품 목록과 함께 카페를 넘겨주면서, 멘델을 가게와 떼어놓을 수 없는 부속품으로 끼워서 넘겨준 셈이었다. 하지만 플로리안 구르트너는 새 가구와 번쩍이는 알루미늄 계산대를 장만하면서 금전만능 시대의 부도덕한 양심까지 새로 장만했던 탓에, 고급스럽게 단장한 카페에 남은 마지막 골칫거리인 촌스럽고 남루한 존재를 쫓아내려고 핑곗거리만 찾고 있었다. 좋은 기회가 곧 생길 듯했다. 야코프 멘델의 처지가 날로 나빠졌기 때문이다. 그가 모아둔 돈은 인플레이션 때문에 가치를 잃고 폐지가 되어버렸고 그의 고객들은 사라졌다. 그는 이미 노쇠했기에 전처럼 행상인이 되어 책을 짊어지고 계단을 오르내리며 팔 기운이 없었다. 그가 비참한 처지라는 걸 알리는 자잘한 징후가 넘쳐났다. 옆 식당에서 점심을 배달시키는 일은 거의 없었으며 얼마 안 되는 커피와 빵값도 외상으로 하는 일이 점점 잦아졌고 3주가 넘도록 외상을 갚지 못한 적도 있었다. 그때 벌써 수석 웨이터는 그를 내쫓으려 했지만 그를 딱하게 여긴 청소부 슈포르쉴 부인이 보증을 서 주었다.

하지만 다음 달에 기어코 일이 터지고 말았다. 새로 온 수석 웨이터는 정산할 때면 빵의 숫자가 모자라는 걸 자주 보았다. 매번 주문을 받아서 판매한 양보다 더 많은 양이 사라진 거로 집계되었다. 그의 의심은 자연스럽게 멘델을 향했다. 늙어서 잘 걷지도 못하는 짐꾼이 여러 차례 와서는 멘델이 반년 전부터 임금을 주지 않아서 무일푼이 되어버렸다고 항의했기 때문이다. 그래서 수석 웨이터는 특별히 주의를 기울였고 난로 칸막이 뒤에 숨어 망을 본 지 이틀 만에 멘델의 뒷덜미를 잡는 데 성공했다. 멘델은 몰래 자신의 탁자에서 일어나 앞에 있는 다른 방으로 가더니, 빵 바구니에서 급히 롤빵 두 개를 집어 들고는 게걸스럽게 입에 쑤셔 넣고 있었다. 계산할 때 그는 아무것도 먹지 않았다고 주장했다. 이제 빵이 어떻게 없어졌는지가 밝혀졌다. 웨이터는 즉시 사건을 구르트너 씨에게 보고했다. 구르트너는 오랫동안 찾던 구실이 생긴 걸 기뻐하며, 모든 사람이 보는 앞에서 멘델에게 호통을 치며 도둑이라고 몰아세웠다. 심지어 당장 경찰을 부르겠다고 허풍을 떨기까지 했다. 그러고는 멘델에게 당장 꺼지고 평생 여기 발 들일 생각은 말라고 호령했다. 야코프 멘델은 떨기만 할 뿐 아무 말도 하지 않았다. 그러더니 비틀비틀 자리에서 일어나 나갔다.

"끔찍했어요." 슈포르쉴 부인은 작별의 순간을 이렇게 묘사했다. "그 모습은 평생 잊지 못할 거예요. 그는 일어나서는 안경을 이마 위로 밀어 올렸는데 얼굴이 백지장 같았어요. 1월이라 선생님도 아시다시피 엄청 추웠는데도 외투를 입을 여유도 없이 나갔답니다. 얼결에 책도 탁자에 놓아두고 갔어요. 난 잠시 후 그걸 보고는 따라가서 전해주려 했어요. 하지만 그는 이미 문까지 가 있었어요. 난 거리까지 따라갈 용기가 나질 않았어요. 구르트너 씨가 문가에 서서 그의 등 뒤로 소리를 지르는 바람에 사람들이 멈춰서고 모여들었으니까요. 그래요, 치욕스러운 짓이었어요. 난 뼛속까지 부끄러워서 어쩔 줄 몰랐다니까요! 슈탄트하르트너 씨가 주인이셨다면 빵 몇 조각 때문에 사람을 쫓아내지는 않았을 거예요. 그분이 주인이셨더라면 멘델 씨는 평생 공짜로 빵을 먹을 수 있었겠지요. 하지만 요즘 사람들은 인정머리가 없어요. 30년 넘게 날마다 앉아 있던 사람을 쫓아내다니… 정말이지 치욕스러운 짓이에요. 내가 그런 짓을 했다면 하느님 앞에 설 수 없을 거예요, 설 수 없고 말고요."

선량한 여자는 몹시 흥분해 있었다. 노인이 한번 열을 올리면 말이 많아지는 법이라서 그녀는 연거푸 그 치욕스러운 짓에 관해 이야기했고 슈탄트하르트너 씨라면 그런 짓을 하지 않았을 거라는 말을 계속 되풀이했다. 그래서 나는 그녀의 말을 끊고 멘델이 어떻게 되었으며 그 뒤에 멘델을 다시 보았냐고 물어야 했다. 내 물음에 그녀는 진정한 듯하다가 더욱 흥분하기 시작했다. "날마다 그 양반의 탁자를 지나갈 때면 매번 마음이 찡했어요. 그냥 빈말이 아녜요. 가엾은 멘델 씨가 지금은 어디 있는지 늘 걱정이 되더군요. 어디 사는지 알았더라면 따뜻한 음식이라도 가져다주었을 거예요. 그 양반이 무슨 돈이 있어 먹을 걸 장만하고 난로에 불을 때겠어요? 내가 알기로는 세상에 친척 하나 없는 사람이거든요. 하지만 아무 소식도 들리지 않으니 나도 어느새 그는 이미 이 세상 사람이 아니며 다시는 볼 수 없을 거라고 생각하게 되었어요. 그래서 그를 위해 저라도 미사를 드려야 하지 않을까 고민 중이었지요. 그는 좋은 사람이었고 우리는 25년 이상을 알고 지냈으니까요.

그런데 2월의 어느 날 아침 7시 30분, 제가 놋쇠 창틀을 닦고 있는데 갑자기 문이 열리더니 – 전 헛것을 보는 줄 알았어요 – 멘델 씨가 들어오는 거예요. 선생님도 아시다시피 그는 항상 구부정하니 넋이 나간 모습으로 들어오지요. 하지만 이번에는 어딘지 달랐어요. 저는 그가 이리저리 비틀대며 눈에 초점이 없는 걸 알아챘어요. 맙소사 그 꼴이라니, 다리와 수염뿐이었다니까요! 그를 본 순간 곧 기분이 섬뜩해지며 이런 생각이 들었어요. '그는 아무것도 모르는 채 백주에 몽유병자처럼 돌아다니는구나. 빵 사건과 구르트너 씨가 한 말도 잊었고 사람들이 자신을 얼마나 굴욕적으로 내쫓았는지도 잊어버렸구나. 그는 자신이 누구인지도 모르고 있어.' 다행히도 구르트너 씨는 아직 오지 않았고 수석 웨이터는 커피를 마시는 중이었어요. 그래서 저는 여기 있으면 그 상스러운 놈에게 (이 말을 하면서 그녀는 조심스럽게 주위를 둘러보고는 급히 고쳐 말했다), 그러니까 구르트너 씨에게 또 쫓겨날 거라고 알려주려고 급히 다가갔어요. '멘델 씨!' 제가 불러도 그는 멍하니 앞만 쳐다봤어요. 바로 그 순간, 맙소사, 끔찍하게도 바로 그 순간 그는 모든 걸 기억해낸 게 분명해요. 곧장 움찔하더니 몸을 떨기 시작했거든요. 그런데 그저 손가락을 떠는 정도가 아니었어요. 온몸을 부들부들 떠는 바람에 어깨까지 들썩였으니까요. 이윽고 그는 비틀대며 급히 문으로 발을 떼더니 거기서 그만 혼절해버렸어요. 우리는 즉시 전화로 구급차를 불러서 열이 펄펄 끓는 그를 병원으로 보냈어요. 저녁에 그는 죽었어요. 악성 폐렴이라고 의사가 그러더군요. 그가 우리에게 왔을 때도 자신이 어떤 처지에 있는지를 제대로 몰랐을 거라는 말도 했어요. 그는 몽유병자처럼 떠밀리다시피 이리로 온 거였어요. 아이고, 36년을 날마다 거기 앉아 있었으니 그 탁자가 그의 집이었겠지요."

우리는, 기인 멘델을 기억하는 마지막 두 사람은 오랫동안 그에 관해 이야기했다. 변변치 않은 삶을 살던 멘델은 청년이었던 나에게 완벽히 정신에만 몰입하는 삶이 어떤 것인지를 처음으로 느끼게 해 주었다. 반면에 화장실 청소부로 힘겹게 살아온 가엾은 여자는 책 한 권 읽은 적이 없었지만, 그저 25년 동안 외투를 손질하고 단추를 꿰매주던 인연 때문에 가난한 하층민 세계의 동료를 그리워하고 있었다. 이렇듯 다른 우리 둘은 주인을 잃은 낡은 탁자에 마주 앉아 함께 멘델의 그림자를 불러내어서는 즐겁게 이야기꽃을 피웠다. 추억은 늘 사람들을 연결해주는 데다가 사랑이 깃든 추억은 곱절의 힘을 발휘하기 마련이다. 한참 수다를 떨던 그녀가 갑자기 이마를 턱 쳤다. "아이고, 내 정신 좀 봐! 멘델 씨가 쫓겨날 때 탁자에 두고 간 책을 아직도 내가 가지고 있어요. 그걸 어디로 갖다주어야 할지 몰랐거든요. 나중에는 아무도 그걸 찾는 사람이 없기에 기념품으로 가져도 될 것 같았어요. 뭐 잘못한 것은 아니겠지요, 선생님?"

그녀가 급히 뒤편에 있는 창고에서 책을 가져오자 나는 웃음이 피식 나오려는 걸 참으려고 애써야 했다. 늘 장난을 즐기고 곧잘 냉소적인 운명의 신이 처절한 비극에 짓궂게도 우스꽝스러운 요소를 덧붙여 놓았기 때문이다. 그 책은 고서 수집가라면 모를 수 없는, 하인•의 『독일 에로 및 기담 문학 편람』 제2권이었다. 하필

• 후고 하인Hugo Hayn(1843~1923)은 독일의 사서이며 장서 연구가로 온갖 성적인 것이 금기시되던 시대에 성애를 다룬 책들을 찾아내며 보존하는 선구자적 일을 했다. 하인이 작성한 도서목록은 공식적인 도서목록에는 수록되지 않은 여러 저서를 포함하고 있다. 위에서 언급된 책은 1875년에 처음 출간되었고 여러 차례 재판을 찍었다.

마술사의 마지막 유산으로 남은 것이 이런 외설 목록이라니, 이 외설 목록이 평생 기도서 말고 딴 책은 만져본 적이 없는 순진한 여인의 벌겋게 부르튼 손에 있다니, 모든 책에는 각각의 운명이 있다는 고대 로마의 시구절이 떠올랐다. 나는 저절로 터져 나오는 웃음을 참느라 입술을 앙다물어야 했다. 내가 아무 말이 없자 선량한 여인은 당황해했다. "혹시 이게 값진 것인가요? 제가 이걸 가져도 되는 걸까요?"

나는 그녀에게 진심으로 악수를 청했다. "맘 편히 가지고 계십시오. 우리의 오랜 친구 멘델은 자신의 도움으로 책을 얻은 수천 명의 사람 중 적어도 한 사람은 자신을 추억한다는 사실을 기뻐할 겁니다." 이렇게 말하고는 나는 선량한 늙은 여자 앞에서 부끄러워하며 자리를 떴다. 그녀는 무지하긴 해도 가장 인간적인 방식으로 고인의 추억을 충실하게 간직해 왔지 않은가! 배운 게 없는 여자는 그를 더 잘 기억하기 위하여 한 권의 책을 간직하고 있었지만 나는 여러 해 동안 책벌레 멘델을 잊고 있었다. 책을 쓰는 목적은 협소한 자신의 존재를 뛰어넘어 사람들을 연결하고, 인생의 가혹한 적인 무상함과 망각에 맞서 자신을 방어하는 것임을 명심해야 하는 나조차도 말이다.

체스 이야기

■ ■ ■

자정 무렵 뉴욕에서 부에노스아이레스로 출항 예정인 대형 여객선은 출발 직전에 늘 그렇듯이 번잡했고 부산스러웠다. 육지에 있는 사람들은 친지들을 배웅하기 위해 마구 몰려들었고 모자를 삐딱하게 눌러쓴 전보 배달꾼은 이름을 불러대며 홀을 쏜살같이 오갔다. 트렁크와 꽃들이 운반되고 아이들이 호기심에 차서 계단을 오르락내리락하는 와중에도 악단은 갑판에 늘어서서 꿋꿋이 악기를 연주했다. 나는 이런 혼잡을 피해 갑판에서 한 지인과 이야기를 나누고 있었는데 우리 옆에서 카메라 플래시가 두세 번 번쩍거렸다. 보아하니 기자들이 웬 유명인사를 출발 직전에 인터뷰하고 사진을 찍으려는 듯했다. 친구가 그쪽을 보더니 피식 웃었다. "배에 희한한 녀석이 타고 있군, 첸토비치야." 내가 이 말에 영문을 모르겠다는 표정을 짓자 친구가 덧붙여 설명했다. "미르코 첸토비치는 세계 체스 챔피언이야. 미국 전역을 동에서 서로 누비며 순회경기를 치렀지. 이제 새로운 승리를 거두려고 아르헨티나로 가는 거라네."

그제야 나도 이 젊은 세계 챔피언이 기억났고 초특급으로 출세한 이력과 연관된 몇몇 사실들까지 기억이 났다. 나보다 신문을 더 꼼꼼히 읽는 친구는 일련의 일화들을 들려주며 내 기억을 메꾸어

주었다. 첸토비치는 일 년 전쯤 단숨에 알레힌, 카파블랑카, 타르타코버, 라스커, 보고류보프와 같이 최고로 손꼽히는 역대 체스 챔피언들의 반열에 서게 되었다. 1922년 뉴욕에서 열린 체스 경기에서 일곱 살 신동 르첼스키가 등장한 이래 듣도 보도 못한 사람이 불쑥 유명인사들의 클럽으로 치고 들어와 모두를 놀라게 한 일은 여태 한 번도 없었다. 첸토비치의 지적인 자질로 보아 그가 그처럼 크게 출세하리라고 예견한 사람은 없었을 것이다. 이 체스의 거장이 일상생활에서는 어떤 언어로도 철자법이 맞는 문장 하나 제대로 쓰지 못한다는 비밀은 곧 새어 나갔고 악의에 찬 동료 하나는 심술궂게 빈정댔다. "그는 모든 영역에 걸쳐 한결같이 해박하게 무식하다." 그는 남슬라브 지역을 흐르는 도나우강 부근에서 찢어지게 가난한 뱃사공의 아들로 태어났다. 어느 날 밤 쪽배가 곡물을 실은 증기선에 부딪히며 아버지가 사망하자, 외진 마을의 신부는 당시 열두 살이던 그를 동정심에서 거두었다. 이마가 널찍한 아이는 말수가 적고 아둔했고 마을 학교의 수업을 따라가지 못했다. 선량한 신부는 집에서 별도로 가르쳐서 공백을 메워보려고 무진 애를 썼다.

하지만 그래 봤자 헛수고였다. 미르코는 벌써 백 번은 설명 들은 글자를 여전히 낯설어하며 보고 또 보았다. 단순하기 그지없는 수업내용조차도 꽉 막힌 그의 두뇌는 담아내지 못했다. 열네 살이 되어서도 계산을 하려면 손가락셈을 해야 했고 청소년으로 성장한 나이에도 책이나 신문을 읽는 걸 몹시 힘들어했다. 그렇지만 미르코가 일하기 싫어한다거나 반항한다고 볼 수는 없었다. 그는 물을 길어오고 장작을 패고 밭을 갈고 부엌을 청소하는 등 명령받은 일을 순순히 했다. 보는 사람이 속이 터질 정도로 느리긴 했지만 시킨 일은 죄다 믿음직하게 해냈다. 하지만 사람 좋은 신부는 이 괴짜 소년이 그 무엇에도 관심이 없다는 사실에 너무도 속이 상했다. 미르코는 일부러 시키지 않으면 아무것도 하지 않았다. 질문 하나 던지는 법이 없었고 다른 소년들과 어울리지도 않았으며 무얼 하라고 못 박아 일러두지 않으면 자발적으로 할 일을 찾아 나서는 적이 없었다. 집안일을 마치고 나면 우두커니 방에 앉아, 풀을 뜯는 양 떼처럼 텅 빈 눈빛으로 자기 주변에서 일어나는 일들에 눈곱만치의 관심도 보내지 않았다. 신부는 저녁이면 기름한 구식 파이프 담배를 느긋이 피우며 헌병대 상사와 체스를 세 판 두곤 했는데 그럴 때면 더부룩한 금발 머리 소년은 옆에 말없이 웅크리고 앉아 눈꺼풀을 묵직이 내리깔고는 졸리고 지루하다는 듯 격자무늬의 체스판을 응시하고 있었다.

어느 겨울 저녁, 두 사람이 언제나처럼 체스 게임에 푹 빠져 있는데 마을 길에서 딸랑대는 썰매의 종소리가 점점 더 커지며 가까워졌다. 이윽고 눈이 소복이 덮인 모자를 쓴 농부가 서둘러 집 안으로 들어와서는 노모가 돌아가시려 하니 제때 종부성사를 받게끔 당장 와 달라고 신부에게 청했다. 신부는 곧장 그를 따라 나섰다. 맥주잔을 채 비우지 않은 헌병대 상사는 떠나기 전에 파이프에 불을 붙이고는 육중한 군화를 막 신으려는 참이었다. 그러다가 미르코가 시합이 한창이던 체스판에 시선을 고정하고 있는 걸 보았다.

“흠, 네가 이걸 마저 두고 싶니?” 상사는 농담을 건네면서도 잠에 취한 듯한 사내아이가 체스 말 하나도 제대로 옮기지 못할 거라 믿어 의심치 않았다. 소년은 수줍게 쳐다보더니 고개를 끄덕이고는 신부의 자리에 앉았다. 열네 번 체스 말이 오고 간 후 헌병대 상사는 지고 말았다. 더군다나 어쩌다가 한 수를 잘못 둔 탓에 진 것이 결코 아님을 인정해야 했다. 두 번째 경기도 마찬가지였다.

"발람의 나귀• 같은 녀석이군!" 돌아온 신부는 몹시 놀라서 소리치고는 성경을 잘 모르는 헌병대 상사에게 이미 2000년 전에 이와 유사한 기적이 일어나서 말 못 하는 존재가 갑자기 지혜로운 말을 하게 되었다고 설명해 주었다. 상당히 늦은 시간이었지만 신부는 글도 제대로 읽지 못하는 자신의 조수에게 게임 한판을 청하지 않을 수 없었다. 미르코는 신부도 쉽게 이겼다. 그는 단 한 번도 널찍한 이마를 체스판에서 들지 않고 더디게, 느릿느릿, 동요하지 않고 게임을 했다. 하지만 그는 반격의 틈을 주지 않았고 실수가 없었다. 헌병대 상사와 신부는 이후 며칠 동안 소년을 상대로 단 한 판도 이기지 못했다. 신부는 자신의 피보호자가 그 밖의 다른 분야에서는 미흡하다는 것을 그 누구보다도 잘 판단할 수 있었기에, 한 분야에서만 특출한 이 재능이 어느 정도나 엄격한 시험을 통과할 수 있을지 몹시 궁금해졌다. 그는 마을 이발소에서 미르코의 더부룩한 금발 머리를 손봐서 사람들 앞에 나설 수 있게 만든 후, 아이를 썰매에 태워 인근의 소도시로 데리고 갔다. 시내 중앙광장에 있는 카페 한 모퉁이에는 체스라면 자다가도 벌떡 일어

• 구약성서 민수기 22~24장에 나오는 일화. 예언자 발람은 신의 뜻을 거스르며 모아브왕 발락을 도우러 가려고 한다. 이에 진노한 신은 그를 제지하기 위해 천사를 보낸다. 발람은 천사를 보지 못했으나 그의 나귀는 칼을 빼든 천사를 알아보고는 길을 비켜 간다. 발람이 순종하지 않는 나귀를 때리자 갑자기 나귀는 말을 하여 천사의 존재를 주인에게 알린다. 작품 속 신부는 갑자기 숨겨둔 능력을 드러내는 경우에 빗대어 첸토비치를 '발람의 나귀'라 부르고 있다.

나는 사람들이 늘 진을 치고 있었는데, 신부는 그들이 자신보다 한 수 위임을 경험한 바 있었다. 신부는 볏단처럼 부스스한 금발에 양볼이 발그레한 15세 소년을 데리고 카페로 들어섰는데, 체스를 두던 사람들은 안에 양털을 댄 외투 차림에 목이 긴 투박한 장화를 신은 소년에게 별다른 관심을 보이지 않았다. 소년은 누군가가 체스판으로 그를 부를 때까지 어색해하며 눈을 내리깔고 귀퉁이에 멋쩍게 서 있었다. 첫 번째 시합에서는 미르코가 졌다. 선량한 신부의 집에서는 이른바 시실리안 디펜스라는 것을 본 적이 없었기 때문이다. 두 번째 시합에서는 가장 뛰어난 경기자와 붙었는데 무승부로 끝났다. 세 번째, 네 번째부터 그는 모두를 차례차례 이겼다.

남슬라브의 작은 도시에서 놀라운 사건이 일어나는 경우는 극히 드물다. 그렇기에 촌티가 풀풀 나는 챔피언의 첫 등장은 그곳에 모인 지역 유지들에게 당장 엄청난 화젯거리가 되었다. 이 신동은 며칠 더 이 도시에 머물러야 마땅하다고 다들 한목소리로 결정했다. 체스 클럽의 다른 회원들을 소집하고, 체스 게임이라면 사족을 못 쓰는 노백작 짐지치에게 이 소식을 알리기 위해서였다. 신부는 자신의 양자를 보며 처음으로 긍지를 느꼈고 새로운 사실에 기뻤지만 그렇다고 해서 자신의 의무인 일요예배를 미루고 싶지는 않았다. 그래서 미르코가 다음 시합을 하도록 여기 남겨두겠다고 말했다. 첸토비치 소년은 호텔에서 묵게 되었고 체스 애호가들이 비용을 부담했다. 이날 저녁 그는 처음으로 수세식 화장실이란 걸 보았다. 이튿날인 일요일 오후 체스 시합장은 사람들로 가득했다. 미르코는 네 시간 동안 체스판 앞에 꼼짝하지 않고 앉아서 말 한마디 없이, 고개 한 번 들지 않은 채 상대를 하나하나 이겨냈다. 마침내 동시 대국을 하자는 제안이 나왔다. 무지한 소년이 동시 대국이란 그가 혼자서 여러 상대를 동시에 대적하는 것임을 이해하기까지는 시간이 꽤 걸렸다. 하지만 미르코는 이런 형식을 파악하자마자 신속히 자신의 과제를 이행했다. 삐걱대는 신발로 천천히 이 테이블에서 저 테이블로 옮겨 다니더니 결국 여덟 판 중 일곱 판을 이겼다.

이제 사람들은 광범위한 논의를 벌이기 시작했다. 새 챔피언은 엄밀히 따지자면 이 도시 주민이 아니지만, 이곳 주민들은 고향에 대한 자부심에 불타올랐다. 여태 이 소도시가 지도에 존재한다는 걸 아는 사람이 얼마 없는 지경인데 드디어 이 도시가 유명인사를 세상에 내놓는 영광을 처음 누릴지도 모를 일이었다. 주로 상송 가수와 여자 가수들을 군부대 내의 카바레에 조달하는 일을 하던 브로커 콜러는 일 년간 비용을 지원받는다면 자신이 잘 아는 빈의 훌륭한 선생에게 아이를 맡겨서 체스 기술을 전문적으로 배우게 하겠다고 나섰다. 짐지치 백작은 육십 평생 날마다 체스를 두었지만 이런 신기한 상대는 단 한 번도 접한 적이 없었기에 즉시 계약서에 서명했다. 이날부터 뱃사공의 아들은 경이로운 출세 가도를 달리기 시작했다.

반년 만에 미르코는 체스의 온갖 비법을 자유자재로 구사할 수 있었다. 그러나 희한하게도 그에게는 한 가지 약점이 있었는데, 나중에 이 약점을 여러 번 목격한 전문가들은 그것을 조롱거리로 삼았다. 첸토비치의 약점은 단 한 판의 경기도 외워서 두지 못한다는 것이었다. 전문용어로 말하자면 그는 블라인드 체스를 두지 못했다. 그는 무한한 상상의 공간에 체스라는 전투장을 설치하는 능력을 아예 지니지 못했다. 그는 항상 예순네 칸으로 나누어진 흑백의 사각 판과 서른두 개의 체스 말들을 손만 뻗치면 닿게끔 눈앞에 두어야 했기에 세계적 명사가 되어서도 조립식 미니 체스판을 늘 가지고 다녔다. 대가의 시합을 복기하거나 어떤 문제를 혼자 풀려는 경우 그 형국을 시각적으로 눈앞에서 재현하기 위해서였다. 이런 결함은 그 자체만으로는 하찮은 것이었지만 실상은 상상력의 결핍을 드러냈기에, 전문가들은 이를 두고 열띤 논쟁을 벌였다. 탁월한 연주자나 지휘자가 악보를 펼쳐놓지 않고는 연주나 지휘를 할 수 없다는 사실이 드러났을 때 논쟁이 벌어지는 것과 같았다.

그러나 이런 희한한 특성은 미르코의 엄청난 성공에 아무런 장애가 되지 않았다. 그는 열일곱에 이미 여러 체스 상을 휩쓸었고 열여덟에 헝가리 챔피언이 되었으며 갓 스물에 드디어 세계 챔피언 자리에 오른 것이다. 다른 챔피언들은 지적인 재능과 상상력과 대담함에서 그를 훨씬 능가했고 다들 대단히 저돌적으로 경기에 임했지만, 모두 그의 끈질기고 차가운 논리에 패하고 말았다. 나폴레옹이 굼뜬 쿠투조프에게 패했고 한니발이 파비우스 쿤크타토르•에게 패했듯이 말이다. 역사가 리비우스에 따르면 파비우스 역시 어린 시절에는 둔감한 아이였고 지적장애의 징후를 심하게 보였다. 체스 챔피언들은 이제껏 철학자, 수학자 등 전략을 세우고 상상할 줄 아는 창조적 천재들이었고 지적으로 빼어난 다양한 유형의 사람들이었는데 이제 정신세계에는 무지한 문외한이 처음으

• 러시아 장군 쿠투조프(1745~1813)는 지연전으로 나폴레옹의 대군을 격파했고, 로마 장군 파비우스(기원전 275년경~203 B.C.)는 카르타고의 한니발과의 정면 대결을 피하며 지구전을 펼쳐 결국 승리했다.

로 이토록 찬란한 챔피언의 전당에 입성하는 사태가 벌어진 것이다. 그는 워낙 굼뜨고 말수가 적은 촌뜨기라서 산전수전 다 겪은 기자들조차도 그에게서 기사화할 만한 말 한마디를 끌어낼 수 없을 정도였다. 첸토비치는 세련된 언변을 언론에 제공하지는 않았지만, 그의 됨됨이에 대한 일화는 넘쳐흘렀다. 체스를 둘 때는 최고의 대가였지만 대국을 끝낸 순간부터는 어쩔 도리 없이 그로테스크하고 우스꽝스러운 인물이 되어버렸기 때문이다. 엄숙히 검정 신사복을 걸치고 화려한 넥타이에 다소 졸부 티가 나는 진주 핀을 꽂고 애써 손톱을 다듬었지만, 몸가짐이나 행동거지에서는 여전히 시골 신부의 방을 빗질하는 아둔한 촌뜨기 청년티가 풀풀 났다. 그는 하찮은 것에도 천박하게 욕심을 냈고 돈만 벌 수 있으면 자신의 재능과 명성을 선불리 이용하려 들었는데 그 정도가 상스럽기까지 했기에 그의 동료들은 입방아를 찧으며 분통을 터트리곤 했다. 그는 이 도시에서 저 도시로 돌아다니며 항상 제일 싸구려 호텔에 묵었고, 대전료만 주면 수준 이하의 클럽에서도 게임을 했다. 비누 광고에 자신의 초상을 쓰게 했고, 『체스의 철학』이라는 책의 필자로 자신의 이름을 팔아먹기까지 했다. 그가 세 문장도 올바르게 쓸 능력이 없음을 잘 아는 경쟁자들은 야유를 퍼부었지만, 그는 아랑곳하지 않았다. 실제로 그 책은 돈벌이에 혈안이 된 출판사가 별 볼 일 없는 갈리시아의 한 대학생 저자에게 위탁한 것이었다. 천성이 고집불통인 사람들이 그렇듯, 그는 자신의 우스꽝스러운 면모에 전혀 개의치 않았다. 세계 체스 대회에서 우승한 이후 그는 자신을 세상에서 가장 중요한 인물이라고 여겼다. 총명하고 지식이 풍부하며 빼어난 언변과 필력을 지닌 상대들을 모조리 그들 본래의 영역에서 제압한 데다가 그들보다 돈을 더 많이 벌기까지 하니, 원래는 자신감이 없던 그는 치졸하게 자만심을 드러내는 야멸찬 사람으로 돌변했다.

"머리에 든 게 없는 녀석이 졸지에 유명인사가 됐으니 얼이 빠지는 게 당연하지 않겠나?" 첸토비치가 유치하게 허세를 부린 대표적인 예 몇 개를 내게 들려준 후 친구는 이렇게 마무리 지었다. "스물한 살 먹은 바나트• 출신 촌뜨기가 한 주 동안 나무판 위에서 체스 말들을 이리저리 옮겨서 버는 돈은 고향 마을 전체가 나무를 베며 악착같이 일해서 일 년 동안 버는 것보다 더 많을 걸세. 그러니 녀석의 허파에 바람이 들어간 건 당연한 일이 아닐까? 게다가 렘브란트, 베토벤, 단테, 나폴레옹 같은 사람들이 있었음을 아예 모른다면 자신을 위대한 인간으로 여기는 게 사실 지독히 쉽지 않겠어? 그 녀석의 꽉 막힌 머릿속에는 자신이 몇 달 전부터 체스 시합에서 진 적이 단 한 번도 없다는 사실만이 들어 있어. 이 땅에 체스와 돈 말고도 다른 가치들이 있다는 걸 아예 모르니 자신에게 흠뻑 도취할 만도 하지."

친구에게 이런 이야기를 듣자 내 호기심이 뜨겁게 달아올랐다. 오직 한 가지 생각에만 매달리는 편집광들은 유형을 불문하고 늘 내 관심의 대상이었다. 한 사람이 자신의 영역을 제한하면 할수록 다른 한편에서는 무한성에 한층 더 가까이 다가가기 때문이다. 얼핏 보면 세상을 등진 듯한 사람들은 그들만의 특별한 재료로 두 번 다시없을 진기한 세계를 압축된 형태로 지어낸다는 점에서 흰

• 남동유럽의 한 지역으로 1867년부터 오스트리아 헝가리 제국의 영토였으나 1919년 평화조약에 의해 루마니아, 헝가리, 유고슬라비아가 나누어 차지하게 되었다.

개미와 닮았다. 나는 리우까지 가는 12일 동안 지적 능력이 한 방향으로만 편중된 이 별종을 상세히 들여다보려는 의도를 내비쳤다.

하지만 친구는 경고했다. "쉽지 않을 걸세. 내가 아는 한 그 누구도 첸토비치에게서 심리 탐구의 소재가 될 만한 것을 눈곱만큼이라도 얻어내지 못했거든. 이 능구렁이 촌놈은 혀를 내두를 만큼 아둔해 보이지만 그 이면에는 절대 약점을 드러내지 않는 영리한 면모를 감추고 있다네. 그 수법은 지극히 간단해. 그는 싸구려 여관에서 마주치는 비슷한 부류의 동향인들 말고는 그 누구와도 대화하지 않아. 교양 있는 사람이 있다 싶으면 잽싸게 꽁무니를 빼거든. 그래서 그가 멍청한 말을 하는 걸 들었다거나 끝이 보이지 않는다는 그의 무식함을 제대로 측량해보았다고 장담할 수 있는 사람은 아무도 없다는군."

친구의 말이 정말 맞았다. 처음 며칠을 지내보니 무례하게 치근덕대지 않고는 첸토비치에게 접근할 방도가 아예 없음을 알게 되었지만, 차마 그렇게까지 할 수는 없는 노릇이었다. 종종 그는 갑판을 산책했지만, 마치 유명한 나폴레옹의 초상화에서처럼 항상 양손을 뒷짐 지고는 생각에 깊이 잠긴 듯 오만한 자세를 취했다. 게다가 갑판을 한 바퀴 돌 때면 항상 돌격하듯이 바삐 걸었기에 그에게 말을 붙이려면 그를 쫓아서 달려야 했을 것이다. 그는 응접실이나 바, 흡연실에는 한 번도 나타나지 않았다. 승무원에게 넌지시 물어보니 커다란 체스판으로 시합을 연습하거나 복기하느라 하루 대부분을 선실에서 보낸다고 했다.

사흘이 지나자 나는 정말 짜증이 나기 시작했다. 그의 끈덕진 방어술이 그에게 접근하려는 나의 의지보다 뛰어났기 때문이다.

나는 지금껏 체스 챔피언을 사적으로 알고 지낸 적이 없었다. 체스 챔피언은 어떤 유형의 인간인지 그려보려고 아무리 애써 봐도 흑백이 교차하는 예순네 칸의 공간에서만 평생 두뇌를 사용하는 사람을 상상조차 할 수 없었다. 물론 나는 경험을 통해 체스가 지닌 신비한 매력을 잘 알고 있었다. '제왕의 게임'이라 불리는 체스는 인간이 고안해낸 온갖 게임 중 유일하게도 우연이라는 폭정 위에 군림하기에, 지적 능력을 갖춘 사람만이, 아니 더 정확히 말하면 특별한 형태의 지적 재능을 갖춘 사람만이 체스 챔피언이 되는 영광을 누릴 수 있다. 하지만 체스를 게임이라고 칭하는 것 자체가 체스의 의미를 깎아내리는 모욕적인 오류가 아닐까? 체스는 학문인 동시에 예술이 아니던가? 무함마드의 관이 하늘과 땅 사이를 부유하듯이 학문과 예술이라는 두 범주 사이를 부유하며 온갖 대립하는 것들을 결합하는 유일한 존재가 바로 체스 아닌가? 고색창연하면서도 영원히 신선함을 유지하고, 기본 틀은 기계적이면서도 상상력을 펼쳐야만 이길 수 있고, 기하학적으로 고정된 공간을 벗어나지 못하면서도 무한정한 조합을 만들어 낼 수 있는 것이 바로 체스 아닌가? 항상 발전해 나가지만 새로운 것을 잉태하지는 않는 체스, 이는 무無로 귀결되는 사고, 무에 이르는 수학, 작품을 만들어내지 않는 예술, 실체가 없는 건축과 동일 선상에 있다. 그렇다 해도 체스의 존재 자체는 분명 그 어떤 책이나 예술품보다 더 영구적이지 않은가? 어느 민족이든, 어느 시대든 즐겨온 유일한 게임 체스! 인간이 권태를 이기고 감각을 단련하고 영혼의 긴장감을 유지하게끔 신이 이 땅에 체스를 선물했던 것은 아닐까? 체스는 어디에서 시작되어 어디서 끝나는 걸까? 어떤 아이든 체스의 기본 규칙을 배울 수 있으며 아무리 아둔한 사람일지라도 체스를 둘 수 있다. 하지만 일반 사람들과는 달리 체스에 안성맞춤인 재능을 지닌 대가들은 변함없는 크기의 사각형 판 안에서 특유의 천재성을 발휘할 수 있다. 수학과 시문학과 음악의 천재들과 마찬가지로 체스 천재 역시 상상력과 인내력과 기술을 적당한 비율로 활용한다. 다만 세 능력이 만나고 연결되는 지점이 다른 분야의 천재들과 다를 뿐이다.

골상학이 유행했던 시절이었다면 갈• 같은 학자는 아마 체스 챔피언의 뇌를 해부해서는, 체스 천재의 회색 뇌세포에는 특별한 굴곡이 있는지, 보통 뇌와는 달리 일종의 체스 근육이나 체스 돌기가 또렷이 형성되어 있는지 밝히려 했을 것이다. 백 킬로그램의 폐기물 광석 안에 금광맥이 한 줄기 섞여 있는 경우처럼, 절대적으로 낙후된 지능의 소유자면서도 특유의 천재성을 지닌 첸토비치! 이와 같은 유형에 골상학자들은 얼마나 강렬한 호기심을 느꼈을까! 원론적으로 나는 체스처럼 비길 바 없이 독창적인 게임에서는 유별난 재주꾼이 나오는 게 당연하다고 오래전부터 여겨왔다. 하지만 민첩한 정신을 지닌 사람이 이 세계를 오직 흑과 백이 움직이는 판으로 축소하고는, 서른두 개의 체스 말을 그저 이리저리 앞뒤로 움직이는 데서 삶의 의미를 찾는다는 게 과연 가능할까? 게임을 시작할 때 폰의 앞에 나이트를 세운 것을 위대한 업적이라 여기며 체스 교본의 한 모퉁이에서 불멸의 존재로 남으려는 사람, 미치지 않고서도 십 년, 이십 년, 삼십 년, 사십 년을 한결같이 나무로

• Franz Joseph Gall(1758~1828). 독일의 의사이며 해부학자. 두골 형상 연구로 인간의 정신적 능력을 알 수 있다는 골상학을 개척했다.

된 킹을 나무판 구석 자리로 몰아가는 데 자신의 정신력을 온통 쏟아붓는 사람이 있다는 건 상상하기조차 어렵지 않은가!

그런데 이제 그런 비범한 인간이, 유별난 천재가, 아니 수수께끼에 싸인 멍청이가 처음으로 나와 아주 가까운 공간에 있었다. 나와 같은 배에서 선실 여섯 개를 사이에 두고 있었던 것이다. 그의 지적 능력에 관한 나의 호기심은 점차 열띤 집착으로 변해갔지만, 불운하게도 나는 그에게 다가갈 방도를 찾지 못했다. 나는 터무니없는 계책을 궁리하기 시작했다. 그의 허영심을 자극해서 유력 신문에 실릴 인터뷰를 하는 시늉을 하거나, 스코틀랜드에서 수입이 짭짤한 대회가 있다는 말로 그의 탐욕을 부추기려는 생각도 해봤다. 하지만 결국 사냥꾼이 수꿩을 유인하는 가장 확실한 기술은 짝을 부르는 암컷의 소리를 흉내 내는 것임을 떠올렸다. 직접 체스를 두는 것이야말로 체스 챔피언의 관심을 끄는 가장 효과적인 방법이 아니겠는가?

사실 나는 여태껏 진지하게 체스에 몰두한 적이 없었다. 항상 그저 홀가분하게 즐기기 위해서 체스를 두었기 때문이다. 내가 한 시간 동안 체스를 둔다면 그것은 정신을 단련하기 위해서가 아니라 오히려 정신의 긴장을 풀기 위해서이다. 난 말 그대로 체스 '놀이'를 하지만 진짜 체스 애호가들은 체스를 '연구'한다. 그런데 체스를 두려면 사랑을 할 때와 마찬가지로 반드시 상대가 필요하다. 당시 나는 다른 체스 애호가들이 배에 타고 있는지 알 수 없었기에 애호가들을 은신처에서 꾀어내기 위해 흡연실에 투박한 덫을 놓았다. 나보다 체스를 훨씬 못 두는 아내와 함께 체스 게임을 벌여서 새를 꾀어내려는 작전이었다. 정말 우리가 채 여섯 수도 두기 전에 누군가가 지나가다가 멈추어 섰고 두 번째 사람은 대국을 구경해도 되냐고 물었다.

드디어 바라던 대로 한 판 두자는 사람이 나타났다. 그의 이름은 매코너로 스코틀랜드 출신의 토목 기술자였다. 들리는 말로는 캘리포니아에서 유전을 개발해서 엄청난 갑부가 되었다고 했다. 땅딸막한 체구에 거의 네모난 턱은 다부졌고 튼튼한 치아에, 얼굴에는 윤기가 흘렀다. 피부색은 조금 불콰했는데 위스키를 너무 많이 마신 탓인 듯했다. 그의 어깨는 운동선수라고 해도 될 만큼 유난히 떡 벌어져서 정력을 뽐내고 있었는데 유감스럽게도 체스를 두는 스타일에도 그런 면모가 드러났다. 미스터 매코너는 출세한 사람답게 자기가 최고라 믿는 부류에 속했으며 대단치 않은 게임에서 지기라도 하면 자부심에 손상을 입었다고 여겼다. 이 고집 센 자수성가형 남자는 평생 남을 배려하지 않고 제 뜻을 관철하는 것에 익숙했고 현실에서 운 좋게 성공한 탓에 자신의 우월함을 믿어 의심치 않았다. 그래서 누구든 자신에게 맞선다 싶으면 무엄하게도 반항을 해서 자신을 모욕한다고 여기며 격분하기까지 했다. 첫 판에서 지자 그는 불쾌해하며 이건 순간의 부주의 때문이라고 구차스럽게 해명하며 독불장군처럼 굴었다. 세 번째 판에서 지자 옆방의 소음 탓이라고 둘러댔다. 질 때마다 번번이 설욕전을 요구하지 않고는 못 배기는 성격이었다. 처음에는 공명심에 불타 집요하게 물고 늘어지는 그를 보는 게 재미있었다. 하지만 나중에는 챔피언 첸토비치를 우리 테이블로 유인하려는 본래 의도를 위해 치러야 하는 대가치고는 과하다 싶을 지경이었다.

사흘째 되는 날 내 의도가 이루어졌지만, 절반의 성공에 불과했다. 첸토비치가 갑판을 거닐다가 선실 창문으로 체스를 두고 있는 우리를 보았는지, 아니면 그저 우연히 흡연실에 들렀는지는 알 수 없다. 어쨌든 그는 우리같이 별 볼 일 없는 사람들이 자신의 예술을 감히 실천하는 것을 보자 본능적으로 한 걸음 다가와 적당한 거리에서 평가하려는 듯 체스판을 흘낏 보았다. 마침 매코너가 둘 차례였다. 첸토비치는 이 한 수만 보고도 우리 같은 아마추어들의 대국이 대가인 자신의 관심을 끌 만한 가치가 없음을 알아낸 듯했다. 우리 작가들이 서점 직원이 추천한 저질의 탐정소설을 책장도 들추지 않고 내려놓을 때처럼 주저 없는 몸짓으로 첸토비치는 우리 테이블을 지나쳐서 흡연실을 나갔다. '저울에 달아보고는 너무 가볍다고 여기는군.'• 이런 생각이 얼핏 들었다. 나는 이런 싸늘하고 얕잡아보는 시선 때문에 조금 화가 나서 불쾌한 심사를 어떻게든 풀어내려고 매코너에게 말했다.

"챔피언은 당신이 방금 둔 한 수에 그다지 감탄하지 않나 봅니다."

"챔피언이라니요?"

나는 방금 우리 곁을 지나가면서 우리의 대국을 탐탁지 않다는 듯이 흘깃 보았던 신사가 바로 체스 챔피언 첸토비치라고 그에게 알려주었다. 그러고는 이렇게 덧붙였다. "우리 둘은 유명인사가 경멸의 시선을 던졌다 해도 마음 아파하지 말고 이겨내야 할 겁니다. 가난한 사람들은 물로 배를 채워야 하니까요." 놀랍게도 내

• 화자는 구약성서 다니엘서 5장 25~28절을 암시하고 있다. 바빌로니아왕 벨자르가 연회를 즐기는 도중 유령 손이 나타나서 메네테켈Menetekel이란 글자를 벽에 써서 왕국의 멸망을 예언한다. 이 단어는 '왕의 나라를 저울에 달았으나 부족하다'라는 뜻인데, 이후 다가올 재난을 경고하는 데 쓰이게 된다.

가 별생각 없이 내뱉은 말에 매코너는 전혀 예상하지 않은 반응을 보였다. 그는 흥분한 나머지 우리가 시합 중이라는 것을 잊어버렸다. 그의 공명심이 펄떡이는 소리가 들릴 정도였다. 그는 첸토비치가 배에 타고 있는 줄 전혀 몰랐다며 무슨 일이 있어도 첸토비치와 체스 경기를 해야겠다고 나섰다. 지금껏 딱 한 번 체스 챔피언이 40명과 동시 대국을 했을 때 참여한 것을 빼면 세계 챔피언을 상대로 체스 게임을 한 적이 없다면서 그때 그 게임은 지독히 흥미진진했고 자신이 거의 이길 뻔했었다고 덧붙였다. 그러고는 내게 아까 그 챔피언을 개인적으로 아느냐고 물었다. 내가 모른다고 하자 그에게 말을 걸어서 함께 게임을 하자고 청해 보라고 매코너가 권유했다. 나는 사양하며 이렇게 설명했다. "제가 알기로는 첸토비치는 모르는 사람과 친분을 맺으려 들지 않는답니다. 게다가 세계 챔피언이 우리 같은 삼류 선수와 체스를 둘 맛이 어디 나겠습니까?"

사실 삼류라는 말을 매코너같이 공명심에 불타는 사람에게는 하지 말았어야 했다. 그는 기분이 상해서 몸을 뒤로 젖히고는 퉁명스럽게 말했다. "신사 대 신사로 정중히 경기를 청한다면 첸토비치가 거절할 리가 없다고 봅니다. 경기가 성사되게끔 할 겁니다." 나는 그의 요청대로 세계 챔피언의 인상착의를 짧게 설명해 주었다. 곧 그는 우리가 두던 체스판을 내팽개친 채 부리나케 첸토비치를 따라 갑판으로 뛰쳐나갔다. 저렇게 떡 벌어진 어깨를 가진 사람이 일단 무엇을 하겠다고 마음을 먹으면 막을 수가 없음을 나는 새삼 실감했다.

나는 몹시 기대에 부풀어 기다렸다. 십 분 뒤에 매코너가 돌아왔는데 기분이 썩 좋아 보이지는 않았다.

"어떻게 되었습니까?" 내가 물었다.

"당신 말이 맞더군요." 그가 조금 짜증스럽게 대꾸했다. "전혀 호감이 가지 않는 사람입니다. 저는 제 소개를 하고는 제가 어떤 사람인지 설명했습니다. 하지만 그는 제게 악수조차 청하지 않더군요. 그가 우리를 상대로 동시 대국을 한다면 이 배에 탄 사람들 모두가 얼마나 자랑스럽고 영광스러워하겠냐고 설득해보려 했습니다. 그런데 젠장, 그는 끝내 넘어가지 않았습니다. 유감스럽게도 매니저와의 계약서에는 순회 경기를 하는 동안에는 사례금 없이는 체스 경기를 해서는 안 된다는 의무 조항이 명시되어 있다는 겁니다. 그가 한 경기 당 받는 금액은 최소 250달러랍니다."

나는 웃으며 말했다. "흑백의 말들을 움직이는 거로 그런 수지맞는 돈벌이를 할 수 있으리라고는 생각조차 못 했습니다. 그렇다면 당신 역시 정중하게 작별을 고하셨겠군요."

하지만 매코너는 여전히 진지했다. "시합을 내일 오후 세 시로 정했습니다. 여기 흡연실에서 합니다. 우리가 너무 쉽게 박살이 나지 않기를 바랍니다."

"이런! 250달러를 주겠다고 하셨습니까?" 나는 놀라서 소리쳤다.

"주지 못할 이유가 있나요? C'est son mtier.• 만일 내 이가 아픈데 우연히 이 배에 치과의사가 탔다면 그에게 이를 공짜로 뽑아달라고 요구하지는 않을 겁니다. 첸토비치는 비싼 값을 부를 만합

• "그게 그의 직업이니까요."라는 뜻의 프랑스어

니다. 어느 분야에서건 제대로 된 능력자는 최고의 사업가이기도 합니다. 저로서는 사업 관계가 명료한 게 훨씬 더 좋습니다. 첸토비치 씨 같은 사람이 내게 은총을 베풀게 내버려 두었다가 막판에 그에게 감사해야 할 바에는 차라리 현금을 내겠습니다. 사실 저는 우리 클럽에서 하룻저녁에 250달러보다 더 많은 돈을 잃어본 적이 있습니다. 세계 챔피언과 경기한 것도 아닌데 말입니다. '삼류' 선수는 첸토비치 같은 이들에게 패한다 해도 수치스러워할 이유가 없지요."

내가 '삼류' 선수라는 악의 없는 말로 매코너의 자부심에 얼마나 깊은 상처를 입혔는지를 관찰하는 것은 재미있었다. 하지만 그가 오락을 위해 비싼 대가를 지불하기로 마음먹었기에 나로서는 그의 그릇된 공명심이 나쁘지 않았다. 그의 공명심 덕분에 드디어 내 호기심의 대상을 가까이하게 될 것이기 때문이었다. 우리는 서둘러 전에 체스 선수를 자처했던 네댓 명의 신사들에게 곧 벌어질 이벤트에 관해 알려주었고, 되도록 지나다니는 승객들에게 방해받지 않게끔 우리 테이블뿐 아니라 옆 테이블들도 내일의 시합을 위해 예약해 두었다.

다음날 소그룹을 이룬 우리는 약속 시각에 모두 나타났다. 챔피언과 마주 보는 가운데 자리는 당연히 매코너가 차지했다. 그는 신경이 곤두선 탓에 독한 시가를 연달아 피워댔고 불안해하며 계속 시계를 들여다보았다. 하지만 세계 챔피언은 – 난 친구의 이야기를 들었기에 이미 짐작하고 있었다 – 꼬박 10분을 늦게 나타났다. 하여튼 그 덕에 그는 한층 더 위풍당당하게 등장했다. 그는 차분히 들어와서 유유히 테이블을 향했다. 자신을 소개하지도 않았는데 이런 무례함에는 '너희 내가 누군지 알지? 난 너희가 누군지 관심 없어'라는 메시지가 담겨 있는 듯했다. 그는 전문업자다운 무미건조한 태도로 사무적인 절차를 논하기 시작했다. 동시 대국을 하기에는 사용할 수 있는 체스판이 모자라니 우리가 모두 함께 자신을 상대로 체스를 두라는 제안이었다. 자신이 한 수 둔 후에는 매번 우리가 방해받지 않고 의논할 수 있도록 흡연실 끝에 있는 다른 테이블에 가 있을 테니 우리가 맞수를 두고 나면 (원래는 테이블용 종을 울려야 하지만 종이 없으니) 스푼으로 유리잔을 두들겨 달라고 했다. 신사분들이 이의를 제기하지 않는다면 한 수를 두는 데 걸리는 시간을 최대 십 분으로 하자고도 제안했다. 우리는 쭈뼛대는 학생들처럼 순순히 모든 제안에 동의했다. 흑백을 정할 때 첸토비치는 흑을 쥐게 되었다. 그는 선 채로 첫수를 두고는 곧장 자신이 제안했던 대기 장소로 갔다. 그러고는 편히 앉아서 화보 잡지를 훑어보았다.

시합이 어땠는지를 보고하는 것은 별 의미가 없다. 당연히 예상했던 대로 우리가 완패했다. 우리는 고작 스물네 번째 수에서 무너졌다. 세계 체스 챔피언이 평균 수준이 될까 말까 한 상대 대여섯 명을 손쉽게 이겼다는 것 자체는 놀랍지 않았다. 사실 우리 모두를 불쾌하게 한 것은 다름 아닌 그의 방자한 태도였다. 첸토비치는 우리가 자신의 상대가 되지 못한다는 사실을 너무 노골적으로 드러내서 우리가 그걸 느끼게끔 했다. 그는 매번 건성으로 체스판을 힐긋 볼 뿐이었고 마치 우리가 나무로 된 생명 없는 체스 말이기라도 한 듯 눈으로 쓱 훑고 지나갔다. 비루먹은 개에게 먹다 남은 찌꺼기를 던져줄 때나 어울릴 법한 건방진 몸짓이었다. 그가 섬세한 감정을 조금이라도 지니고 있었더라면 우리가 어떤 실수를 했는지를 지적해주거나 아니면 친절한 말로 우리를 격려했을 것이다. 하지만 이 비인간적인 체스 기계는 시합이 끝난 후 단 한마디도 하지 않았다. 그는 "메이트"• 라고 말한 뒤 테이블 앞에서 꼼짝 않고 우리가 두 번째 시합을 원하는지를 기다리고 있었다. 나는 이미 일어서 있었다. 상스러운 철면피를 상대하게 되면 항상 그렇듯이 막막한 기분이었고, 돈으로 산 시합이 막 끝났으니 그를 알게 된 즐거움도 끝났음을 몸으로 표현하려는 참이었다. 그런데 난처하게도 내 옆에 있던 매코너는 푹 잠긴 목소리로 말했다. "설욕전하겠습니다."

나는 이 도발적인 어조에 몹시 놀랐다. 사실 그 순간 매코너는 예의 바른 신사라기보다는 상대를 때려눕히려는 복서처럼 보였다. 첸토비치가 우리를 불쾌하게 대했기 때문이었을 수도 있고 매코너 자신의 병적인 공명심 때문이었을 수도 있지만, 하여튼 매코너는 사람이 아예 변해 있었다. 얼굴이 머리끝까지 벌겋게 달아올랐고, 분을 못 이겨 콧구멍을 심하게 벌름대며 땀을 뻘뻘 흘렸다. 꽉 다문 입술에서부터 싸움을 걸 듯 앞으로 내민 턱 주변까지 주름이 선명하게 새겨져 있었다. 그의 눈에서 제어할 수 없는 열정이 번득이는 것을 보니 불안해졌다. 룰렛 게임을 하는 사람이 예닐곱 번을 잇달아 두 배로 돈을 걸어도 원하는 색깔이 나오지 않을 때 빠져드는 그런 열정이었다. 이 순간 나는 광적일 만큼 공명심에 넘치는 매코너는 전 재산을 날리더라도 첸토비치를 상대로 시합을 하

• 체크메이트의 준말. 체스 경기에서 경기자가 상대의 킹을 잡을 수 있게 되었을 때 상대가 패했음을 알리기 위해 체크메이트를 외친다.

고 또 할 것임을 깨달았다. 혼자서건 둘이서건 적어도 한 번은 첸토비치를 이길 때까지 그는 계속 시합을 할 것이다. 첸토비치가 계속 버티기만 한다면 부에노스아이레스까지 가는 동안 매코너라는 금광에서 수천 달러는 족히 캐낼 수 있을 것이다.

첸토비치는 미동도 하지 않은 채 정중히 답했다. "그러시지요. 이제 여러분이 흑을 잡을 차례입니다."

호기심에 사람들이 모여들고 점차 주변이 활기를 띠었다는 점만 빼고는 두 번째 판도 첫판과 다를 바 없었다. 매코너는 이기겠다는 집념으로 체스 말에 마법을 걸기라도 하듯이 체스판을 뚫어져라 보았다. 냉랭한 적수를 향해 "메이트"라고 외치며 환호할 수만 있다면 수천 달러는 흔쾌히 날릴 기세였다. 신기하게도 우리 역시 의식하지 못한 채 매코너의 고집스러운 열기에 빨려들었다. 첫판과는 달리 우리는 한 수를 둘 때마다 매번 열렬히 토론했고, 의견을 정하고 첸토비치를 테이블로 부르는 신호를 보내려고 하면 늘 마지막 순간에 누군가가 다른 이들을 막고 나섰다. 어느새 우리는 서른일곱 번째 수를 두려는 참이었다. 그런데 놀랍게도 판세는 우리에게 유리한 듯이 굴러가서 다들 어리둥절했다. 우리가 c 라인의 폰을 끝에서 두 번째 칸인 c2까지 옮기는 데 성공했기 때문이다. 그것을 c1으로 옮기기만 하면 새로운 퀸을 얻을 수 있었다. 너무도 뻔한 기회임에도 우리는 당연히 마음이 편하지 않았다. 첸토비치가 판세를 아주 광범위하게 내다볼 줄 아는 만큼, 우리가 눈앞의 이익을 취하면 의도적으로 그가 던진 미끼를 덥석 물게 될 거라는 의심을 다들 하고 있었다. 하지만 암만 정신을 바짝 차리고 함께 궁리하고 토론해보아도 우리는 숨겨둔 속임수를 찾아낼 수 없었다. 마침내 허용된 숙고의 시간이 끝나가려 했고 우리는 그 수를 감행하기로 했다. 막 매코너가 폰을 마지막 칸으로 밀려고 하는데 누군가가 불쑥 그의 팔을 움켜쥐는 게 아닌가! 그 사람은 나지막한 소리로 격하게 속삭였다. "맙소사, 그러시면 안 됩니다."

본능적으로 우리는 모두 뒤를 돌아보았다. 마흔 댓쯤 되어 보이는 신사였는데 갑판에서 본 적이 있었다. 그의 갸름하고 날카로운 얼굴이 기이할 정도로 창백한 것이 마치 석고상 같아서 시선을 끌었기 때문이다. 신사는 우리가 이 문제에 온통 집중하고 있는 동안 우리 곁으로 다가선 듯했다. 그는 우리의 시선을 느끼자 성급히 덧붙여 말했다.

"지금 여러분이 퀸을 얻으시면 그가 즉시 비숍으로 c1의 퀸을 칠 겁니다. 여러분은 나이트를 뒤로 물리실 겁니다. 하지만 그동안 그는 폰을 d7로 옮겨서 여러분의 룩을 위협할 겁니다. 설사 여러분이 나이트로 체크를 외친다고 해도 지실 겁니다. 아홉 수나 열 수를 더 두면 끝나게 되어 있습니다. 이건 1922년 피에스타니 대회에서 알레힌이 보골류보프를 상대로 전개했던 판세와 거의 흡사합니다."

매코너는 깜짝 놀라 체스 말에서 손을 떼고 우리 못지않게 어리둥절하며 그 남자를 응시했다. 예상치도 않은 천사가 우리를 도우러 하늘에서 내려온 걸까? 아홉 수 후의 메이트를 미리 계산해 낼 수 있다면 일류의 전문가임이 분명했다. 어쩌면 챔피언 타이틀의 경쟁자가 같은 대회에 참가하려고 배에 탔는지도 몰랐다. 이런 위기의 순간에 그가 갑자기 등장해서 끼어들다니, 왠지 초자연적인 일이 벌어지는 느낌이었다. 매코너가 제일 먼저 정신을 차렸다.

"어떻게 하는 게 좋겠습니까?" 그는 흥분해서 속삭였다.

"당장 전진하지 마시고 일단 피하세요! 가장 중요한 건 g8에 위태롭게 있는 킹을 h7로 옮기는 겁니다. 그는 아마 다른 쪽을 공격할 겁니다. 그러면 여러분은 룩을 c8에서 c4로 옮겨 막아내세요. 그러면 그는 템포 둘과 폰을 하나 잃을 것이고 결국 우위를 잃게 됩니다. 그러면 자유로운 폰끼리 서로 대치하게 됩니다. 여러분이 방어만 제대로 하신다면 무승부로 끝날 수 있습니다. 그 이상은 불가능합니다."

우리는 다시금 경탄했다. 그의 계산은 신속할 뿐 아니라 정확하기까지 해서 믿어지지 않을 정도였다. 마치 인쇄된 책을 보며 시합의 진행을 읽어내려가는 듯했다. 아무튼, 그의 개입 덕분에 세계 챔피언과의 시합을 무승부로 끝낼 수 있는 뜻밖의 기회가 왔다는 게 꿈만 같았다. 다들 그가 체스판을 편안히 보게끔 옆으로 비켜섰다. 다시 한번 매코너가 물었다.

"그러니까 킹을 g8에서 h7로?"

"그렇습니다. 일단 피해야 합니다!"

매코너는 시키는 대로 했고 우리는 유리잔을 두드렸다. 첸토비치는 늘 그렇듯 침착한 걸음으로 테이블로 와서는 한눈에 상대의 수를 점검했다. 그러고는 킹과 같은 열에 있는 폰을 h2에서 h4로 밀었다. 누군지 모르는 우리의 조력자가 예상한 대로였다. 그러자 그 사람은 열을 올리며 속삭였다.

"룩을 앞으로, 룩을 앞으로 보내세요, c8에서 c4로! 그러면 그는 우선 폰을 커버해야 합니다. 하지만 그래봤자 아무 소용없을 겁니다. 그의 폰을 내버려 두고 나이트를 d3에서 e5로 옮겨 치세요. 그러면 흑과 백이 다시 균형을 이루게 됩니다. 방어하지 말고 압박을 가하며 전진하세요!"

우리는 그가 무슨 말을 하는지 이해할 수 없었다. 우리에게는 중국어만큼이나 생소한 말이었다. 그러나 이미 그의 마력에 빠진 매코너는 망설이지 않고 그가 지시하는 대로 움직였다. 우리는 다시 유리잔을 두드려 첸토비치를 불러들였다. 그런데 그는 이전과는 달리 곧장 한 수를 두는 대신, 집중해서 체스판을 들여다보며 저도 모르게 미간을 찌푸렸다. 그러더니 낯선 신사가 우리에게 예고한 바로 그 수를 두더니 몸을 돌려 가려고 하다가 그 전에 뜻밖의 행동을 했다. 첸토비치가 눈을 들어서 일렬로 선 우리를 하나하나 꼼꼼히 본 것이다. 갑자기 자신에게 힘찬 반격을 가하는 사람이 누구인지 찾아내려는 듯했다.

이 순간부터 우리는 이루 말할 수 없이 흥분에 빠져 들었다. 이제까지 우리는 아무런 희망 없이 그냥 체스를 두었지만, 지금은 냉랭하고 오만한 첸토비치를 꺾겠다는 생각에 맥박이 뜨겁게 요동쳤다. 우리의 새 친구는 벌써 다음 수를 지시했다. 우리는 첸토비치를 불러들였는데, 유리잔을 스푼으로 치는 내 손가락이 떨렸다. 그러고 나서 우리는 처음으로 승리를 맛보았다. 지금껏 늘 서서 게임을 하던 첸토비치가 주저하고 또 주저하더니 결국엔 자리를 잡고 앉은 것이다. 그는 천천히 털퍼덕 앉았다. 그러고 나니 지금까지 그와 우리 사이를 규정짓던 상하 관계가 물리적으로는 사라지면서 그가 적어도 공간적으로는 우리와 동등한 수준에 머물게 되었다. 그는 오래 생각하는 동안 꼼짝하지 않고 눈을 체스판에 내리꽂고 있었기에 검은 눈썹 아래의 동공은 보이지 않았다. 그는 골똘히 궁리하며 차츰 입을 벌렸는데 둥그런 얼굴에 입까지 벌리니 꽤 멍청해 보였다. 첸토비치는 몇 분을 생각하더니 자신의 수를 두고 일어섰다. 그러자 우리의 친구가 곧장 속삭였다.

"지연작전을 펼치려는 겁니다! 잘 생각한 거지요! 하지만 거기 말려들면 안 됩니다. 맞바꾸기를 강요하세요. 어떻게 해서든 맞바꾸어야 합니다. 그러면 무승부로 끝낼 수 있습니다. 어떤 신도 그를 돕지 못할 겁니다."

매코너는 지시를 따랐다. 이후부터 양측은 우리로서는 이해할 수 없는 공방을 펼치기 시작했고 나머지 참여자들은 이미 아무런 의미 없는 엑스트라로 전락해 있었다. 일곱 수 정도 둔 후 첸토비치는 오래 생각에 잠기더니 이윽고 고개를 들어 우리를 쳐다보며 선언했다. "무승부입니다."

순간 완벽한 정적이 깃들었다. 찰랑이는 파도 소리와 살롱의 라디오에서 나오는 재즈가 갑자기 들렸고 갑판을 오가는 발걸음 소리와 창문 틈새를 비집고 들어온 바람이 살포시 살랑대는 소리까지 들렸다. 우리는 모두 숨을 죽였다. 누군지도 모르는 남자가 이미 절반은 진 게임에서 세계 챔피언을 자신의 작전대로 조종하다니, 도저히 있을 수 없는 일이었다. 이런 갑작스러운 사태를 목격한 우리는 여전히 충격에서 헤어나지 못하고 있었다. 매코너가 몸을 휙 뒤로 젖히더니 멈췄던 숨을 몰아쉬며 "아!"하고 행복한 감탄의 소리를 냈다. 나는 이번엔 첸토비치를 관찰했다. 그의 얼굴은 마지막 몇 수를 둘 때부터 창백해 보였지만 그는 평정을 유지할 줄 아는 사람답게 무덤덤하게 굳은 표정으로 일관했다. 이윽고 침착한 동작으로 체스 말들을 체스판에서 밀어내면서 아무렇지도 않다는 듯이 물었다.

"세 번째 시합을 원하십니까?"

사업가답게 순전히 사무적으로 던진 질문이었다. 그런데 이상하게도 그는 그러면서 매코너를 보지 않고 예리한 시선으로 우리의 구원자를 똑바로 바라보았다. 마치 빼어난 기수가 말에 올라타면 말은 단단히 앉은 자세에서 새 임자가 왔음을 알아채듯이, 그 역시 마지막 몇 수에서 자신의 진짜 적수를 알아보았을 것이다. 어느새 우리는 그의 시선을 따라가서는 낯선 신사를 흥미진진하게 바라보았다. 하지만 그 신사가 미처 정신을 차리거나 대답하기도 전에 매코너는 공명심에 불타며 의기양양하게 그 신사에게 말했다.

"물론이죠! 하지만 이제 당신 혼자서 그를 상대해야 합니다. 당신 혼자서 첸토비치를요!"

그러자 뜻밖의 일이 벌어졌다. 기이하게도 낯선 신사는 이미 다 치워진 체스판을 여전히 뚫어지라 응시하고 있었는데, 모든 시선이 자신을 향하고 누군가가 열광하며 자신에게 말을 걸었음을 깨닫고는 소스라치듯 놀랐다. 어찌할 바를 모르는 얼굴이었다.

"절대 그럴 수 없습니다, 여러분." 그가 몹시 당황하며 말을 더듬었다. "절대 있을 수 없는 일이라서 … 저는 그럴 수 없으며 … 저는 20년, 아니 25년 동안 체스판 앞에 앉아본 적이 없어서 … 제가 여러분의 허락도 받지 않고 체스 시합에 끼어들다니 … 얼마나 무례한 짓이었는지 이제야 알겠습니다. 부디 저의 불찰을 용서해주십시오 … 더는 방해가 되고 싶지 않습니다." 놀란 우리가 정신을 차리기도 전에 그는 벌써 흡연실에서 사라졌다.

"하지만 그건 있을 수 없는 일이오!" 다혈질의 매코너는 주먹으로 테이블을 치며 으르렁댔다. "저 사람이 25년이나 체스를 두지 않았다니 말도 안 돼! 그는 매번 상대가 어떻게 말을 움직일지 대여섯 수까지 미리 맞추었단 말이오. 그런 일을 즉석에서 할 수 있는 사람은 없어요. 있을 수 없는 일이라고요. 그렇지 않습니까?"

이렇게 물으며 매코너는 반사적으로 첸토비치 쪽을 향했다. 하지만 세계 챔피언은 아무런 동요 없이 싸늘하게 대답했다.

"그 점에 관해서는 제가 무어라 판단을 내릴 수가 없군요. 아무튼, 그 신사는 좀 특이하고 흥미롭게 체스를 두었습니다. 그래서 제가 일부러 그에게 기회를 한번 주어 봤습니다." 첸토비치는 몸을 일으키더니 특유의 사무적인 태도로 이렇게 덧붙였다.

"그분이, 혹은 다른 분들이 내일 다시 시합을 원하신다면 세시부터 가능합니다."

우리는 실소를 참을 수 없었다. 첸토비치는 결코 우리의 이름모를 조력자에게 인심 좋게 기회를 준 적이 없으며 자신의 패배를 미화하려고 어리석은 핑계를 대고 있을 뿐임을 다들 알고 있었다. 우리는 여전히 꿈적 않고 오만한 그가 굴욕을 당하는 것을 보고야 말겠다는 욕망을 한층 더 맹렬히 느꼈다. 평화롭고 여유롭게 항해를 즐기던 사람들이 순식간에 공명심에 불타며 격렬한 전투 욕구에 사로잡혀 버린 것이다. 바다 한가운데 있는 배에서 체스 챔피언을 상대로 승리할 수도 있으며, 그렇게만 된다면 이 위업은 전신국을 거쳐 순식간에 전 세계에 퍼지지 않겠는가! 이런 생각에 빠진 우리는 도전을 원했다. 게다가 우리의 구원자가 하필 위기의 순간에 불쑥 등장한 데서 오는 신비스러움에 우리는 매료되었고, 소심할 정도로 겸손한 사람이 프로 선수처럼 흔들림 없는 자신감을 보이는 데서 오는 대조 또한 매력적이었다. 이 미지의 남자는 대체 누구일까? 아직 세상이 모르는 체스 천재가 여기 우연히 모습을 드러낸 걸까? 아니면 어떤 유명한 체스 선수가 말 못 할 이유로 자신의 정체를 숨기고 있는 걸까? 이 모든 가능성을 두고 우리는 대단히 열띤 토론을 벌였다. 낯선 신사는 이해되지 않을 만큼 수줍어했고 오래 체스판을 본 적이 없다는 뜻밖의 고백을 했지만 의심할 바 없는 체스 실력을 지녔지 않은가! 이 사실을 설명하기 위해선 아무리 황당한 가설도 별로 황당해 보이지 않을 지경이었다. 그렇지만 우리가 모두 동의한 사항이 하나 있었다. 절대 새 시합을 구경하는 기회를 놓치지 말자는 것이었다. 우리의 조력자가 내일 첸토비치와 시합을 벌이게끔 최선을 다해 설득하자고 우리는 결론을 내렸다. 시합에 드는 비용은 매코너가 책임지기로 했다. 그러는 사이 승무원들에게 물어보니 그 신사는 오스트리아 사람이었다. 그래서 그와 같은 국적인 내가 우리의 청을 그에게 전하는 임무를 맡게 되었다.

오래지 않아 나는 황급히 달아난 신사를 찾아냈다. 그는 갑판의 비치 의자에 누워 책을 읽고 있었다. 나는 그에게 다가가기 전에 잠시 그를 관찰했다. 그는 조금 지친 듯 윤곽이 또렷한 머리를 쿠션에 기대고 있었다. 비교적 젊은 얼굴은 괴기하리만치 창백했고 관자놀이 주변에는 백발이 반짝였다. 설명할 수는 없지만, 갑자기 늙어버렸다는 인상을 풍기는 모습이었다. 내가 다가가자 그는 정중히 일어나서 이름을 대며 자신을 소개했다. 그의 성은 유서 깊고 명망 있는 오스트리아 가문의 이름이라서 내 귀에도 몹시 친숙했다. 그 가문 사람 중 하나는 슈베르트와 절친한 사이였고, 또 다른 사람은 노 황제•의 주치의 중 하나였음이 기억났다. 첸토비치와 경기를 해 달라는 우리의 청을 전하자 B 박사는 당황한 기색이 역력했다. 조금 전 시합에서 세계 챔피언을, 그것도 현재 제일 잘나가는 챔피언을 상대로 무승부라는 위업을 이뤄냈음을 그는 전혀 모르고 있었다. 어떤 이유에서인지 그는 이 소식에 강렬한 인상을 받은 듯했다. 몇 번이고 되풀이해서 자신의 적수가 정말로 공인된 세계 챔피언이 분명하냐고 내게 물어보았기 때문이다. 이런 그의 모습에서 내가 임무를 쉽게 달성할 수 있으리라는 감이 금세 왔다. 다만 그가 예민한 사람 같았기에 혹시 그가 지게 되면 물질적 부담은 매코너가 떠맡을 거라는 점은 말하지 않는 게 나을 듯싶었다. 한참을 더 망설인 후 B 박사는 결국 시합에 응하겠다고 했다. 하지만 그러기에 앞서, 다른 신사들이 자신의 능력에 과도한 기대를 걸지 않도록 확실히 경고해달라고 거듭 당부하기를 잊지 않았다.

꿈꾸듯 미소 지으며 그가 덧붙였다. "왜냐하면, 제가 규칙에 맞게 제대로 시합을 할 수 있을지 정말 알 수가 없으니까요. 고등학교 시절 이후, 그러니까 20년 이상을 체스 말에 손도 대지 않았다고 말씀드렸는데 그건 제가 겸손한 척 위선을 떠느라 한 말이 결코 아닙니다. 더군다나 고등학생 때도 제 체스 실력은 그다지 뛰어나지 않았습니다."

그가 너무도 꾸밈없이 말했기 때문에 그의 말의 진정성을 눈곱만큼도 의심해서는 안 될 것 같았다. 그렇지만 나는 그가 여러 대

• 오스트리아-헝가리 제국의 황제 프란츠 요제프 1세(1830~1916)는 1848년부터 1916년까지 68년간 재위했다.

가의 묘수들을 일일이 정확하게 기억하고 있는 게 놀랍다고 말하지 않을 수 없었다. 아무튼, 이론적으로라도 체스에 무척 몰두하지 않았냐고 묻자 그는 다시금 묘하게도 꿈꾸는 듯한 특유의 미소를 지었다.

"무척 몰두했다! 흠, 물론 그렇고말고요. 제가 체스에 무척 몰두했다고 말해도 될 겁니다. 그것도 아주 특별한, 결코 두 번 다시 없을 상황에서 그랬지요. 꽤 복잡한 이야기인데 어쩌면 그럭저럭 재미있게 시간을 보내는 데 조금 보탬이 될 수도 있을 겁니다. 당신이 삼십 분 정도 인내심을 갖고 들어주신다면 …"

그는 옆에 있는 의자를 가리켰다. 나는 기꺼이 그의 제안에 응했다. 우리 주위에는 아무도 없었다. B 박사는 돋보기를 벗어 옆에 내려놓고는 이야기를 시작했다.

"당신이 빈 출신으로 제 가족의 이름을 기억한다고 말씀해 주시니 반가울 따름입니다. 저는 아버지와 함께 법률사무소를 운영하다가 나중에는 혼자 운영했습니다. 아마 그 사무소에 대해서는 들어보지 못하셨을 겁니다. 우리는 신문에 보도되는 소송사건을 다루지 않았고, 새 고객을 받지 않는 걸 원칙으로 삼았으니까요. 사실 우리는 통상적 의미의 변호사 사무실을 운영하지 않았고 대형 수도원들만 고객으로 삼았습니다. 수도원의 법률상담을 맡으며 특히 재산관리에 주력했습니다. 제 아버지는 가톨릭 성직자 정당 소속의 전직 의원이셨기 때문에 수도원들과 친분이 깊었습니다. 그뿐 아니라 -이제 군주정이 역사가 되어버렸으니 이런 이야기를 해도 되겠지요 - 황제 가족 몇 명의 자금 관리도 우리가 맡고 있었습니다. 궁정이나 수도원과의 연줄은 두 세대나 더 거슬러 올라갑니다. 저의 삼촌이 황제의 주치의였고, 또 다른 삼촌은 자이텐슈테텐 수도원의 원장이었습니다. 우리는 그런 연줄을 잘 유지하기만 하면 됐습니다. 대대로 이어진 신뢰 덕분에 우리는 조용히 – 부연해 말하자면 잡음 없이 – 처리되어야 하는 일들을 도맡게 되었습니다. 극도의 과묵함과 믿음직함, 이 두 가지야말로 가장 요구되는 덕목이었는데 돌아가신 아버지가 바로 거기에 꼭 들어맞는 분이셨습니다. 아버지는 인플레이션 시절이나 혁명의 시기에도 신중한 통찰력으로 고객들의 자산 중 상당 부분을 성공적으로 지켜내셨습니다. 그런데 히틀러가 독일에서 권력을 잡고 교회와 수도원의 재산을 강탈하기 시작하자 국경 너머 독일에서도 금융거래를 원하는 제안이 여럿 들어왔습니다. 유동 재산이라도 압수되기 전에 우리의 도움으로 구해내기 위해서였지요. 로마 교황청과 황제 가문이 벌인 모종의 비밀 정치 협상들에 관해 저와 제 아버지는 일반 대중이 모르는 많은 것을 알고 있었습니다. 그러나 우리 법률사무소가 워낙 눈에 띄지 않는 데다가 – 우리는 문에 아예 간판도 달지 않았습니다 – 우리 둘 다 군주정을 지지하는 무리를 공공연히 멀리할 만큼 조심했던 탓에 불법 감찰을 당하는 일을 피할 수 있었습니다. 사실 오스트리아 관청 중 단 한 곳도 황제 가문의 밀사들이 몇 년에 걸쳐 꾸준히 중요 우편물들을 5층에 자리한 누추한 우리 사무실로 가져오고 가져가는 것을 눈치채지 못했으니까요.

그런데 나치들은 세계에 맞서 군대를 무장하기 훨씬 전부터 진짜 군대 못지않게 위험한 일종의 숙련된 군대를 모든 이웃 국가에 심어놓기 시작했습니다. 불이익을 당하고 무시당하고 모욕당한 자들이 가득 그리로 모여들었습니다. 모든 관청과 기업에는 이른바 세포 조직이 둥지를 틀고 있었고 돌푸스•와 슈슈니크••의 사생활 공간을 비롯한 모든 장소에는 그들의 염탐꾼과 첩자들이 자리 잡고 있었습니다. 심지어 우리의 볼품 없는 사무실에조차 그들의 끄나풀이 있었는데 아쉽게도 저는 나중에야 이를 알았습니다. 어느 신부의 추천으로 한심하고 무능력한 서기를 하나 채용했는데 그렇게 해서 우리 사무소가 정상적으로 운영되고 있다는 인상을 외부에 주려고 했습니다. 사실 우리는 그에게 자잘한 심부름 말고는 시키지 않았습니다. 전화를 받고 서류를 정리하는 일 따위였습니다. 당연히 문제의 소지가 없는 무의미한 서류들만 다루도록 했고 우편물은 절대 개봉하지 못하게 했습니다. 중요한 편지는 제가 직접 타이프를 쳤고 복사본도 남기지 않았습니다. 핵심 문서는 모두 제가 집으로 가져갔고, 비밀 미팅은 수도원의 원장실이나 삼촌의 진찰실에서만 열었습니다. 이런 안전 조치 덕분에 염탐꾼은 중요한 일들이 진행 중임을 전혀 눈치챌 수 없었습니다. 하지만 공명심에 불타는 허영심 많은 녀석은 다들 자기를 불신하며 온갖 흥미진진한 일들을 자기 등 뒤에서 벌이고 있음을 우연히 알아챈 게 분명합니다. 어쩌면 제가 없을 때 파발꾼 중 한 명이 약속한 대로 '페른 남작'이라 하지 않고 얼결에 '황제 폐하'라는 말을 썼을지도 모릅니다. 아니면 그 악당이 편지를 몰래 뜯어보았을 수도 있고요.

• 엥겔베르트 돌푸스Engelbert Dolfuss(1892~1934)는 로마 가톨릭 교회를 지지기반으로 하는 오스트리아 기독사회당 출신의 정치가로 1932년부터 총리로 재임하며 오스트리아를 파시즘 국가로 만든다. 1934년 여름 히틀러 추종 세력에 의해 암살되었다.

•• 쿠르트 슈슈니크Kurt Schuschnigg(1897~1977)는 돌푸스의 내각에서 장관을 지내다가 1934년 돌푸스 사망 후부터 1938년까지 총리로 재임했다. 1938년 3월 11일 오스트리아가 독일에 병합되면서 총리직에서 물러나고 독일군에게 체포되어 1945년까지 감금된다.

아무튼, 녀석은 뮌헨이나 베를린으로부터 우리를 감시하라는 지령을 받았는데도 저는 아무런 의심도 하지 못했습니다. 한참 후, 제가 구속되고 나서야 비로소 지피는 게 있었습니다. 초반에는 근무 태도가 태만했던 녀석이 지난 몇 달부터 돌변해서는 열심히 일하려 들었고, 여러 차례 제 우편물을 자기가 우체국에서 부치겠다며 성가시게 굴었으니까요.

제가 조금 부주의했다는 비난을 피할 수는 없을 겁니다. 하지만 최고의 외교관과 장성들마저도 결국 교활한 히틀러 무리에게 당하지 않았습니까? 오래전부터 게슈타포가 저를 자애로운 시선으로 세심히 지켜보았음을 너무도 명백히 입증하는 사실이 하나 있습니다. 저녁에 슈슈니크가 사퇴를 공포했는데 바로 그 시각에, 그러니까 히틀러가 빈에 입성하기도 전에 저는 이미 나치 친위대에 체포되었습니다. 다행히도 저는 라디오로 슈슈니크의 고별연설을 듣자마자 제일 중요한 서류들을 불태우는 데 성공했습니다. 여러 수도원과 두 대공이 외국에 위탁한 자산을 찾으려면 꼭 필요한 서류들이 있었는데, 그런 나머지 서류들을 빨래 바구니에 숨겨서 제 심복인 늙은 가정부 편에 삼촌에게 보냈습니다. 정말이지 놈들이 문을 쾅쾅 두들겨 대기 직전에 그렇게 한 겁니다."

B 박사는 말을 멈추고 시가에 불을 붙였다. 타오르는 불빛에 드러난 그의 오른쪽 입가는 신경질적으로 떨리고 있었다. 조금 전에도 그러는 걸 보았는데, 몇 분 간격으로 그런 떨림이 반복되는 걸 알 수 있었다. 그냥 잠깐의 움직임에 불과했고 그저 안면이 조금 실룩대는 정도였지만 얼굴 전체에는 기묘한 불안감이 서렸다.

"아마 당신은 이제 집단 수용소 이야기가 나오리라고 추측하실 겁니다. 우리의 오랜 조국 오스트리아에 충성한 사람 모두가 끌려간 그곳에서 저 역시 굴욕을 겪고 고문을 당하며 갖은 고생을 했다는 이야기를 기대하실 겁니다. 하지만 그런 일은 없었습니다. 저는 다른 범주에 속했으니까요. 나치 무리는 오랫동안 품어온 복수심을 만끽하기 위해 운이 나쁜 사람들에게 육체적, 정신적 굴욕을 가했지요. 저는 그런 취급을 받는 대신 아주 작은 별도의 그룹으로 분류되었습니다. 나치는 이 그룹에서 돈이나 중요한 정보를 캐내려고 했습니다. 사실 게슈타포는 저처럼 대단치 않은 인물에게는 아무런 관심이 없었습니다. 하지만 우리가 그들의 불구대천 지원수의 대리인 겸 관리인이며 심복임을 알아낸 게 분명했습니다. 게슈타포는 제게서 수도원과 황제 가문에 불리한 자료를 캐어내려 했습니다. 수도원이 재산을 은닉했음을 입증하는 자료와 황제 가문에 해가 되는 자료, 오스트리아의 군주정을 위해 헌신적으로 일한 사람들을 음해하는 자료를 찾았던 겁니다. 우리의 손을 거쳐 간 증권 중 상당 부분이 그들의 손이 닿지 않는 곳에 숨겨져 있다고 추측했나 본데 사실 틀렸다고는 할 수 없지요. 그들은 당장 첫날에 저를 불러들여 늘 하던 방식대로 이런 비밀들을 탈취하려 들었습니다. 저는 중요한 자료나 돈에 관한 자백을 받아낼 사람 중 하나였고 이 범주에 속하는 사람들은 집단 수용소로 보내지는 대신 특별한 취급을 받게 되었습니다. 당신도 아마 우리의 총리와 로스차일드 남작•이 가시철조망이 쳐진 수용소에 갇히는 대신, 게슈

• 루이스 나타니엘 로스차일드 남작Louis Nathaniel Freiherr von Rothschild(1882~1955). 1911년부터 빈의 로스차일드 은행을 이끌었다. 오스트리아가 나치 독일에 합병되자 14개월의 감금 생활 후 21만 달러를 지불하고서 미국으로 망명했다.

타포의 본부로 쓰이는 메트로폴 호텔에 머무는 특별대우를 받았다는 걸 기억하실 겁니다. 게슈타포는 남작의 친척들에게서 수백만 달러를 강탈하려 했지요. 거기서 수감자 모두는 각기 독방을 쓰게 되었고 저처럼 보잘것없는 사람도 이런 특혜를 받았습니다.

호텔 독방이라니, 아주 인도주의적으로 들리지 않습니까? 우리 '저명인사'들은 스무 명씩 얼음장 같은 바라크에 짐짝처럼 처박히는 대신 난방이 되는 호텔 독방을 하나씩 차지하게 되었으니까요. 하지만 그건 결코 인도주의적 대우가 아니었고 오히려 그들이 고안해낸 아주 정밀한 방식이었음을 당신도 곧 알게 되실 겁니다. 게슈타포는 원하는 '자료'를 우리에게서 빼앗아내기 위해 거친 주먹질이나 육체의 고문보다 훨씬 더 섬세하게 작동하는 압박을 가했습니다. 그 압박은 인간이 생각해낼 수 있는 가장 정교한 형태의 고립에서 비롯되었습니다. 그들은 우리에게 아무 짓도 하지 않았습니다. 그저 우리를 완벽한 무無의 상황에 대치시켰을 뿐입니다. 잘 아시겠지만, 지상의 그 무엇도 무의 상황보다 더 심하게 인간의 영혼을 압박하지는 않습니다. 게슈타포는 우리를 각기 순수한 진공상태에 가둠으로써, 외부세계로부터 완벽히 차단된 밀실에 가둠으로써 채찍과 추위에서 오는 외부의 압력을 대신할 내부의 압력을 생성하려 했습니다. 그 압력으로 인해 마침내 우리의 입이 열리리라 예상한 겁니다.

제게 배당된 방은 얼핏 보기에는 전혀 나쁘지 않았습니다. 방에는 문이 하나 있고, 침대 하나, 안락의자 하나, 세면대 하나, 창살이 있는 창문이 하나 있었습니다. 그러나 문은 항상 잠겨 있었고 책이나 신문은 물론이고 종이나 연필도 들여올 수 없었습니다. 창문으로는 방화벽이 보였습니다. 제 몸과 저의 자아의 주변에는 완벽한 무가 설계되어 있었습니다. 저는 가진 물건을 죄다 빼앗겼습니다. 시계를 빼앗겼으니 시간을 알 수 없었고, 연필을 빼앗겼으니 글도 쓸 수 없었고, 칼을 빼앗겼으니 동맥을 끊을 수도 없었습니다. 지극히 사소한 위안인 담배마저도 허락되지 않았습니다. 감시인 외에는 사람 얼굴을 볼 수 없었는데 감시인은 저와는 아무 말도 해서는 안 되고 제 질문에 답해서도 안 되니 사람 목소리를 들을 길이 없었습니다. 눈과 귀를 비롯한 모든 감각은 아침부터 밤까지, 밤부터 아침까지 최소한의 양분도 취하지 못한 채, 저는 그저 자신과 함께, 제 몸뚱이와 함께 테이블, 침대, 창문, 세면대 따위의 침묵하는 너덧 개의 물건과 함께 하릴없이 널브러져 있었습니다. 유리 덮개 아래에서 침묵하는 검은 바닷속을 헤매는 잠수부 같이 살다 보니, 바깥세상으로 이끄는 밧줄이 끊겨서 다시는 이 소리 없는 심연을 벗어날 수 없을 거라는 예감까지 들었습니다. 할 것도, 들을 것도, 볼 것도 없었습니다. 어디를 둘러보건 변함없이 무無의 상황만이 실재했습니다. 그건 공간과 시간을 모르는 공허함이었습니다. 저는 이리저리 왔다 갔다 했습니다. 그러면 생각도 이리저리 왔다 갔다 했지요. 그러나 생각조차도 버팀목이 필요합니다. 사실 생각은 아주 실체가 없는 듯하지만, 버팀목이 없으면 팽그르르 돌며 무의미한 자전을 하게 됩니다. 생각 역시 무의 상황을 견뎌내지 못합니다. 저는 무언가를 아침부터 저녁까지 기다렸지만 아무 일도 일어나지 않았습니다. 기다리고 기다리고 또 기다렸으며, 생각하고 생각하고 또 생각했습니다. 그러다 보니 머리가 깨어질 듯 아팠지만 아무 일도 일어나지 않았습니다. 저는 혼자였습니다. 혼자… 혼자였습니다.

그렇게 14일이 지났습니다. 시간 밖에서, 세상 밖에서 살았던 날들이지요. 그때 전쟁이 일어났다 해도 몰랐을 겁니다. 저의 세계는 오직 테이블과 문, 침대와 세면대, 안락의자와 창문과 벽으로만 이루어져 있었고 저는 늘 똑같은 벽에 똑같은 벽지를 뚫어져라 보고 있었습니다. 너무 자주 벽지를 응시했던 탓에 벽지의 톱니무늬 선들 하나하나는 마치 청동 칼로 새겨 넣기라도 한 듯 저의 뇌 가장 깊숙한 주름 속까지 자취를 남겼습니다. 그러고는 드디어 심문이 시작되었습니다. 저는 낮인지, 밤인지 모르는 채로 갑자기 불려 나갔습니다. 그렇게 불려 나가 복도를 몇 개 지나서 어딘지 모르는 곳으로 갔습니다. 어딘지도 모르고 기다리다 보면 저는 어느새 제복 차림의 사람들이 빙 둘러앉은 테이블 앞에 서 있더군요. 테이블 위에는 한 뭉치의 서류가 놓여 있었습니다. 무슨 내용인지 알 수 없는 문서들이었지요. 그러고는 질문이 시작되었습니다. 그중에는 진짜 질문도 있었고 가짜 질문도 있었습니다. 명료한 질문도 있었고 심술궂은 질문도 있었습니다. 엉성한 질문도 있었고 유도성 질문도 있었습니다. 제가 대답하는 동안 낯선 사람들의 악의에 찬 손가락은 서류를 뒤적였습니다. 그 서류가 무슨 내용인지는 당연히 알 수 없었습니다. 낯선 사람들의 악의에 찬 손가락은 조서에 무어라 적었지만, 무엇을 적는지도 알 수 없었습니다.

심문을 받는 동안 가장 두려웠던 것은 게슈타포가 제 법률사무소에서 있었던 일들에 대해 실제로 무엇을 알고 있으며 무엇을 알아내려 하는지 전혀 짐작할 수도 없고 가늠할 수도 없다는 사실이었습니다. 앞서 말씀드렸듯이 마지막 순간에 제 의뢰인에게 불리한 서류들은 가정부 편에 삼촌에게 보냈습니다. 삼촌은 서류를 받았을까, 못 받았을까? 서기 놈은 얼마나 불었을까? 게슈타포는 얼마나 많은 편지를 가로챘을까? 그동안 혹시 우리의 고객인 독일 수도원의 한 어설픈 성직자를 압박해서 벌써 무언가를 알아낸 건 아닐까? 저로서는 알 길이 없었습니다. 그들은 질문을 계속했습니다. 제가 그 수도원을 위해 어떤 증권을 샀는지, 제 거래 은행은 어디인지, 아무개 씨를 아는지 모르는지, 제가 스위스나 슈테노커첼•에서 온 편지를 받았는지 물었습니다. 그들이 대체 얼마나 이미 알고 있는지 가늠할 수 없었기에 저는 질문에 대답할 때마다 번번이 엄청난 책임을 떠안아야 했습니다. 그들이 모르는 무언가를 제가 인정하면 쓸데없이 누군가를 밀고하게 될 테고, 너무 많은 것을 부정하면 제가 불리한 처지에 몰리게 될 테니까요.

하지만 가장 힘든 것은 심문이 아니었습니다. 심문 후 다시 무의 상태로 돌아가는 것이야말로 가장 힘들었습니다. 저는 똑같은 책상과 똑같은 침대와 똑같은 세면대와 똑같은 벽지가 있는 똑같은 방으로 돌아가야 했으니까요. 저는 혼자가 되자마자 어떻게 대답을 했어야 가장 현명했을까, 다음번에는 무슨 말을 해야 할까를 궁리해보려 했습니다. 혹시 무심히 내뱉은 말로 의심을 불러일으켰다면 그들의 주의를 다른 데로 돌려야 하니까요. 저는 조사관 앞에서 했던 진술을 한마디 한마디 곰곰이 생각하고 곱씹으며 검토했습니다. 제가 받았던 질문과 제가 했던 답변 모두를 기억해내서

• 벨기에 수도 브뤼셀의 북서편에 있는 지역으로 1929년부터 1940년까지 오스트리아의 치타 황후와 자녀들의 망명지였다. 슈슈니크 정부는 황제 가문의 복귀에 호의적이었기에 나치 정부에게는 황제 가문이 오스트리아의 누구와 서신을 교환했는지가 몹시 민감한 정치적 이슈였다.

는 그들이 이 문답 중 어떤 것을 조서에 담았을지를 추정해보려고 했습니다. 제가 조서의 내용을 결코 가늠할 수도, 알아낼 수도 없음을 잘 알고 있는데도 말입니다. 하지만 공허한 공간에서 이런 생각에 일단 발동이 걸리자 그것은 멈추지 않고 머릿속에서 맴을 돌았습니다. 매번 다른 조합을 만들어내며 새로이 맴을 돌기를 거듭했던 겁니다. 그런 상황은 잠을 잘 때도 계속되었습니다. 저는 게슈타포에 심문을 받고 난 후에는 매번, 머릿속에서 그들이 쓰던 방식 그대로 저 자신에게 질문을 던지고 저를 탐색하고 괴롭히며 가차 없이 고문하게 되었습니다. 아마 이게 실제의 심문보다 더 잔인했을 겁니다. 그들의 심문은 어쨌건 한 시간이면 끝이 났지만 제 생각은 끝이 나질 않았으니까요. 그게 다 고독에서 비롯된 끔찍한 고통 때문이었습니다.

항상 제 주변에는 그 테이블과 그 옷장과 그 침대와 그 벽지와 그 창문만 있었고 기분전환 거리는 아예 없었습니다. 책도, 신문도, 낯선 얼굴도 없었고, 뭔가 적을 연필도, 만지작거릴 성냥개비도 없었습니다. 아무것도, 아무것도, 아무것도 없었다니까요. 호텔 방에 가두는 방식이 얼마나 사악하게 작동하는지, 심리적으로 얼마나 가혹한지 이제야 알겠더군요. 집단 수용소에 끌려갔더라면 손에서 피가 나고 발이 신발 속에서 꽁꽁 얼 때까지 수레로 돌을 날랐을 겁니다. 악취가 풍기고 추운 공간에서 스무 명이 넘는 사람들과 함께 포개져서 누워 있었을 겁니다. 하지만 사람 얼굴은 볼 수 있었을 테지요. 들판이든 짐수레든 나무든 별이든 무언가를, 무엇이든 볼 수 있었을 겁니다. 그러나 당시 제 주변에는 항상 똑같은 것만 있었고, 그 똑같은 것은 섬뜩하리만치 똑같았습니다. 저는 생각을 하다가 망상에 빠지게 되었고 지난 일들을 병적으로 재구성하기에 이르렀고, 그곳에는 제 주의를 분산시킬 것이라곤 아무것도 없었습니다. 그들은 바로 그걸 노린 겁니다. 제가 생각에 체해서 메스꺼워지고 숨도 못 쉬게 되어서 결국 생각들을 토해낼 수밖에 없게 되기를, 그들이 원하는 것을 모두 진술하고 급기야는 재산과 사람들을 그들에게 넘기게 되기를 말입니다. 제 신경이 무에서 오는 이 끔찍한 압박에 짓눌려 헐거워지는 걸 차츰 느꼈습니다. 위험을 감지한 저는 무어든 기분전환 거리를 찾아내거나 만들어 내려고 신경을 바싹 조여댔습니다. 소일거리를 만들려고 안 해본 게 없습니다. 전에 암기했던 것들을 낭송하거나 복기하려 했습니다. 애국가와 어린 시절 부르던 동요는 물론이고 고등학교에서 읽은 호메로스의 시와 민법 책의 구절들까지 외워댔습니다. 그러고 나서는 계산을 했습니다. 임의의 수를 더하거나 나누는 겁니다. 하지만 공허 속에서는 제 기억력도 제대로 작동하지 못했습니다. 저는 그 무엇에도 집중할 수 없었습니다. 늘 똑같은 생각이 틈새를 파고들며 퍼덕였습니다. '그들은 무엇을 알고 있을까? 어제 난 무슨 말을 했더라? 다음번에는 뭐라고 말해야 하나?'

이렇듯 도저히 말로는 표현할 수 없는 상태로 넉 달을 보냈습니다. 흠, 넉 달이라, 쓰기 쉬운 단어지요. 몇 자만 적으면 되지 않습니까! 말하기도 쉽군요, 넉 달… 딱 두 음절입니다. 입을 벌려 두 음절을 내뱉는 데에는 채 1초도 안 걸립니다. 넉 달! 그러나 공간을 벗어나고 시간을 벗어난 곳에서 특정 시간이 얼마나 길게 느껴지는지는 결코 묘사할 수도, 측량할 수도 없으며 다른 사람에게 보여 줄 수 없는 건 물론이고 저 자신도 제대로 실감할 수 없습니다. 한 사람을 에워싼 무, 아무것도 없는, 그러한 무의 상태가 어떻게 그 사람을 갉아먹고 망가트리는지를 다른 사람에게 설명한다는 건 불가능합니다. 항상 똑같은 테이블과 침대와 세면대와 벽지가 있고 항상 침묵이 흐르며 항상 똑같은 감시인이 저를 거들떠보지도 않고 식사를 밀어 넣는, 그야말로 아무것도 없는 상황에서 항상 똑같은 일을 빙글빙글 돌며 생각하다가 미칠 지경이 되어가는 겁니다. 제 두뇌가 혼돈에 빠지고 있음을 사소한 징후에서 알아챌 수 있었습니다. 저는 처음 몇 번의 심문에서는 내적 흔들림 없이 침착하게 숙고하며 진술했습니다. 무엇을 말해야 하고 무엇을 말하지 않아야 하는지를 동시에 생각하는 게 아직 가능했던 시기였습니다. 그런데 이제 전 아주 간단한 문장조차도 더듬대며 말하게 되었습니다. 진술하는 동안에는 마치 최면에 걸린 듯, 보고서 용지 위를 내달리는 펜을 뚫어지게 보았습니다. 제가 한 말들을 쫓아서 달리려는 심정이었다고나 할까요. 기운이 점점 없어지는 걸 느꼈고, 저 자신을 구하기 위해 제가 아는 모든 것을 말하려 드는 순간이 점점 더 가까이 오는 걸 느꼈습니다. 그런 순간이 닥치면 무의 상황에서 오는 메스꺼움을 떨쳐내기 위해서 심지어 열두 명의 의뢰인을 배반하고 그들의 비밀을 폭로했을지도 모릅니다. 물론 그렇게 했다 하더라도 잠시의 휴식 말고는 누릴 수 없었겠지요. 어느 날 저녁, 정말로 그런 순간이 왔습니다. 제가 숨이 막혀 괴로워할 때 마침 감시인이 식사를 가져다주었는데, 전 불쑥 그의 등에 대고 소리쳤습니다. '심문관에게 데려다주시오! 죄다 말하겠소! 죄다 진술하겠소! 서류는 어디 있고 돈은 어디 있는지 다 말하겠단 말이오! 모든 걸, 모든 걸 말하리다!' 다행히도 감시인은 제 말을 듣지 못했습니다. 어쩌면 제 말을 들으려 하지 않았는지도 모르지요.

이런 최악의 상황에서 예상치 않은 일이 일어남으로써 구원의 손길이 다가왔습니다. 적어도 한때는 구원의 손길이었지요. 7월 말이었는데 먹구름이 자욱하고 비가 내리는 날이었습니다. 제가 이런 세세한 것들까지 정확히 기억하는 까닭은 마침 심문을 받으러 복도를 지나가는데, 빗줄기가 창유리를 탕탕 때리고 있었기 때문입니다. 저는 조사관의 대기실에서 기다려야 했습니다. 심문을 받으러 갈 때마다 늘 기다려야 했는데, 그렇게 하는 것도 그들의 수법이었습니다. 일단 한밤중에 사람을 불쑥 감방에서 불러내어 신경을 곤두서게 만들고는, 불려 나온 사람이 심문을 받을 각오를 하며 대항하기 위해 지성과 의지를 바싹 조여 놓으면 으레 기다리게 했습니다. 심문을 받기 전에 한 시간이고 두 시간이고 세 시간이고 기다리게 해서 육체를 지치게 하고 영혼을 짓이기려는 의도였기에 이 수법은 얼핏 보면 별 의미가 없는 듯했지만 대단히 지능적이었습니다.

그날은 7월 27일 목요일이었는데 저는 유달리 오래 기다려야 했습니다. 족히 두 시간은 대기실에 서서 기다렸을 겁니다. 날짜를 정확하게 기억하는 이유가 또 따로 있습니다. 제가 두 시간 동안 – 당연히 앉는 건 금지되었지요 – 두 다리로 몸을 지탱해야 했던 대기실에는 달력이 걸려 있었습니다. 인쇄된 것과 글자에 굶주려 있던 제가 벽에 보이는 '7월 27일'이라는 숫자와 몇 안 되는 글자를 어찌나 뚫어지게 보고 또 보았던지요! 그런 제 모습을 묘사한다는 건 불가능합니다. 저는 그 글자를 저의 뇌 깊숙이 집어넣기라도 할 듯이 눈으로 꿀꺽 삼켰습니다. 그러고는 기다리고 또 기다리며 문이 언제 열리나 보려고 문을 응시했습니다. 그러면서 저를 괴롭히는 심문관들이 이번에는 무엇을 물어볼까를 궁리했지만, 그들은 제가 준비해 둔 질문과는 전혀 다른 무언가를 물을 거라는 사실을 잘 알고 있었습니다. 그런데도 그렇게 서서 기다리는 고통이 싫지 않았고 즐겁기까지 했습니다. 어찌 됐건 대기실은 제 방이 아닌 다른 방이었으니까요. 그 방은 더 컸고 창문이 하나가 아니라 둘 나 있었고 침대와 세면대가 없었습니다. 창문턱에는 질리도록 보았던 갈라진 틈도 없었습니다. 문은 다른 색으로 칠해져 있었고 벽 쪽에 놓인 안락의자도 다른 것이었습니다. 왼편에는 서류가 든 캐비닛과 옷걸이가 딸린 옷 보관소가 있었는데 거기에는 빗물에 젖은 군인 외투가, 그러니까 저를 고문하는 자들의 외투가 서너 개 걸려 있었습니다. 굶주렸던 저의 눈은 드디어 새롭고 색다른 무언가를 관찰할 수 있었던 겁니다. 두 눈은 게걸스럽게 온갖 세세한 부분을 빨아들였습니다. 저는 외투에 잡힌 주름 하나하나를 관찰했습니다. 예를 들자면 젖은 목깃에 맺힌 물방울도 제 관찰 대상이었습니다. 당신에게는 우스꽝스럽게 들리겠지만 저는 터무니없이 흥분해서는 그 물방울이 드디어 외투의 주름을 따라 흘러내릴지, 아니면 중력에 저항하며 더 오래 목깃에 붙어 있을지를 지켜보며 기다렸습니다. 정말 그랬습니다. 저는 몇 분을 숨까지 죽인 채 물방울을 보고 또 보았습니다. 마치 제 목숨이 거기에 달린 듯한 기분이었습니다. 그러다가 물방울이 마침내 굴러 내리자 저는 이제 외투에 달린 단추들을 세었습니다. 한 옷에는 여덟 개, 다른 옷에도 여덟 개, 세 번째 옷에는 열 개가 있었습니다. 그러고는 다시 소맷부리들을 비교했지요. 굶주린 제 눈은 우스꽝스러울 정도로 하찮은 것들을 이루 말할 수 없이 게걸스럽게 일일이 더듬어보고 만지작거리고 쥐어보는 중이었습니다.

그런데 제 시선은 갑자기 무언가에 달라붙은 채 꼼짝하지 않았습니다. 한 외투의 옆 주머니가 좀 불룩해 보였습니다. 조금 다가가 보니 불룩한 모양이 직사각형인 것으로 미루어 주머니 안에 무엇이 숨어 있는지 알 것 같았습니다. 책이구나! 무릎이 덜덜 떨리기 시작했습니다. **책**이구나! 넉 달 동안 저는 책을 손에 잡은 적이 단 한 번도 없었습니다. 단어들이 차례로 이어져서 행을 이루고 쪽을 채우는 책, 한 장 한 장 넘기며 볼 수 있는 책, 새롭고 낯선 생각들을 담고 있는 책! 그런 책을 읽으면서 기분전환도 하고 낯선 생각들을 좇아가며 뇌에 흡수할 수 있다고 상상하는 것만으로도 황홀하고 짜릿했습니다. 제 눈은 최면에 걸린 듯, 주머니 안의 책이 만들어낸 자그마한 돌출부를 뚫어지게 보고 있었습니다. 그 사소한 지점을 응시하는 시선은 마치 외투를 태워 구멍이라도 낼 듯한 기세로 이글거렸습니다. 저는 결국 욕망을 억누르지 못하고 저도 모르게 한 걸음 더 다가갔습니다. 옷감 너머로 책을 손으로 만져보기라도 하자고 생각하니 손가락의 신경들이 깨어나며 손톱까지 달아올랐습니다. 거의 제정신이 아닌 채로 저는 점점 더 가까이 접근했습니다. 제 행동거지가 분명 수상하게 보였을 텐데 다행히도 감시인은 주의를 기울이지 않았습니다. 아마도 두 시간을 똑바로 서 있는 사람이 벽에 좀 기대려는 게 당연하다고 여겼나 봅니다. 마침내 저는 외투 바로 옆에 섰습니다. 일부러 양손으로 뒷짐을 지고는 슬그머니 외투를 만져보려고 했습니다. 외투를 더듬어보니 정말 옷감 너머로 직사각형의 물체를 느낄 수 있었습니다. 나긋이 휘어지며 살며시 바스락대는 그것 – 책! 책이었습니다!

이때 번갯불처럼 어떤 생각이 제 머리를 내리쳤습니다. '책을 훔쳐라! 성공만 하면 그걸 방에 숨겨놓고 읽는 거야. 읽고 또 읽는 거야. 드디어 다시 책을 읽을 수 있다고!' 이 생각은 맹렬한 독처럼 순식간에 퍼지며 저를 사로잡았습니다. 갑자기 귀가 윙윙대고 심장이 쿵쾅댔습니다. 손이 얼음장처럼 싸늘해지며 말을 듣지 않았습니다. 마비된 상태가 풀린 후 저는 조용히 요령껏 외투에 더 가까이 가서는 감시인을 계속 주시하며 등 뒤에 숨긴 손으로 주머니 속의 책을 밑에서 위로 조금씩 밀었습니다. 그러고는 책을 살살 조심스럽게 움켜쥐었습니다. 갑자기 자그마하고 그리 두껍지 않은 책이 제 손안에 있었습니다. 이제야 저는 제가 한 짓에 경악했습니다. 하지만 이미 돌이킬 수 없었습니다. 그런데 이걸 어디에 집어넣지? 저는 등 뒤의 책을 바지 아래로 밀어 넣은 후, 허리띠로 바지를 고정하는 그 지점에서 조금씩 엉덩이 쪽으로 밀었습니다. 걸을 때 군대식으로 손을 바지 솔기에 바짝 대서 책을 붙들 생각이었습니다. 이제 시험을 한번 해 봐야 했습니다. 저는 외투가 걸린 장소로부터 한 걸음, 두 걸음, 세 걸음을 뗐습니다. 성공이었습니다. 손으로 허리띠를 꽉 누르기만 하면 걸어가며 책을 붙들고 있는 게 가능했습니다.

이윽고 심문이 시작되었습니다. 전보다 훨씬 더 힘겨운 심문이었습니다. 답변하는 내내 눈에 띄지 않게 책을 붙들고 있으려고 온 힘을 쏟느라 진술에 집중할 수 없었으니까요. 다행히도 이번 심문은 짧았고 저는 책을 무사히 제 방으로 가져갔습니다. 그 과정을 시시콜콜 이야기해서 당신을 지루하게 할 생각은 없습니다. 그런데 복도 한복판에서 바지 속 책이 흘러내리는 바람에 위험한 상황이 한 번 있었습니다. 저는 갑자기 심한 기침에 몸을 가누지 못하는 척하며 웅크리고는 책을 도로 허리띠 아래로 밀어 올릴 수 있었습니다. 책을 지니고 저의 지옥으로 들어서던 순간을, 그때의 일초를 어떻게 표현할 수 있을까요! 드디어 혼자가 되었고, 더는 혼자가 아니었으니까요!

당신은 분명 제가 당장 책을 움켜쥐고 들여다본 후 마구 읽었을 거라고 짐작하실 겁니다. 하지만 절대 아닙니다. 우선 책을 지니고 있다는 기쁨을 만끽하고 싶었으니까요. 신경이 황홀하게 달아오른 상태에서 일부러 늑장을 피우며 훔친 책이 어떤 종류이면 좋을까 꿈꾸며 즐기려 했습니다. 무엇보다도 아주 빼곡히 인쇄되어 있어서 몹시 많은 활자를 담고 있기를, 종이가 얇아서 쪽수가 아주 많은, 오래오래 읽어야 할 책이기를 기대했습니다. 또 깊이 없고 쉬운 책이 아니라 무언가를 배우고 외우게끔 하는 책이기를, 즉 지적 이해력을 요구하는 책이기를 바랐습니다. 시집이면 좋겠고 괴테나 호메로스의 시집이라면 제일 좋겠다고 생각했습니다. 정말이지 꿈은 자유니까요! 하지만 결국에는 제 호기심과 욕망을 더는 억누를 수 없었습니다. 감시인이 갑자기 문을 열더라도 눈치채지 못하도록 저는 침대에 길게 누워서 떨면서 허리띠 아래에서 책을 끄집어냈습니다.

책을 본 순간 실망해서 화가 벌컥 나기까지 했습니다. 엄청난 위험을 무릅쓰고 책을 훔친 후 온갖 기대에 가득 차 있었는데 그 책은 바로 거장들의 경기 150회를 모아둔 체스 교습서였던 겁니다. 창에 빗장이 없었더라면 분노를 이기지 못해 책을 창문 밖으로 던져버렸을 겁니다. 이런 말도 안 되는 것을 가지고 대체 무엇을 할 수 있겠습니까? 고등학교 시절 저도 다른 아이들처럼 종종 심심풀이로 체스를 두기는 했습니다. 하지만 이런 이론서 따위가 제게 무슨 소용이 있겠습니까? 체스는 혼자서는 둘 수 없고 말과 체스판이 없으면 아예 둘 수 없으니까요. 짜증을 내며 저는 책장을 들췄습니다. 혹시 서문이나 안내문 같은 읽을거리가 있지 않을까 싶었습니다. 하지만 각각의 챔피언 경기를 담은 정사각형의 도표들만이 가득 실려 있었고 그 아래에는 a2 – a3, Sf1 – g3 따위의 제가 전혀 이해할 수 없는 기호들이 적혀 있을 뿐이었습니다. 죄다 풀어낼 수 없는 수학 공식처럼 보였습니다. 시간이 조금 지나고 나서야 알파벳 abc는 세로줄을, 1에서 8까지의 숫자는 가로줄을 뜻한다는 걸 알아냈습니다. 그러니까 알파벳과 숫자는 개개 체스 말의 위치를 나타내는 것이었습니다. 그러고 나니 기호로 된 도식圖式으로만 보이던 것이 차츰 언어처럼 보이기는 했습니다. 감방에서 체스판 비슷한 것을 만들어서 이 경기들을 그대로 따라서 두어볼 수도 있겠다는 생각이 들었습니다. 마침 제 침대보가 굵직한 체크무늬라는 게 하늘의 뜻인 듯했습니다. 침대보를 각을 맞추어 접으니 64칸의 평면을 만들어낼 수 있었습니다. 저는 우선 책을 매트리스 밑에 숨기고 첫 장만 뜯어냈습니다. 그러고는 식사에서 아껴둔 빵조각들로 킹과 퀸 같은 체스 말들을 빚기 시작했습니다. 물론 엉성하기 짝이 없는 말들이었습니다. 무한한 노력 끝에 마침내 체스책에 실린 경기의 도표를 체크무늬 침대보 위에 재구성할 수 있었습니다. 경기 전체를 죄다 따라서 두어보려 했지만 빵 부스러기로 만든 한심한 말을 가지고는 쉽지 않았습니다. 양편을 구분하려고 말의 절반에 먼지를 묻혀 까맣게 만들어도 보았습니다. 처음 며칠은 계속 헤맸습니다. 한 경기를 다섯 번, 아니 열 번, 아니 스무 번이나 처음부터 다시 시작해야 했습니다.

하지만 무의 노예가 된 저처럼 쓸데없는 시간을 넘치도록 많이 가지고 있는 사람이 세상에 누가 또 있겠습니까? 무한대의 욕망과 인내심으로 경기를 재구성하려 드는 사람이 누가 또 있겠습니까? 엿새가 지난 후 저는 그 경기를 끝까지 완벽하게 둘 수 있었습니다. 8일 후에는 침대보 위에 빵조각 말을 얹지 않아도 체스 책에 묘사된 위치를 떠올릴 수 있었습니다. 다시 8일이 지나자 체크무늬 침대보도 필요 없었습니다. a1, a2, c7, c8과 같이 처음에는 추상적이기만 했던 기호들은 머릿속에서 저절로 시각적이고 3차원적인 형태로 변해갔습니다. 전환은 대성공이었습니다. 전 체스판과 말을 내부로 투사했고, 공식만으로도 그때그때의 형국을 조망할 수 있었습니다. 마치 노련한 음악가가 악보를 보기만 해도 모든 성부와 그것들의 화음을 들을 수 있듯이 말입니다. 다시 14일이 지나자 저는 별로 애쓰지 않아도 책에 실린 모든 경기를 외워서 똑같이 둘 수 있었습니다. 전문용어를 쓰자면 블라인드 체스를 두게 된 겁니다.

이제야 비로소 뻔뻔하게 훔쳐낸 책 덕분에 제가 얼마나 큰 혜택을 누리게 됐는지를 알게 되었습니다. 갑자기 할 일이 생겼으니까요. 무의미하고 쓸데없는 일이라고 하실지도 모르겠습니다만, 저를 에워싼 무를 무력화하는 일을 하게 된 겁니다. 150회의 토너먼트 경기라는 경이로운 무기로 한결같은 공간과 시간이 가하는 압박에 맞설 수 있게 된 겁니다. 새 소일거리의 매력이 계속 유지되도록 저는 이제 하루하루를 정확히 나누었습니다. 아침에 두 경기, 오후에 두 경기를 두고 저녁에는 그것들을 재빨리 복기하는 방식이었습니다. 그러다 보니 전에는 형체 없는 젤리처럼 축 늘어지기만 하던 하루가 꽉 채워졌습니다. 저는 지칠 줄 모르고 체스에 몰두했습니다. 체스 게임은 경이로운 장점이 있습니다. 정신적 에너지를 지극히 제한된 영역에 국한하기 때문에 있는 힘껏 사고력을 총동원해도 뇌가 지쳐서 느슨해지기는커녕 민첩성과 탄력을 연마하게 됩니다. 저는 처음에는 그저 거장들의 경기를 기계적으로 따라 두기만 하다가 차츰 예술가처럼 즐기며 이해하는 능력을 키워가기 시작했습니다. 함정을 파며 예리하게 공격과 방어를 하는 정교한 방법들을 익혔고, 미리 생각하고 개개의 수들을 연결하며 받아치는 기술을 습득했습니다. 챔피언들 각각의 특성도 게임을 풀어나가는 방식에서 금세 알아볼 수 있었습니다. 마치 시를 몇 줄만 읽어도 어떤 시인의 시인지 판단할 수 있듯이 말입니다. 그저 시간을 메꾸려고 시작했던 일은 즐거움이 되었습니다. 알레힌, 라스커, 보골류보프, 타르타코버 같이 위대한 체스 전략가들은 좋은 친구가 되어 저의 고독을 채워주었습니다. 변화무쌍한 상황이 무한대로 펼쳐지면서 지루하던 감방은 날마다 활기로 넘쳤습니다. 게다가 규칙적으로 연습을 하다 보니 무너져가던 사고력은 안정을 되찾았습니다. 두뇌가 원기를 회복했을 뿐 아니라 지속적인 단련을 통해서 전에 없이 예리해졌음을 느끼겠더군요. 특히 심문에서는 제가 전보다 더 명료하고 간결하게 생각한다는 게 확연히 드러났습니다. 체스를 두면서 저도 모르는 사이에 가짜 협박이나 감춰진 책략에 맞서 방어하는 법을 완벽히 익혔던 겁니다. 이때부터 저는 심문을 받을 때 아무런 허점도 보이지 않았습니다. 심지어 게슈타포들이 차츰 존경심을 품고 저를 관찰하기 시작한다는 느낌이 들 정도였습니다. 다른 사람들이 죄다 무너져 내리는 걸 보았던 만큼 아마 그들은 제가 대체 어떤 신비한 샘에서 홀로 의연히 저항하는 힘을 길어내는지 은근히 의아해했을 겁니다.

저는 책에 수록된 150개의 시합을 날마다 체계적으로 따라 두면서 대략 두 달 반에서 석 달 정도 행복한 시간을 보냈습니다. 그러고 나서 뜻밖에도 막다른 골목에 이르렀습니다. 갑자기 아무것도 없는 무의 상황을 다시 마주하게 된 겁니다. 모든 시합을 스무 번 혹은 서른 번 정도 두고 나니 어느새 그 일은 신선함과 뜻밖의 반전에서 오는 매력을 잃어버렸기 때문입니다. 전에는 몹시도 흥미를 불러일으키고 자극을 주던 힘이 바닥나버린 겁니다. 한 수 한 수를 이미 죄다 꿰뚫고 있는 시합을 계속해서 되풀이하는 게 무슨 의미가 있겠습니까? 경기를 시작하자마자 그것이 어떻게 전개될지가 마치 자동장치가 작동하듯이 제 머릿속에서 술술 풀려나왔습니다. 뜻밖의 반전이나 긴장감, 골칫거리라곤 아예 없었습니다. 뭔가에 몰두하기 위해선, 이제 없어서는 안 될 고급 과제와 기분 전환 거리를 장만하기 위해선 다른 시합들이 수록된 또 다른 책이 필요했습니다. 하지만 그것은 전혀 불가능했기에 이렇듯 희한하게 미쳐 돌아가는 상황에서는 한 가지 길밖에 없었습니다. 묵은 경기를 대신할 새 경기를 제가 몸소 만들어내어야 했습니다. 저는 저와 함께, 달리 표현하자면 저에 맞서서 체스를 두어야 했습니다.

가장 경이로운 게임인 체스, 체스를 두는 사람의 정신 상태에 대해 당신이 어느 정도까지 생각해보셨는지는 모르겠습니다. 하지만 아주 잠깐만 생각해보아도 분명한 게 하나 있습니다. 체스란 우연으로부터 자유로운 순전한 두뇌게임이기에 자기 자신을 상대로 게임을 한다는 건 논리적인 모순입니다. 체스의 매력은 본래 두 사람의 판이한 두뇌에서 나온 전략이 판이하게 전개된다는 데 있습니다. 이런 두뇌 싸움에서 흑을 쥔 사람은 백을 쥔 사람이 그때그때 부리는 책략을 알지 못한 채 끊임없이 그것을 알아맞혀서 방해하려 듭니다. 반면에 백을 쥔 사람은 흑을 쥔 사람의 숨은 의도를 따라잡아서 막아내려고 애씁니다. 그런데 흑을 쥔 사람과 백을 쥔 사람이 동일 인물이라면 모순되는 상황이 벌어지게 됩니다. 하나의 두뇌가 무언가를 알아야 하는 동시에 알아서는 안 되는 상황입니다. 다시 말해서 하나의 두뇌는 백을 쥔 사람의 역할을 맡게 되면서, 일 분 전에 흑을 쥔 사람으로서 의도했던 바를 완전히 잊어야만 하는 상황에 부닥치게 됩니다. 그런 이중적인 사고는 사실 의식의 완전한 분열을 전제로 합니다. 기계장치처럼 뇌의 기능을 임의로 껐다 켰다 할 수 있어야 하니까요. 그러니 자기 자신을 상대로 체스 게임을 한다는 건 자신의 그림자를 뛰어넘으려는 것만큼이나 역설입니다. 흠, 간단히 말해서 저는 절망한 나머지, 몇 개월 동안이나 이런 불가능하고 부조리한 일을 시도했습니다. 하지만 진짜 망상증이나 극심한 정신쇠약증에 걸리지 않으려면 이러한 불합리한 일 말고 다른 선택은 없었습니다. 당시 끔찍한 상황에 있던 저는 흑을 쥔 자아와 백을 쥔 자아로 저를 쪼개려고 시도라도 해보아야 했습니다. 그러지 않는다면 저를 에워싼 무시무시한 무에 짓눌려버릴 테니까요."

B 박사는 몸을 뒤로 젖혀 비치 의자에 기대고는 잠시 눈을 감

았다. 심란한 기억을 힘껏 억누르려는 듯했다. 다시 왼쪽 입가에 기이한 경련이 일었고 그는 그걸 통제할 수 없었다. 이윽고 그는 비치 의자에서 몸을 좀 일으켜 세웠다.

“그러니까 – 여기까지는 제가 모든 것을 제법 이해가 가게끔 설명했기를 바랍니다. 하지만 유감스럽게도 그 후 일들도 지금까지처럼 또렷하고 생생히 그려낼 수 있을지 영 자신이 없군요. 제가 새롭게 몰두한 일은 두뇌의 절대적 긴장을 요구했기 때문에, 같은 시기에 자기를 통제한다는 건 불가능했습니다. 자기 자신을 상대로 체스 게임을 한다는 건 난센스라고 이미 말씀드렸습니다만 그런 부조리한 일조차도 눈앞에 체스판 실물이 있었더라면 어쨌든, 조금은 가능했을 수도 있었을 겁니다. 체스판이 정말로 존재하면 아무튼 어느 정도의 거리감이 생기고 머릿속 생각을 물리적으로 외부에 옮겨놓을 수 있을 테니까요. 실물 체스판과 실물 말을 앞에 두고 있으면 숙고를 위한 휴식 시간을 끼워 넣을 수 있고, 몸을 한 번은 테이블 이편으로 다음번에는 테이블 저편으로 옮겨야 할 테고, 그러다 보면 한번은 흑의 입장에서, 다음번은 백의 입장에서 형국을 조망할 수 있을 겁니다. 그러나 저는 저 자신에 맞서서 (굳이 완곡히 표현하자면 저 자신과 더불어) 벌이는 싸움을 부득이하게 상상의 공간에 투사해야 했기에 64칸의 체스판에서 벌어지는 그때그때의 형세를 의식 속에 명료히 새겨두어야 했습니다. 그뿐 아니라 현재의 판세는 물론이고 쌍방이 앞으로 두게 될 수까지 미리 계산해야 했습니다. 이 모든 것이 지독히 황당하게 들릴지 압니다만, 저는 두 배, 세 배로 상상을 해야 했습니다. 아니, 저 자신이 흑과 백을 쥐고 있었던 탓에 항상 네다섯 수를 미리 계획하려면 여섯 배, 여덟 배, 열두 배를 상상해야 했습니다. 당신께 이런 미친 상태를 머릿속에 그려보시라는 무리한 요구를 해서 죄송합니다. 저는 게임을 할 때 백을 쥔 경기자로서 상상으로 이루어진 추상적 공간에서 네다섯 수를 미리 계획해야 했고, 흑을 쥔 경기자로서도 똑같은 일을 해야 했습니다. 다시 말해서 경기가 전개되며 일어날 수 있는 온갖 상황을 두 개의 뇌로, 즉 백을 쥔 뇌와 흑을 쥔 뇌로 미리 맞춰보아야 했습니다.

그런데 이런 황당한 실험을 하던 저는 자아의 분열보다도 더 한 위험을 마주하게 되었습니다. 시합을 독자적으로 고안하다 보니 졸지에 현실감각을 잃고 끝없는 수렁으로 빠져들어 버린 겁니다. 지난 몇 주 동안 대가들의 시합을 그대로 따라 두었는데, 그것은 엄밀히 보자면 복제 활동에 지나지 않았습니다. 주어진 소재로 기존의 것을 다시 만들어내는 것이어서 그 일 자체는 시를 외우거나 법조문의 구절을 암기하는 것보다 더 힘들지 않았습니다. 경계선을 지키며 규칙에 맞게 하는 활동이었기에 정신을 연마하는 효과가 탁월했습니다. 체스를 아침에 두 판, 오후에 두 판 두는 것은 일종의 일과가 되었고 저는 아무런 감정의 기복 없이 제 일과를 소화했습니다. 이렇게 체스를 두는 것이 정상적인 일거리를 대신했던 겁니다. 게다가 어떤 경기를 두다가 실수를 하거나 잘 모르면 항상 그 책을 의지할 수 있었습니다. 저는 이런 활동을 통해 망가졌던 신경을 치유했고 안정을 찾을 수 있었습니다. 낯선 사람들의 경기를 따라서 둔다 해도 저 자신이 경기에 휘말리지는 않았으니까요. 승자가 흑이든, 백이든 상관없었습니다. 챔피언의 월계관을 두고 맞붙었던 건 알레힌이나 보골류보프였고, 저 자신은 지성과 영혼을 총동원하여 오직 관객이자 체스에 정통한 사람으로서 모든 시합의 반전과 묘미를 즐겼습니다. 하지만 저 자신에 맞서서 체스를 두고자 했던 순간부터 저는 무의식중에 저에게 도전하기 시작했습니다. 둘로 나뉜 저 자신, 즉 흑을 쥔 저와 백을 쥔 저는 서로 경쟁하지 않을 수 없었고 제각기 이기려고, 승리하려고 열을 올리며 안달했습니다. 흑을 쥔 저는 한 수를 두고 나서 매번 백을 쥔 제가 어떻게 반응할까, 열심히 궁리했습니다. 둘로 나뉜 저 자신 중 하나는 상대가 실수라도 하면 쾌재를 불렀고, 동시에 다른 하나는 자신의 서투름에 격노했습니다.

이 모든 게 어리석어 보일 겁니다. 사실 정상 상태에 있는 정상인이 이런 인위적인 조현병, 다시 말해 위험한 흥분을 동반하는 의식 분열의 증상을 겪는다는 건 상상조차 할 수 없을 겁니다. 그러나 제가 온갖 정상적인 상황에서 강제로 끌려 나왔다는 걸 잊지 마십시오. 죄 없이 감금된 신세가 된 저는 몇 달째 외로움이라는 정교한 고문에 시달렸고, 쌓이고 쌓인 분노를 오래전부터 무엇에든 터뜨리려고 벼르고 있었으니까요. 저 자신을 상대로 정신 나간 게임을 하게 되자, 제가 품은 분노와 복수에의 욕망은 격렬하게 게임으로 흘러들었습니다. 제 안의 무언가는 이기고 싶어 했는데 제가 싸울 수 있는 상대는 제 안에 있는 또 다른 저뿐이었습니다. 그래서 체스를 두는 동안 저는 병적이다시피 한 흥분 상태에 점점 더 심하게 빠져들었습니다. 처음에는 차분하게 곰곰이 생각하며 게임을 했고, 한 판을 끝내면 다음 판을 시작하기 전에 휴식을 취하며 피로를 풀려고 했습니다. 그러나 차츰 신경이 곤두서면서 기다리는 여유를 누릴 수 없게 되었습니다. 백을 쥔 제가 한 수를 두자마자 흑을 쥔 저는 흥분해서 맞섰습니다. 한 경기가 끝나기가 무섭게 저는 다음 경기를 두자고 제게 도전장을 던졌습니다. 둘로 나뉜 저 중 하나가 이길 때마다 늘 다른 하나가 설욕전을 요구했기 때문입니다.

이런 만족할 줄 모르는 광기 때문에 몇 달 동안 감방 안에서 저를 상대로 체스를 대체 몇 차례나 두었는지 도무지 가늠하지 못하겠습니다. 천 번이었을지도 모르고 그보다 더 많았을 수도 있습니다. 저는 이런 광적인 집착에서 헤어날 수 없었습니다. 이른 아침부터 밤까지 비숍, 폰, 룩, 킹 따위와 a, b, c, 그리고 체크메이트나 캐슬링• 말고는 아무 생각도 하지 않았습니다. 제 존재 전부와 감정은 체크무늬 정사각형에 못 박혀 있었습니다. 게임을 하는 기쁨은 게임을 하려는 욕망으로 변했고, 욕망은 게임 강박증이 되었습니다. 그것은 병적 욕망과 광기 서린 분노가 되어 깨어 있는 시간뿐 아니라 차츰 잠자는 시간까지 침범했습니다. 저는 체스판에서의 움직임과 골칫거리 등 체스에 연관된 생각만 할 수 있었습니다. 종종 이마가 땀에 흠뻑 젖은 채로 잠에서 깨어나서는 자면서도 무의식적으로 체스를 두었다는 걸 깨닫곤 했습니다. 꿈에 나오는 사람들은 비숍이나 룩처럼 움직였고 나이트처럼 앞과 뒤로 껑충 뛰었습니다.

심문을 받으러 불려갔을 때조차 어떤 답을 해야 할지 명료하게 생각할 수 없었습니다. 마지막 몇 번의 심문에서는 제가 아주 뒤죽박죽으로 진술했던 듯합니다. 심문관들이 종종 당황해하며 서로를

• 킹과 룩의 위치를 바꾸는 수

쳐다보곤 했으니까요. 하지만 그들이 질문하고 서로 의논하는 동안 사실 저는 저주받은 욕망에 내몰리며 다시 제 감방으로 돌아가기만을 고대했습니다. 저의 게임을, 그 정신 나간 게임을 계속하고 싶었고 새 판을 벌이고, 다시 한 판, 그리고 또 한 판을 더 벌이고 싶은 마음뿐이었습니다. 게임을 중단해야 하는 경우가 생기면 늘 짜증이 났습니다. 감시인이 감방을 청소하는 15분은 물론이고 식사를 넣어주는 2분조차도 초조해하며 괴로워했습니다. 때로는 저녁 식사가 담긴 그릇을 전혀 건드리지 않은 적도 있었습니다. 체스를 두느라 식사하는 것도 잊었으니까요. 제 육체에 남은 유일한 느낌은 엄청난 갈증이었습니다. 아마도 끊임없이 생각하며 게임을 하느라 열이 났던 탓일 겁니다. 저는 물 한 병을 두 모금에 벌컥 들이키고는 더 달라고 감시인을 성가시게 했습니다. 그런데도 다음 순간에는 입속의 혀가 바짝바짝 타는 걸 느끼곤 했습니다.

막바지에 저는 아침부터 밤까지 오직 체스에만 몰두했는데 체스를 둘 때면 극도로 흥분한 나머지 잠시도 조용히 앉아 있을 수 없는 지경까지 이르렀습니다. 경기 내용을 생각하면서 저는 끊임없이 왔다 갔다 했습니다. 점점 더 빨리, 더 빨리, 더욱더 빨리 왔다 갔다 왔다 갔다 했고, 경기가 결말을 향해 치달을수록 더욱 격렬하게 왔다 갔다 했습니다. 이기고 승리하겠다는, 저 자신을 꺾겠다는 욕망은 차츰 일종의 광기로 변했습니다. 체스를 두는 하나의 나는 다른 내가 지나치게 꾸물댄다고 조바심을 치며 부르르 떨었습니다. 하나의 나는 다른 나를 몰아붙였습니다. 당신에게는 한심하게 들리겠지만 저는 저 자신을 욕하기 시작했습니다. 하나의 내가 즉시 맞수를 두지 않으면 다른 나는 '빨리, 좀 빨리하란 말이야!' 혹은 '어서 해, 어서!'라고 짜증을 냈습니다. 물론 지금 저는 제 상태가 신경과민에서 정신병으로 진전된 단계였음을 잘 알고 있습니다. 그런 상태를 의학적으로 칭하는 이름은 아직 없기에 체스 중독증이라는 이름밖에는 떠오르질 않는군요. 마침내 이런 광기 서린 집착은 저의 뇌뿐만 아니라 육체까지 해치기 시작했습니다. 저는 바싹 야위었고 깊이 잠들지 못하고 자주 깨었습니다. 눈을 뜰 때마다 늘 납덩이처럼 묵직한 눈꺼풀을 억지로 치켜뜨려고 안간힘을 써야 했습니다. 물컵을 쥐고 입에 갖다 대려면 손이 덜덜 떨릴 정도로 기운이 없었습니다. 하지만 게임을 시작하기가 무섭게 저는 거친 힘에 휩쓸려 버렸습니다. 두 주먹을 불끈 쥐고 왔다 갔다 하다 보면 이따금 불그레한 안개 너머에서 제 목소리가 들리더군요. 화를 내며 쉰 소리로 '체크' 혹은 '체크메이트'라고 저 자신에게 외치고 있더군요.

이처럼 말로 표현할 수 없을 정도로 끔찍한 상황이 어떻게 정점에 다다랐을까요? 저 자신은 이 질문에 답할 처지가 못 됩니다. 어느 날 아침 깨어나 보니 그전과는 달라져 있었다는 사실을 알 뿐이니까요. 제 육체가 마치 저 자신으로부터 떨어져 나온 듯이 저는 편안히 누워 있었습니다. 몇 달 내내 느끼지 못했던 뻐근하면서도 달콤한 피곤함에 눈꺼풀이 내려왔습니다. 그 피곤함이 너무도 따스하고 포근해서 처음에는 눈을 뜰 엄두가 나질 않았습니다. 저는 깨어난 후에도 몇 분을 누운 채로 머리가 멍하니 몽롱하며 감각이 기분 좋게 마비된 상태를 즐겼습니다. 갑자기 제 뒤에서 목소리가 들리는 듯했습니다. 말을 하는 건 살아 있는 사람이었습니다. 제가 얼마나 황홀해했는지 당신은 상상도 못 하실 겁니다. 몇 달

동안, 거의 1년 동안 심문관의 엄하고 매섭고 악의에 찬 말 말고는 듣지 못했으니까요. '네가 꿈을 꾸는구나.' 저는 혼잣말을 했습니다. '네가 꿈을 꾸고 있구나! 절대 눈을 뜨지 마! 꿈을, 이런 꿈을 더 꾸자! 꿈이 깨면 너를 둘러싼 그 망할 감방을 다시 보아야 해. 의자와 세면대와 테이블, 그리고 똑같은 무늬가 끝없이 이어지는 벽지를 보아야 한다니까. 넌 꿈을 꾸고 있어. 계속 꿈을 꾸자고!'

하지만 결국 호기심이 승리했습니다. 저는 천천히 조심스럽게 눈을 떴습니다. 그런데 이 무슨 기적인가요! 제가 다른 방에 있는 겁니다. 방은 호텔 감방보다 더 넓고 컸습니다. 창살 없는 창으로 햇빛이 거침없이 들어왔고 꿈쩍하지 않는 방화벽 대신 나무가, 바람에 살랑대는 초록 나무가 여럿 보였습니다. 매끄러운 흰 벽은 반짝반짝 빛났습니다. 제 위로는 하얀 천장이 높이 보였습니다. 정말로 저는 새 침대에, 생소한 침대에 누워 있었던 겁니다. 그리고 제 뒤에서 사람들이 나직이 속삭이고 있었던 것도 꿈이 아니라 현실이었습니다. 너무 놀란 나머지 저도 모르게 몸을 격렬히 뒤척였던 것 같습니다. 뒤에서 이리로 다가오는 발소리가 들렸습니다. 어떤 여자가 사뿐사뿐 걸어왔습니다. 머리 위에 하얀 두건을 쓴 간호사였습니다. 황홀감에 몸이 떨렸습니다. 일 년 전부터 여자를 아예 보지 못했으니까요. 저는 그 사랑스러운 모습을 꼼짝 않고 응시했습니다. 제가 넋이 나간 듯 격렬하게 올려다보았나 봅니다. '가만! 가만히 계세요!' 다가온 여자가 다급히 저를 진정시켰으니까요. 하지만 전 그녀의 목소리에만 귀를 기울였습니다. 정말 사람이 말을 하는 것일까? 나를 심문하거나 괴롭히지 않는 사람이 이 땅 위에 과연 있기는 한 걸까? 게다가 부드럽고 따스하고 다정하기까지 한 여자의 목소리라니, 이 무슨 불가사의한 기적이란 말인가! 저는 탐욕스럽게 그녀의 입을 응시했습니다. 지옥과도 같은 1년을 보냈던 저에겐 한 사람이 다른 사람에게 친절한 말을 건넨다는 건 있을 수 없는 일이었으니까요. 그녀는 제게 미소를 지었습니다. 네, 정말로 미소를 지었습니다. 친절하게 미소를 지을 수 있는 사람이 아직 있었던 겁니다. 그녀는 손가락을 입술에 대며 주의 주고는 나직이 멀어졌습니다. 하지만 저는 그녀의 지시를 따를 수 없었습니다. 아직 기적을 마음껏 보지 못했으니까요. 저는 그녀의 뒷모습을 보려고 있는 힘껏 침대에서 몸을 일으켜 세우려 했습니다. 친절한 인간이라는 기적을 보고 싶었습니다. 침대 가장자리를 붙잡고 일어나려 했지만 되질 않았습니다. 원래는 제 오른손과 손목이 있어야 할 곳에서 무언가 낯선 것을 느꼈습니다. 널찍한 하얀 붕대가 두툼하게 칭칭 감겨 있었던 겁니다. 제 손을 감은 하얗고 두툼한 이물질을 보고는 처음에는 어리둥절했습니다. 그러다가 제가 어디 있는지 서서히 깨닫고는 무슨 일이 일어났는지 곰곰이 생각했습니다. 누군가가 제게 상처를 입혔거나 저 혼자 손을 다쳤던 게 분명했습니다. 제가 있는 곳은 병원이었습니다.

정오에 친절한 중년의 의사가 왔습니다. 그는 우리 집안을 잘 알고 있었고 황제의 주치의인 삼촌 얘기를 할 때면 존경심을 가득 보였습니다. 그래서 저는 곧 그가 제게 호의를 품고 있다고 느꼈습니다. 이어지는 대화에서 그는 이런저런 질문들을 했는데 그중 한 질문은 정말 뜻밖이었습니다. 제가 수학자나 화학자이냐고 묻기에 저는 아니라고 답했습니다.

'이상하군.' 그가 중얼거렸습니다. '고열 상태에서 당신은 끊임

없이 이상한 공식들을 목청껏 외쳤거든요. c3, c4 따위를요. 아무도 그걸 이해할 수 없었습니다.'

저는 대체 제게 무슨 일이 있었는지 물어보았습니다. 그가 묘한 미소를 짓더군요.

'심각한 건 아닙니다. 급성 신경과민 증상입니다.' 조심스럽게 주위를 둘러본 후 그는 나직이 덧붙였습니다. '잘 생각해보면 이해가 가고도 남습니다. 3월 13일부터 그러고 계셨지요?'

저는 고개를 끄덕였습니다.

'이런 방식을 쓰니 놀랄 일도 아니지.' 그가 중얼거렸습니다.

'당신이 처음이 아닙니다. 걱정하지 마세요.'

그가 저를 위로하며 이런 말로 달래는 거로 보아서 저를 보호해주리라는 믿음이 들었습니다.

이틀 후 친절한 의사는 무슨 일이 있었는지를 상당히 솔직하게 알려주었습니다. 제가 감방에서 고함을 지르는 것을 감시인이 듣고는 처음에는 누군가가 침입해서 저와 싸운다고 생각했답니다. 그런데 그가 문을 조금 열자마자 제가 그에게 달려들어 고래고래 소리를 질러댔답니다. '빨리 두라고, 이 악당아! 이 겁쟁이야!' 대충 이런 말이었답니다. 그러면서 그의 목을 조르려고 사납게 달려드는 바람에 도움을 청하지 않을 수 없었다고 합니다. 사람들이 미쳐 날뛰는 저를 의사의 진찰을 받게 하려고 끌고 가는 도중에 제가 갑자기 주위 사람들을 뿌리치고는 복도의 창가로 달려가 유리창을 깨트리며 손을 베었답니다. 여기 깊은 상처가 보이지요? 저는 병원에서 처음 며칠을 정신병자처럼 보냈다고 합니다. 하지만 이제 저의 감각기관이 완전히 정상이라고 의사는 말했습니다. 그러고는 나직이 덧붙였습니다. '물론 이 사실을 본부에는 보고하지 않을 작정입니다. 그러면 그들은 당신을 다시 그리로 돌려보낼 테니까요. 저를 믿고 맡기세요. 최선을 다하겠습니다.'

이 친절한 의사가 저를 괴롭힌 자들에게 뭐라고 보고했는지는 알 수 없지만 어쨌든 그는 뜻하던 바를 이뤄냈습니다. 저는 놓여났습니다. 의사가 저를 금치산자라고 진단했을 수도 있고, 어쩌면 그 사이에 저는 이미 게슈타포에게 중요하지 않은 인물이 되었을 수도 있습니다. 히틀러가 보헤미아를 점령함으로써• 오스트리아의 종말은 기정사실이 되었으니까요. 그래서 저는 14일 이내에 우리의 고국을 떠나겠다는 각서에 서명하기만 하면 됐습니다. 한때 세계시민으로 살던 저는 이 14일이란 기간을 출국하는 데 필요한 수많은 절차를 처리하느라 정신없이 보냈습니다. 군필 증명서, 경찰서의 증빙서류, 납세 증명서, 여권, 비자, 건강진단서 따위를 준비하느라 지난 일들을 곰곰이 되돌아볼 시간이 아예 없었습니다. 아마도 우리 뇌에는 신비한 조절 기능이 있어서 영혼을 짓누르는 위험한 것들을 자동으로 차단해버리나 봅니다. 감방에서 보낸 시절을 되돌아보려고 할 때마다 저의 뇌에서 빛이 꺼지는 느낌이었으니까요. 몇 주가 지나고 또 지난 후에야, 정확히 따지면 여기 이 배를 탄 후에야 비로소 제가 겪은 일들을 회상해보려는 용기가 났습니다.

제가 당신 친구분들께 무례하게도 상식 밖의 행동을 했던 이유를 이젠 이해하실 겁니다. 아주 우연히 흡연실을 어슬렁대고 있다

• 1939년 3월 15일 독일군이 체코슬로바키아 영토에 진군함과 동시에 체코슬로바키아를 나치 독일의 보호국으로 규정하는 조약이 체결되었다.

가 여러분이 체스판 앞에 앉아계신 것을 보게 되었습니다. 놀라움과 두려움에 저도 모르게 발에 못이 박힌 듯 꼼짝할 수 없었습니다. 진짜 체스판 위에서 진짜 말을 가지고 체스 게임을 할 수 있다는 사실을 저는 까마득하게 잊고 있었으니까요. 체스는 전혀 다른 두 사람이 서로 마주 앉아 두는 것이란 사실 역시 잊은 지 오래였습니다. 거기 있는 사람들이 하는 게임이 따지고 보면 제가 막막한 처지에서 저를 상대로 몇 달을 했던 바로 그 게임이라는 것을 기억해내는 데에는 정말이지 몇 분이 걸렸습니다. 제가 죽기 살기로 체스를 연습하면서 사용했던 부호들은 대용품에 불과했고 상아로 된 말들을 상징할 뿐이었습니다. 체스판 위의 말들을 움직이는 것이 제가 사유의 공간에서 상상을 펼치던 것과 다를 바 없다는 사실에 놀라지 않을 수 없었습니다. 어쩌면 공책에 지극히 복잡한 방법으로 새로운 행성의 존재를 계산해 낸 천문학자가 훗날 정말로 그 행성이 하얗게 빛나는 선명한 별로 하늘에 떠 있는 것을 보게 된다면 저처럼 놀라워할 듯합니다. 저는 자석에 이끌리듯 체스판을 뚫어지게 응시했고, 체스판 위에 제 머릿속에 있던 나이트, 룩, 킹, 퀸, 폰 같은 부호들이 나무를 깎아 만든 실제의 모형으로 서 있는 것을 보았습니다. 추상적인 부호로 된 세계를 체스 말을 이리저리 옮기는 세계로 되돌려 놓고 나서야 저는 시합의 판세를 조망할 수 있었습니다. 저는 차츰 두 상대가 벌이는 진짜 게임을 구경하고 싶은 호기심에 사로잡혔습니다. 그러다 보니 예의범절을 잊고 당신들의 시합에 끼어드는 민망한 짓을 해버린 겁니다. 당신 친구가 잘못된 수를 두려는 순간 제 심장에 비수가 꽂히듯 아찔했습니다. 제가 그분을 제지한 것은 순전히 본능에서 나온 행동이었습니다.

난간 너머로 몸을 내미는 아이를 아무런 생각 없이 붙잡듯이 충동적으로 막아선 겁니다. 제가 주제넘게 끼어드는 바람에 대단한 결례를 저질렀음을 나중에야 알아챘습니다."

나는 B 박사에게 이런 우연 덕분에 그를 알게 되어 우리 모두 얼마나 기쁜지 모른다고 서둘러 말했다. 그의 이야기를 듣고 나니 내일 시합에 관한 흥미가 곱절로 늘어났다는 말도 덧붙였다. B 박사는 불안스럽게 몸을 움직였다.

"아닙니다. 너무 많은 걸 기대하지 마십시오. 전 그저 한번 … 시험해보려는 것뿐입니다. 제가 … 제가 과연 정상적인 체스 경기를 할 수 있을지, 진짜 체스판 위에서 진짜 말들을 가지고 살아 있는 상대와 경기를 할 수 있을지 시험하려는 것일 뿐인데 … 제가 100번, 어쩌면 1,000번을 했던 경기가 정말 규칙에 맞는 체스 경기였는지가 이제 점점 더 미심쩍어지기 때문입니다. 그때 제가 꿈에서, 과열된 상태에서 체스를 두었던 건 아닌지, 꿈을 꾸면 늘 그렇듯 중간 단계를 건너뛰지는 않았는지가 미심쩍어져서요. 제가 체스 챔피언, 그것도 세계 제일이라는 챔피언을 이길 거라고 진지하게 기대하시지는 않으시겠지요? 경기에 응하려는 마음이 든 건 그때 감방에서 했던 게임이 정말 체스였는지 아니면 미친 짓이었는지 알고 싶은 뒤늦은 호기심 때문이고 다른 이유는 없습니다. 당시 제가 위험한 낭떠러지 바로 앞에 서 있었는지, 아니면 이미 낭떠러지로 추락하는 중이었는지가 궁금해졌습니다. 오직 그것 때문에, 오직 그런 이유로 게임을 해보려는 겁니다."

바로 이때 배 저편에서 저녁 식사를 알리는 징 소리가 울려 퍼졌다. 우리는 거의 두 시간을 함께 보냈던 듯했다. B 박사의 이야기는 내가 여기에 요약한 것보다 훨씬 더 상세했다. 나는 그에게 감사 인사를 하고 헤어졌다. 그런데 채 갑판을 벗어나기도 전에 그가 나를 따라잡더니 신경질적인 모습으로, 말까지 더듬으며 이렇게 덧붙였다.

"한 가지 더 말씀드릴 게 있습니다. 나중에 알리면 결례가 될 수도 있을 테니 미리 신사분들에게 제가 딱 … 한 판만 둘 거라고 알려주셨으면 합니다. 지난 일을 마무리 짓기 위해 한 판을 두는 것뿐입니다. 최종적인 결산이지 절대 새로운 시작이 아니기에 … 그런 격렬한 게임 열병에 두 번 다시 걸리고 싶지 않으며 그걸 회상하는 것조차 두려워서 … 말이 나온 김에 덧붙이자면 … 당시 의사는 저에게 … 단호히 경고했습니다. 병적인 집착에 한번 빠진 사람은 누구든 평생 또 그렇게 될 위험을 안고 있다는 겁니다. 비록 완치 판정을 받았다 해도 체스 중독증이었던 사람은 아예 체스판 곁에도 가지 말아야 한다니 … 저 자신을 시험해보기 위해 이번 한 판만 두고 더는 두지 않을 테니 이해해 주십시오."

다음 날 우리는 약속한 대로 세시 정각에 흡연실에 모였다. 제왕의 게임인 체스 애호가 두 사람이 새로 합세했는데 시합을 관람하려고 선상 근무 휴가를 낸 해군 장교들이었다. 첸토비치도 전날처럼 우리를 기다리게 하지 않고 정시에 나타났다. 관례대로 흑백을 정한 후 무명인사가 저명한 세계 챔피언에 도전하는 기념비적 경기가 시작되었다. 경기의 관람객이 죄다 우리 같은 비전문가였고 경기의 내용이 체스 전문 연감에 수록되지 못한 것이 안타깝다. 음악계가 베토벤의 피아노 즉흥곡을 상실한 것만큼이나 안타까운 일이 아닐 수 없다. 우리는 다음 날 오후 다 함께 그 경기를 기억에서 재구성해보려고 했지만 허사였다. 다들 경기가 진행되는 동안 경기의 전개보다는 두 경기자에게 열렬한 관심을 쏟아부었던 게 분명했다. 시합이 진행됨에 따라 두 사람의 정신 구조의 판이함이 둘의 몸가짐에서 더욱더 선명히 드러났다. 노련한 첸토비치는 시합 내내 나무토막처럼 꿈적도 하지 않은 채 부릅뜬 두 눈을 한결같이 체스판에 내리꽂고 있었다. 그에게 곰곰이 숙고한다는 건 모든 신체 기관을 최대한으로 집중시켜서 육체노동을 하는 것과 흡사했다. 반면에 B 박사는 아주 여유롭고 거리낌 없이 움직였다. '애호가는 게임을 오직 게임으로만 받아들이며 즐기고 사랑하는 사람'이라는 의미를 가장 아름답게 실천하는 진정한 애호가답게 그는 아주 느긋했다. 초반에는 짬짬이 우리에게 게임의 경과를 설명해 주며 가벼이 손을 움직여 담뱃불을 붙이기도 했다. 그러다가 자기 차례가 오면 잠시 체스판을 흘낏 보고는 맞수를 두었다. 매번 그는 상대가 어떤 수를 둘지를 미리 예견했던 것처럼 보였다.

통상적인 오프닝 게임은 매우 빨리 전개되었다. 일고여덟 수쯤에야 비로소 무슨 전략 같은 것이 펼쳐지는 듯했다. 첸토비치가 숙고를 위한 시간을 점점 더 늘리는 거로 보아 우위를 점거하기 위한 본격적인 싸움이 시작되었음을 알 수 있었다. 하지만 솔직히 고백하자면 그 후부터 전개되는 상황은 우리 같은 문외한이 프로들의 경기를 관람할 때 늘 그렇듯이 상당히 실망스러웠다. 체스 말들이 희한한 무늬를 이루며 서로 점차 얽혀갈수록 실제 상황을 읽어내기가 점점 더 힘들어졌다. 우리는 두 경기자가 제각기 무엇을 의도하고 있는지, 둘 중 누가 더 우세한지 감을 잡을 수가 없었다. 각각의 말들이 적의 전선을 무너뜨리기 위해 지렛대처럼 이동하고 있다는 건 알고 있었지만 이처럼 밀고 당기는 움직임에 담긴 전략을 파악할 수는 없었다. 이 둘처럼 뛰어난 경기자는 모든 움직임을 늘 나중의 여러 수와 미리 짜 맞추기 때문이었다. 게다가 점차 나른해지며 피곤이 몰려왔다. 첸토비치가 숙고를 위한 시간을 길게 취하며 시간을 끈 탓이었다. 이로 인해 우리의 친구도 눈에 띄게 당황해하기 시작했다. 시합이 느리게 진전될수록 그는 점점 더 불안해하며 의자 위에서 이리저리 몸을 뒤척이기 시작했고 때로는 신경질적으로 줄담배를 피워댔고 때로는 연필로 무언가를 적기도 했다. 그러고는 물을 주문해서는 연거푸 몇 잔을 벌컥 들이켰다. 분명 그는 첸토비치보다 백 배는 더 빨리 자신이 두는 수들을 짜 맞추었다. 첸토비치가 오래 숙고한 후에 드디어 굼뜬 손으로 말 하나를 앞으로 움직이면 우리의 친구는 오래전에 예상했던 것이 적중했다는 듯이 회심의 미소를 지으며 곧장 맞수를 두었다. 그는 민첩한 두뇌로 적수가 취할 수 있는 모든 전략을 미리 계산해둔 게 분명했다. 그래서인지 첸토비치가 결정을 질질 끌면 끌수록 그는 점점 더 초조해졌고 기다리는 동안 그의 입은 짜증으로 일그러졌고 증오심까지 내비쳤다. 하지만 첸토비치는 절대 서두르지 않았다. 그는 고집스럽게 묵묵히 숙고했고, 자신의 말들을 차츰 잃어갈수록 숙고의 시간을 더 늘렸다. 마흔두 번째 수를 두었을 때는 2시간 45분 정도가 지났고 우리는 모두 지쳐서 거의 시합에 관심을 기울이지 않은 채 테이블 주변에 앉아 있었다. 해군 장교 중 하나는 이미 자리를 떴고 다른 하나는 책을 집어 들고 읽다가 뭔가 변화가 일어날 때만 잠깐 들여다볼 뿐이었다. 그런데 첸토비치가 한 수를 두려는 순간 갑자기 뜻밖의 일이 벌어졌다. 첸토비치는 나이트를 쥐고 전진시키려 했는데 B 박사는 그걸 본 순간, 마치 상대를 덮치려는 고양이처럼 몸을 잔뜩 웅크렸다. 그는 온몸을 떨기 시작했고 첸토비치가 나이트를 움직이기가 무섭게 곧바로 퀸을 전진시키고는 의기양양하게 외쳤다. "자, 이제 끝났소!" 그러고는 몸을 뒤로 젖히며 팔짱을 끼고는 도전적인 시선으로 첸토비치를 바라보았다. 그의 동공에서 뜨거운 빛이 돌연 이글댔다.

우리도 어느새 몸을 숙여 체스판을 들여다보며 그토록 의기양양하게 예고한 수가 지닌 의미를 이해해보려고 했다. 언뜻 보기에는 상대를 당장 위협한 것은 아니었다. 그러니 우리 친구의 말은 우리 같이 생각이 짧은 아마추어들은 아직 추론할 수 없는 나중 상황을 근거로 삼고 있음이 분명했다. 그토록 도전적인 말을 듣고도 꿈적도 하지 않는 사람은 첸토비치뿐이었다. 그는 '이제 끝났다'는 모욕적인 말을 듣지 못한 듯이 의연하게 앉아 있었다. 아무 일도 일어나지 않았다. 다들 무의식적으로 숨을 죽이고 있었던 탓에 휴식 시간을 재려고 테이블 위에 놓아둔 시계가 똑딱거리는 소리가 불쑥 들렸다. 3분이 지나고 7분, 8분이 지났다. 첸토비치는 꼼짝도 하지 않았지만, 마음속으로 긴장을 한 탓인지 널찍한 콧구멍을 더 크게 벌름거리는 듯했다. 우리의 친구는 묵묵히 기다리는 걸 우리 못지않게 못 견뎌 했다. 그는 갑자기 벌떡 일어서더니 흡연실을 이리저리 왔다 갔다 하기 시작했다. 처음에는 천천히 거닐었지만 조금 뒤엔 속도가 빨라졌고 갈수록 더 빨라졌다. 다들 놀라서 그를 보았지만, 누구도 나만큼 불안해하지는 않았을 것이다. 그가 급하게 왔다 갔다 하기는 해도 항상 똑같은 크기의 공간 안에서만 걸음을 떼고 있다는 걸 눈치챘기 때문이었다. 그는 마치 빈방

한가운데에서 보이지 않는 울타리에 부딪혀 돌아설 수밖에 없다는 듯이 오가고 있었다. 그가 이렇게 왔다 갔다 하면서 무의식적으로 예전의 감방 크기를 따르고 있음을 알아차린 나는 소름이 돋았다. 갇혀서 지낸 몇 개월을 바로 저 모습으로, 마치 철창에 갇힌 짐승처럼 왔다 갔다 했을 것이다. 저렇게 양손은 경직된 채, 어깨를 웅크렸을 테고 열에 들뜬 굳은 눈에 광기의 불꽃을 번득이며 수천 번을 이리저리 걸어 다녔을 것이다.

하지만 그의 사고력은 여전히 아무 문제가 없는 듯했다. 그는 이따금 조바심을 내며 테이블 쪽으로 몸을 돌려 첸토비치가 그동안 무슨 결정을 내렸는지 확인했다. 9분이 지나고 10분이 지났다. 그러자 드디어 우리 누구도 예상하지 못한 일이 일어났다. 첸토비치의 손은 여태껏 꿈쩍도 안 하고 테이블 위에 얹혀 있었는데 이제 그가 천천히 그 굼뜬 손을 들어 올렸다. 다들 흥미진진하게 그의 결정을 지켜보았다. 하지만 첸토비치는 맞수를 두는 대신, 망설임 없이 손등으로 모든 말을 천천히 체스판에서 밀어냈다. 다음 순간에야 우리는 첸토비치가 시합을 포기했음을 깨달았다. 우리 앞에서 체크메이트를 당하고 싶지 않아서 항복한 것이었다. 있을 수 없는 일이 일어났다. 무수한 대회를 제패한 세계 챔피언이 20년 혹은 25년 동안 체스판에 손도 대지 않았다는 무명 인사에게 백기를 든 것이다. 아무도 모르는 익명의 존재인 우리 친구가 세계 최고라는 체스 선수를 공개 시합에서 이긴 것이다!

흥분한 나머지 우리는 저도 모르게 하나둘 차례로 일어섰다. 다들 놀라움과 기쁨을 표출하기 위해 무슨 말이나 행동을 하려 들었다. 첸토비치만이 꼼짝하지 않고 차분하게 있었다. 어느 정도 시간이 흐른 후 그가 고개를 들어 우리의 친구를 싸늘하게 응시했다.

"한 판 더 두시겠습니까?" 그가 물었다.

"물론이지요." B 박사가 열정적으로 답하는 바람에 나는 좀 걱정이 됐다. 한 판만 두고 말겠다는 원래 의도를 상기시킬 틈도 없이 그는 당장 자리에 앉더니 열에 들떠서 허겁지겁 말들을 새로 세우기 시작했다. 너무도 황급히 말을 옮기다 폰이 두 차례나 손가락 사이로 빠져서 바닥에 떨어졌다. 부자연스러울 정도로 흥분한 그를 보고 있자니 조금 전의 불편한 감정이 커지며 불안하기까지 했다. 얼마 전까지 너무나도 조용하고 침착했던 사람이 눈에 띄게 신경질적으로 열기를 뿜어냈기 때문이었다. 입가에 경련이 점점 더 자주 일었고 급성 열병에 걸린 것처럼 몸을 덜덜 떨기까지 했다.

"그만 하세요!" 나는 그에게 나직이 속삭였다. "지금은 하지 마세요.! 오늘은 이것으로 충분합니다. 무리하시면 안 됩니다."

"무리라니요! 흠!" 그가 큰 소리로 심술궂게 웃었다. "이렇게 꾸물대지만 않았다면 그 시간에 열일곱 판은 두었을 겁니다. 이런 속도로 두느라 졸린 걸 참는 게 힘들 뿐입니다. - 자, 이제 시작해 보시지요!"

그는 이 마지막 말을 첸토비치에게 건넸는데 그의 어조는 사나웠고 무례하기까지 했다. 첸토비치는 그를 침착하고 예의 바르게 바라보았지만, 그의 싸늘한 눈빛에는 주먹을 불끈 쥔 사람의 결기와도 같은 무언가가 서려 있었다. 순식간에 두 경기자 사이에는 뭔가 새로운 것이, 다시 말해 위태로운 긴장감과 뜨거운 증오심이 자리 잡고 있었다. 이제 그들은 자신들의 능력을 게임에서 서로 겨루어보려는 두 파트너가 아니라, 제각기 상대를 쳐부수리라 맹세한 두 적수였다. 첸토비치는 첫 번째 수를 두기 전에 오래 주저했다. 그가 일부러 그렇게 오래 주저한다는 느낌이 확 들었다. 이 노련한 전략가는 이처럼 천천히 두기만 하면 적수를 지치게 하고 혼란에 빠트린다는 것을 이미 알아낸 게 분명했다. 그가 킹 옆의 폰을 두 칸 전진시키는 지극히 평범하고 단순한 방식으로 체스 오프닝을 하는 데에는 무려 4분이 걸렸다. 우리의 친구는 즉시 자신의 폰으로 대응했다. 첸토비치는 다시 끝이 보이지 않는 휴식을 취해서 사람들을 힘들게 했다. 강력한 번개가 내리친 후 천둥이 치기를 두근거리며 기다리는 것만큼이나 힘들었다. 첸토비치는 꼼짝도 하지 않았다. 그는 조용히, 천천히 숙고했는데, 나는 갈수록 그가 나쁜 의도로 시간을 질질 끈다고 확신하게 되었다. 그가 시간을 끄는 덕에 나는 B 박사를 관찰할 시간을 충분히 갖게 되었다. B 박사는 방금 물을 석 잔째 들이켰다. 그가 호텔 감방에서 열이 오르며 갈증에 시달렸다는 이야기가 절로 떠올랐다. 비정상적인 흥분의 징후들이 또렷이 보였다. 그의 이마에 땀방울이 맺히고 손의 상처가 조금 전보다 더 벌겋게 도드라져 있었다. 하지만 그는 아직 자제하고 있었다. 첸토비치가 네 번째 수를 두기 위해 다시 하염없이 생각에 잠기자 그는 자제력을 잃고 돌연 첸토비치를 다그쳤다.

"제발 한 수 두시구려!"

첸토비치가 싸늘하게 그를 쳐다보았다. "제가 알기로는 우리는 한 수를 두는 데 10분을 쓰기로 약속했을 텐데요? 저는 원래 빨리 두지 않습니다."

B 박사는 입술을 깨물었다. 테이블 밑에서 그의 구둣발이 불안하게, 점점 더 불안하게 바닥을 툭툭 치고 있었다. 그걸 본 나 역시

그가 뭔가 황당한 일을 저지르기 직전이라는 예감이 강하게 들며 신경이 곤두섰다. 정말로 여덟 번째 수를 둘 무렵 또 다른 소란이 있었다. B 박사는 점점 더 자제력을 잃어가며 기다리다가 긴장감을 어찌할 수 없는 상태에 이르렀다. 이리저리 몸을 뒤척이던 그는 저도 모르게 손가락으로 테이블을 톡톡 두드리기 시작했다. 첸토비치는 농부처럼 생긴 육중한 머리를 다시 들어 올렸다.

"테이블을 두드리지 마세요. 방해됩니다. 이러시면 게임을 할 수가 없습니다."

"하!" B 박사는 짧게 웃었다. "그래 보이는군요."

첸토비치의 얼굴이 벌겋게 달아올랐다. "무슨 뜻입니까?" 그가 화를 내며 날카롭게 물었다.

B 박사는 다시 잠깐 심술궂게 웃었다. "아무 뜻도 없습니다. 그저 당신 신경이 예민해진 탓일 겁니다."

첸토비치는 말없이 고개를 숙이더니 칠 분이 지나서야 다음 수를 두었다. 게임은 이런 굼벵이 걸음을 계속하며 질질 끌었다. 첸토비치는 시간이 갈수록 망부석을 닮아갔다. 급기야는 매번 합의된 10분의 시간을 최대한 활용한 후에야 다음 수를 두었는데 그런 휴식 시간이 쌓여갈수록 우리 친구의 거동은 점점 더 이상해졌다. 더는 눈앞의 시합에 아무런 관심을 기울이지 않은 채 무언가 전혀 다른 것에 몰두해 있는 것처럼 보였다. 그는 성급히 왔다 갔다 하던 것을 멈추고 자신의 자리에 한 자세로 앉아서는 미친 사람처럼 멍한 눈으로 허공을 꿰뚫어 보면서 이해할 수 없는 말을 끊임없이 중얼댔다. 앞으로 둘 수들을 여러 조합으로 짜 맞추는 데 몰두해 있거나 아니면 (내 뇌리를 스치고 간 의심에 따르면) 생판 다른 게임을 고안해내고 있는 듯했다. 첸토비치가 드디어 맞수를 두면 우리가 매번 넋을 놓고 있는 그를 깨워서 독촉해야 했을 정도였다. 그러면 그는 몇 분이 지난 후에야 비로소 실제 상황으로 다시 돌아오곤 했다. 그가 이미 오래전에 첸토비치와 우리 모두를 잊고 차가운 형태의 광기에 푹 빠져 있으며 그런 광기는 순식간에 격렬하게 폭발할 수 있을 거라는 의심이 점점 더 커졌다. 정말로 열아홉 번째 수를 둘 때 위기가 닥쳤다. B 박사는 첸토비치가 말을 옮기기가 무섭게 돌연 체스판을 제대로 보지도 않고 자신의 비숍을 세 칸 전진시키고는 우리가 죄다 움찔할 만큼 크게 외쳤다.

"체크! 킹에게 체크!"

우리는 특별한 묘수를 보려는 기대에 체스판을 들여다보았다. 그런데 일 분 뒤 아무도 예상하지 못했던 일이 일어났다. 첸토비치가 천천히, 아주 천천히 고개를 들어 우리를 하나하나 차례대로 쳐다본 것이다. 이제까지는 그런 행동을 한 적이 없었다. 그는 무언가를 대단히 즐기는 듯했다. 만족스럽다는 듯 노골적인 비웃음이 서서히 입가에 퍼지기 시작했다. 그는 (우리는 미처 이해하지 못한) 승리를 마음껏 즐기고 나서 공손한 척 위선을 떨며 우리에게 말했다.

"유감스럽게도 체크 상황으로는 보이지 않는군요. 혹시 여러분 중 제 킹이 체크되었다고 보시는 분이 있나요?"

우리는 체스판을 들여다보고는 당황해하며 B 박사를 쳐다보았다. 실제로 첸토비치의 킹은 비숍이 공격할 수 없게끔 폰의 완벽한 방어를 받고 있어서 체크당할 가능성이 전혀 없었다. 삼척동자도 알 수 있을 정도였다. 우리는 불안해졌다. 우리 친구가 열을 너무 올리다가 그만 실수로 말을 한 칸 더 많이, 아니면 한 칸 더 적게

밀었던 걸까? 우리가 침묵하자 정신을 차린 B 박사도 이제야 체스판을 주시하더니 심하게 말을 더듬기 시작했다.

"킹이 f7에 있어야 하는데 … 킹이 틀린 자리에 있어요. 아주 틀린 자리라고요. 당신이 틀리게 말을 둔 거예요! 이 체스판의 말들은 죄다 틀린 자리에 있잖아. … 폰은 g4가 아니라 g5에 있어야 맞는데 … 이건 정말 아주 다른 판이군 … 대체 이건 …"

그가 갑자기 말을 멈추었다. 나는 급히 그의 팔을 움켜쥐었다. 아니 그의 팔을 아주 세게 꼬집었다. 열에 들떠 혼란스러운 상태에 있던 그도 내 손길을 느낄 정도였다. 그는 몸을 돌리고는 몽유병자의 눈으로 나를 응시했다.

"왜 … 왜 이러십니까?"

나는 영어로 "기억하세요!"라는 말만 하고는 손가락으로 그의 손에 난 상처를 가리켰다. 그는 아무 생각 없이 내가 가리키는 대로 눈을 돌려 선홍빛 자국을 멍하니 응시했다. 그러더니 갑자기 덜덜 떨기 시작했다. 온몸에 경련이 일었다.

"맙소사!" 그가 새파래진 입술로 속삭였다. "제가 무슨 황당한 말이나 행동을 했나요? … 제가 결국 다시 …"

"그렇지 않습니다." 내가 나지막이 속삭였다. "하지만 당신은 지금 당장 시합을 중단해야 합니다. 잠시도 주저해서는 안 됩니다. 의사가 했던 말을 잊지 마십시오."

B 박사는 벌떡 일어났다. "제가 어리석게도 착각을 했으니 부디 용서를 바랍니다." 이전처럼 정중한 목소리로 이렇게 말하고는 첸토비치에게 고개를 숙였다. "제가 한 말은 헛소리에 불과합니다. 이번 시합의 승자는 당연히 당신입니다." 그러고 나서 이번에

는 우리에게 말을 건넸다. "여러분께도 용서를 구합니다. 제게 너무 많은 기대를 하지 마시라고 미리 말씀드리긴 했습니다만 참패를 당해 죄송합니다. 제가 체스를 두는 건 이번이 마지막입니다."

그는 절을 하고는 처음 등장했을 때와 마찬가지로 겸손하면서도 신비스러운 태도로 멀어졌다. 그가 왜 다시는 체스판을 건드리지 않으려는지 아는 사람은 나 말고는 없었다. 다른 사람들은 언짢고 위험한 무언가를 간신히 피했다는 것을 막연히 느끼며 조금 얼떨떨해했다. "바보 멍청이!" 실망한 매코너가 으르렁댔다. 첸토비치는 제일 늦게 자리에서 일어나서는 중간에 중단된 시합을 들여다보았다.

"안 됐군요." 그가 호기롭게 말했다. "공격법이 그다지 나쁘지 않았거든요. 그 신사분, 아마추어치고는 대단한 재능을 지녔습니다."

해설

첫 번째 아내 프리데리케Friderike von Winternitz와 슈테판 츠바이크

▪▪▪

0. 베스트셀러 작가라는 저주?

슈테판 츠바이크의 작품은 누구든 쉽게 술술 읽을 수 있다. 이는 작가에게는 축복인 동시에 저주이다. 한편으로 자신의 주제를 박진감 넘치는 스토리 안에 남김없이 녹여내어 다수 독자의 마음에 다다를 수 있다는 점에선 축복이지만, 다른 한편으로는 작품이 쉽게 읽히는 바람에 그 안에 담긴 복합적이고 심오한 내용이 독자에게 전달되지 않고 비껴갈 위험이 크기에 저주이기도 하다. 그의 작품 중 가장 많이 이 위험에 노출된 건 바로 소설이다. 그의 소설은 등장인물들이 예외적인 상황에서 겪는 격렬한 감정들의 흥미진진한 묘사로 읽을 수 있다. 즉 무언가를 놓치고 있다는 느낌 없이 그냥 인물들의 감정만을 따라가면서 읽어도 충분히 즐길 수 있기 때문이다. 이런 대중성 때문에 츠바이크는 당대 최고의 인기 작가가 되었지만 바로 그 대중성 때문에 엘리트 성향의 비평가와 독문학자들로부터는 제대로 인정받지 못했다. 그가 거의 40년에 달하는 시간 동안 끊임없이 엄청난 분량의 작품을 창작하며 최고의 인기를 누렸다는 사실도 대중 친화적인 상업작가로 평가절하되는 데 일조했다. 자존감이 부족했던 츠바이크는 명성이 절정에 달했을 때조차 자신의 작품이 시대를 뛰어넘어 읽히지 못하리라고 한탄하기까지 했다.

그런데 이게 어찌 된 일인가! 그의 작품은 거의 한 세기가 지난 지금, 여전히 전 세계에서 두루 사랑받을 뿐 아니라 21세기에는 비평가들의 인정을 받으며 현대의 고전으로 자리 잡는다. 특히 이 책에 실린 「감정의 혼란」과 「체스 이야기」는 현대문학의 고전으로 널리 읽히고 있다. 1999년 프랑스 최고의 일간지 르몽드는 20세기를 빛낸 인문학 작품을 묻는 설문을 돌렸는데 이 조사에서 「감정의 혼란」은 『위대한 개츠비』, 『호밀밭의 파수꾼』 같은 명작 소설을 제치고 37위를 차지했으며 해마다 반복되는 조사에서도 꾸준히 순위를 지키고 있다. 또 「체스 이야기」는 독일어권 국가에서 교과서에 실려 독일어를 배우는 사람이라면 반드시 읽어야 하는 현대의 고전으로 통한다.

츠바이크가 동시대 비평가와 학자들의 도움 없이 사후에 이런 위치에 오르게 된 까닭은 무엇일까? 그 답은 지극히 평범한 진리에 있지 않을까 싶다. 모든 고전 작품은 시공을 뛰어넘어 인간의 본질을 다루는데, 그 본질은 하나로 단정 지을 수 없기에 고전은 다의적일 수밖에 없으며 독자에게 해석의 자유를 준다는 이야기이다. 츠바이크의 작품을 몇 년에 걸쳐 번역 중인 필자는 연륜이 쌓일수록 텍스트 속에 정교히 설치된 여러 상징과 복선들을 더 많이 발견하게 되고 거기서 비롯된 내용의 다의성에 감탄하곤 한다. 동시에 이런 다의성을 한국 독자에게 어떻게 전달할지 막막해질 때가 많다. 흥미진진한 줄거리 뒤에 숨은 심리학적 지식과 인물들의 운명에 담긴 역사적, 사회적 함의를 이해하며 읽으면 츠바이크의 작품은 한층 더 풍성한 매력으로 다가올 것이다. 그런데 이 매력을 제대로 한국어로 전달하려면 번역자가 츠바이크의 지성과 유려한 문장력에 근접해야 한다는 게 문제다.

이런 상황에서 2017년부터 발간된 '잘츠부르크 완결판'은 전문가에 의해 고증된 텍스트와 상세한 주석과 해설로 텍스트 이해에 결정적인 도움이 되었으며 10여 년 전부터 활발히 출간된 츠바이크 연구서들은 필자에게 많은 영감을 주었다. '슈테판 츠바이크 센터'의 완결판 프로젝트 중에서 단편소설 분야가 2022년 말 마무리되면서 국내 최초로 잘츠부르크 완결판에 근거한 번역으로 츠바이크 대표 소설집을 내어놓게 되었다. 레클람과 피셔 출판사에서 나온 판본과 최근의 연구서들도 참조하여 힘닿는 대로 텍스트에 담긴 함의를 최대한 되살리고자 했다. 작가의 삶과 작품에 대한 필자의 해설이 여러 독자에게 츠바이크를 읽는 재미를 한층 더 풍요롭게 하기를 바라는 마음이다.

1. 중년의 위기–새 출발에의 열망

1925년 8월 「감정의 혼란」을 집필하던 시기에 아내 프리데리케에게 보낸 편지에는 명성의 절정에 찾아온 중년의 위기와 새 출발에의 열망이 역력히 드러나고 있다.

> "나이가 들면서 위기가 찾아오는군… 내가 쓸 수 있는 문학작품이 갖는 한계를 잘 알기에 그것들이 영원히 읽히리라는 착각을 하지는 않아요. … 난 더 기대하는 게 없구려. 내 책이 1만 부가 팔리든, 15만 부가 팔리든, 매한가지니까. 중요한 건 무언가 새로운 걸 시작하는 거요. 달리 살든지 다른 야망을 갖든지 삶에 대해 다른 관계를 맺어야 해."

마흔다섯 번째 생일을 몇 달 앞둔 1927년 가을에는 작가였던 아내를 너무 깊이 자신의 창작 활동에 관여시킨 것을 후회하며 "쉰이 되면 글을 뽑아내는 기계를 아예 멈추고, 세계를 묘사하는 대신 다시 한번 세계를 경험하러 나서는 게 나을 것"이라고 아내에게 토로할 정도로 그는 자신의 창작에 회의적이다. 이렇게 그는 글쓰기를 멈추고 새로 시작하고 싶다는 소망을 계속 키워나가지만, 글을 써야만 고질적인 우울증을 덜어낼 수 있었기에 쉴 수조차 없는 일 중독자였다는 게 그의 비극이었다.

1928년 봄 츠바이크는 카사노바, 스탕달, 톨스토이를 다룬 에세이 『세 작가의 삶』을 출간함으로써 1926년 자기소개서에서 언급했던 『세계를 건축한 거장들』 프로젝트를 완성한다. 이후 그의 작업 패턴에 변화가 온다. 여전히 왕성한 창작을 하였지만, 이전과 비교해서 소설 집필에 할애하는 시간이 줄어들고, 예술가들에 관한 짤막한 에세이보다는 역사 속 인물을 긴 호흡으로 깊이 있게 다루는 평전에 집중하게 된 것이다. 1929년, 프랑스 대혁명기의 악덕 정치가 조제프 푸셰를 다룬 평전을 시작으로 작가는 소설처럼 흥미진진한 인물평전을 쓰는 작업을 이어나간다. 마리 앙투아네트, 에라스뮈스, 카스텔리오, 메리 스튜어트 같은 실존 인물들의 심리를 시인의 상상력으로 재구성하여 정신분석학적으로 이해하려는 참신한 시도를 한 것이다. 츠바이크는 1928년 이렇게 쓴다. "심리학을 인물에 적용하려는 열망이 갈수록 강렬해진다. 나는 심리학을 역사에 실재하는 대상과 문학적 상상력으로 창조한 대상에게 번갈아서 적용하고 있다." 그의 50세 생일을 맞아 지그문트 프로이트는 그의 심리 묘사를 이렇게 칭찬한다. "당신이 마성에 사로잡힌 인간 영혼을 파고들 때면 섬세한 언어가 사고에 착착 감겨드는 모양새가 마치 고대 조각상이 걸친 옷이 투명하게 형체에 감기며 윤곽을 드러내는 듯해서 그저 경탄할 따름입니다."

중년이 된 츠바이크는 에로틱한 열정 이외의 다양한 열정들(권력욕, 명예욕, 도덕적 강박감 등)을 소설과 평전에서 다루는데, 그렇게 된 데에는 정치적 상황 탓이 크다. 종전 이후 유럽 곳곳에 파시즘이 퍼지며 이탈리아와 독일, 스페인, 헝가리 등 유럽 곳곳에서 극우 정당들이 우후죽순처럼 생겨나더니 급기야는 1922년 이탈리아에서 무솔리니가 파시즘 정부를 수립한다. 잘츠부르크에 맞닿은 독일의 바이에른주에서는 1923년 히틀러의 반란이 실패한 후에도 극우 단체가 꾸준히 세력을 확장하며 반유대 정서를 부추긴다. 발터 라테나우 등 유럽의 화합을 위해 노력하던 정치가들은 극우 세력에게 잇달아 암살당한다. 야만이 다시 기승을 부리는 상황을 마주한 츠바이크는 과거의 역사를 제대로 이해함으로써 혼란스러운 현실을 통찰해내고자 했다. 『조제프 푸셰』는 바로 그런 노력에서 나온 첫 산물이다.

슈테판 츠바이크의 후반기 삶을 이야기하려면 그의 조상이 유대인이었다는 사실에 주목해야 한다. 츠바이크 일가는 유대 민족의 전통에 얽매이지 않았고 본인 역시 자신의 정체성을 결코 유대인이라는 틀에 가두지 않았지만, 독일에서 시작된 시대적 광기는 그를 '방랑하는 유대인'으로 만들었기 때문이다. 그가 살던 잘츠부르크는 독일과 국경을 맞댄 도시였기에 나치 세력의 득세와 반유대주의를 피부로 느낄 수 있는 환경이었다. 1933년 히틀러가 집권하자 '유대인' 츠바이크는 더는 독일에서 작품을 발표할 수 없게 되고 그의 책들은 곧 모든 유대인 작가들과 체제에 비판적인 작가들의 책과 함께 불 속에 던져진다. 20년 넘게 독일 최고의 인기 작가였던 그에게는 엄청난 충격이었다. 그는 늘 자신을 오스트리아 작가라기보다는 독일 작가라고 이해했고 마음으로는 대다수 독자와 중요한 출판사와 언론사들이 있는 독일에 살고 있었기에 독일에서 퇴출당하였다는 건 자신의 주체성을 부정당하는 것과 다름없었다. 이제는 28년을 함께 했던 인젤 출판사와도 결별해야 했다.

정치적 파국은 오스트리아에서도 진행되고 있었다. 총리 엥겔베르트 돌푸스는 1933년 3월 의회를 해산하고는 무솔리니의 지원을 받으며 교권 파시즘clerico-fascism에 근거한 독재 체제로 돌입한다. 돌푸스 정부는 히틀러 정부처럼 반유대 정서를 부추기지는 않았지만, 야당의 활동을 제약하며 인권을 짓밟음으로써 걸음마를 떼던 오스트리아의 민주주의에 치명타를 가한다. 그런데도 유럽의 명사 츠바이크는 예술가는 작품으로 말할 뿐 정치적 발언을 해서는 안 된다는 신념으로 독일과 오스트리아의 정치 상황에 대해 침묵했기에 사민당 세력은 물론이고 로맹 롤랑, 요제프 로트 같은 친구들로부터도 많은 비난을 받는다. 이 무렵 그는 새 출발, 즉 망명을 구체적으로 계획하기 시작한다. 그러나 그가 독일과 오스트리아의 파시즘 때문에 망명의 길로 들어섰다는 것은 절반의 진실에 불과하다. 다른 절반의 진실을 찾으려면 그의 사생활을 들여다보아야 한다.

성자이며 신경질쟁이라는 모순

워낙 보헤미안 기질이 있고 가정에 충실한 가장과는 거리가 먼

바람둥이였던 작가는 중년이 되면서 가족들과 더 멀어진다. 남에게 싫은 소리를 못 하는 호인으로 널리 알려진 츠바이크가 일상에서 겪었던 어려움을 선명하게 드러내는 장면이 하나 있다. 잘츠부르크 저택에는 유명 작가를 보기 위해 찾아오는 팬들이 많았는데, 츠바이크는 그럴 때면 자신이 없다고 말하라고 아내에게 당부하곤 했다. 방해받지 않고 창작에 집중하기 위해서였지만 프리데리케가 볼 때는 적절치 않은 조치였다. 작업 중이라고 솔직히 말하고 이해를 구하면 간단할 텐데 방문객에게 부재중이라고 말한 직후 그가 불쑥 모습을 드러내서 난감했던 적이 잦았기 때문이다. 이 일화는 그의 문제점과 이에 대한 아내의 불만을 또렷이 보여준다. 그는 다른 사람의 부탁을 거절하거나 자신을 방어하는 데 서툴렀기에 지인들에게 지킬 수 없는 약속을 해놓고 뒷감당을 아내에게 떠맡기는 일이 잦았다. 1930년 8월 5일 자 편지에서 프리데리케는 또다시 그렇게 행동한 남편을 "겁쟁이"라고 맹렬히 비난한다.

> "당신은 겉보기엔 친절한 듯 굴면서 사람들을 짜증 나게 하며 본인은 불필요하게도 양심의 가책을 떠안아요. … 솔직하고 가식 없이 행동해서 불편한 상황에 빠지지 않게끔 해야 한다고요. … 예전에 스위스에서 보낸 몇 달 동안 난 당신을 혁명가이며 자본가의 아들이라는 모순에서 끄집어냈는데, 지금은 당신이 성자이며 신경질쟁이라는 모순을 풀어내야 하는군요."

프리데리케는 밖에서는 나무랄 데 없는 호인인 남편이 집 안에서는 신경질적이며 가족들에게 상처를 준다고 여러 차례 지인들에게 호소해 왔는데 세월이 흘러 불만이 누적되면서 남편을 비난하는 일이 잦아진다. 휴머니스트 츠바이크는 사생활에서는 지극히 인간적인 결점투성이의 존재였다. 전쟁이 한창이던 1917~1918년 그가 피난지 스위스에서 로맹 롤랑을 비롯한 여러 사회주의자들과 어울리면서 '혁명가이며 자본가의 아들이라는 모순' 때문에 괴로워했을 때 프리데리케는 그의 내적 중심을 잡아줄 수 있었지만, 더 깊이 뿌리박힌 성격의 모순 앞에서는 역부족이었다.

설상가상으로 두 의붓딸의 교육 문제를 두고 둘은 충돌한다. 그는 프리데리케가 딸들을 지나친 관용과 과보호로 그르친다고 늘 못마땅해했는데, 의붓딸들이 성장할수록 그들과 서먹해지며 전혀 친밀한 관계를 이루지 못한다. 여성의 심리를 섬세하게 포착해서 명작을 만드는 거장이 한 지붕 아래 사는 세 여자를 이해하는 데에는 실패한 것이다. 그의 눈에는 두 딸은 문학과 예술에는 관심이 없는 속물에다가 사치와 향락만을 즐기는 철부지들이었다. 그는 성인이 된 딸들이 직업도 없이 사교생활만을 즐기는 것을 싫어했고, 중년이 된 아내가 전처럼 너그러이 자신을 있는 그대로 받아들이지 않는 것을 힘들어했다. 갈수록 집안 분위기는 불편해졌고 그가 가족들과 함께 잘츠부르크 저택에서 보내는 시간은 점점 줄어들었다. 그는 대부분 아내 없이 혼자 여행하면서 유럽의 지성들과 교류했고 여름에는 잘츠부르크 예술축제의 혼잡을 피해 근교의 조용한 호텔에서 작업했다.

가정불화가 깊어지면서 새 출발에의 열망은 더욱 간절해진다. 50세 생일 직후 형 알프레도에게 보낸 편지에는 새 시작이 무엇을 의미하는지가 좀 더 구체적으로 쓰여 있다.

“나는 살림을 집어치우고 다시 새로 시작할 만한 에너지를 갖고 있어. 우리는 아버지의 아들인 만큼 많은 것이 없어도 살 수 있는 법을 배웠으니까! … 우리 둘 다 자식이 없어서 다행이야. 아내의 딸들이 나와 다른 관심을 가진 아주 낯선 인간들이라는 게 마음을 짓누르면서도 다른 한편으로는 홀가분해. 따지고 보면 우리는 자기 자신의 삶을 끝까지 올바르게 살아낼 의무만을 가질 따름이지.”

1938년 어머니에게 “그 아가씨들(의붓딸들: 옮긴이)을 다시 보지 않아도 되어서 후련”하다고 쓸 정도로 가정불화는 심각했기에 그는 1930년 즈음부터 잘츠부르크의 살림을 청산하고 새 출발을 하려고 작정하고 있었다. 이런 상황에서 1934년 2월 19일 그의 새 출발을 앞당기는 사건이 일어나고 다음 날 그는 영국을 향해 망명길에 나선다.

2. 런던에서의 새 출발

그가 영국으로 망명하게 된 직접적인 동기를 제공한 것은 히틀러의 나치가 아닌 오스트리아의 파시즘 정부이다. 1934년 2월 12일 사민당 성향의 노조가 여당인 기독사회당의 준군사조직 보국단과 충돌하며, 나흘 동안 빈을 비롯한 오스트리아 곳곳에서 내전이 벌어지고 약 1,000명가량이 사망하는 일이 벌어진다.• 며칠 후 경찰이 사민당이 숨겨둔 무기를 찾는다는 구실로 2월 19일 이른 아침 츠바이크의 저택을 수색한다. 그는 사민당과 아무런 접점

• 사망자의 정확한 수치에 관해서는 의견이 엇갈린다.

이 없었고 언덕 위의 저택은 무기를 숨기기에는 부적합한 장소였기에 경찰의 수색은 아무런 근거 없는 부당한 횡포일 뿐이었다. 츠바이크는 이 사건을 참을 수 없는 모욕으로 여기고 바로 다음 날 홀로 오스트리아를 떠나 영국 런던으로 이주한다. 내전 진압 후 오스트리아는 총리 엥겔베르트 돌푸스의 주도 아래 가톨릭 성향의 유일 정당이 통치하는 신분제 국가로 변모한다. 언론과 집회, 결사의 자유를 허락하지 않는 파시즘 정부가 무솔리니의 지원을 받으며 오스트리아를 통치하게 된 것이다. 1938년 3월 파시즘 정부가 히틀러에 굴복하기까지의 상황에 관해서는 「체스 이야기」의 해설에서 다시 언급할 것이다.

런던에 망명한 직후 그의 사생활에 중요한 사건이 일어난다. 그는 새 평전 『메리 스튜어트』 집필을 위해서 여러 언어를 구사하고 교양을 두루 갖춘 비서가 필요했다. 그해 봄, 런던으로 그를 따라온 프리데리케가 남편의 비서로 뽑은 여성이 바로 26세의 로테 알트만이다. 로테는 유대계 독일인으로 프랑크푸르트에서 대학을 다니다가 히틀러가 집권하자 곧 오빠 내외와 함께 런던으로 이주했다. 잘츠부르크에서 계속 살기를 원했던 프리데리케는 남편을 설득하다가 결국 혼자 잘츠부르크로 돌아간다. 1934년 7월 로테와 슈테판은 자료 조사를 위해 스코틀랜드에 체류하는 동안 연인 관계로 발전한다. 조강지처를 배신하고 딸 나이의 여비서와 사랑에 빠지는 지극히 통속적인 상황이 벌어진 셈이다. 프리데리케는 연말에 둘의 관계를 알아채지만, 사태의 심각성을 인정하려 하지 않는다. 그녀는 츠바이크의 어머니까지 동원해서 그를 잘츠부르크로 데려오려 하지만 츠바이크는 오래전부터 아내와의 이별을 계획해 왔던 만큼 완강히 이혼을 고집한다. 그러나 프리데리케와 합의하지 못해서 1938년 11월에야 그는 이혼남이 되고 이듬해 가을 영국에서 로테와 재혼한다.

프리데리케는 1947년에 발간된 회고록에서 자신의 라이벌 로테를 "동정심을 불러일으키는 병약한 존재"라고 묘사함으로써 이미 고인이 된 로테의 이미지를 굳혀버린다. 심지어 츠바이크가 로테와 연민에서 결혼했으며, 그런 연민의 감정이 소설 『초조한 마음』에 녹아들어 있다고 주장하기까지 했다. 하지만 실제로 로테는 그렇게 덧씌워진 이미지와는 달리 지적이고 유능한 여성으로, 지병인 천식에 시달리면서도 비서이자 조수로 남편의 일상을 조율하고 관리하며 작품 활동을 도왔다. 10년 전부터 로테의 편지가 출간되면서 "동정심을 불러일으키는 병약한 존재"라는 이미지가 대폭 수정되는 중이다. 새 출발을 원했던 츠바이크는 자기주장이 강한 프리데리케에 비해 온화하고 차분한 성격의 로테를 선택했고, 그녀의 도움을 받으며 『다른 의견을 가질 권리』, 『에라스뮈스』, 『초조한 마음』을 비롯한 여러 걸작을 잇달아 완성한다.

츠바이크는 1935년 영국에 무기한 체류 허가를 신청하고는 잘츠부르크의 가족과는 단호히 거리를 둔다. 그가 여행 중이라 런던 집이 비어 있을 때 아내나 딸이 거기 머무는 것을 거절했으며, 잘츠부르크에 갈 때도 자신의 집 대신 호텔에 묵었다. 그는 잘츠부르크 저택을 팔기 위해 수년에 걸쳐 아내와 충돌한다. 이 시기에 그와 프리데리케는 이혼 문제로 첨예하게 대립하며 날이 선 편지를 주고받기도 하지만 오랜 동지이자 친구로 계속 깊은 대화를 이어간다. 1937년 5월 편지에서는 아내에게 영원한 우정을 약속하며 자신은 "전과는 달리 사람을 꺼리며, 내부로 꼭꼭 숨어 살게 되어버렸고 오직 일할 때만 기쁨을 느낀다"라고 털어놓는다. 이렇듯 심한 우울증에 시달리던 츠바이크에게 또 다른 악재가 찾아온다. 로맹 롤랑과의 오랜 우정에 금이 간 것이다. 정치참여에 적극적인 롤랑은 파시즘의 횡포에 대해 침묵하는 츠바이크를 비난했고, 자유주의자 츠바이크는 롤랑이 한때 스탈린을 지지했다는 사실을 잊을 수 없었기에 두 친구는 차츰 서먹해지고 있었는데 롤랑이 프리데리케 편에 서면서 둘은 결정적으로 멀어진다.

1937년 봄 드디어 잘츠부르크 저택이 팔리자 그는 아끼던 장서와 명사들의 육필 소장품, 가보 등을 주저 없이 처분하며 과거를 떨쳐내려 한다. 그 무엇도 보장되지 않는 혼돈의 시대인 만큼 아무것에도 집착하지 않으며 "그저 머리를 가볍게 하고 싶을 뿐"이기 때문이다. 정치적 상황은 더욱 나빠진다. 1938년 3월 오스트리아가 나치 독일에 합병당하고 빈의 문화전성기를 이끌었던 유대인들은 생존을 위협받는 처지에 내몰린다. 츠바이크의 책들은 이제 오스트리아에서도 불길에 던져진다. 그는 회고록 『어제의 세계』에서 "내 책들이 독일어를 쓰는 모든 나라에서 사라졌으며 내가 쓴 말이 희석되고 변질된 매체로만 출판될 수 있다는 사실"이 얼마나 절망스러운지를 토로한다. 비록 그의 책이 번역된 언어로 세계 곳곳에서 읽힌다고 해도 그에게는 위로가 되지 않았다. 합병 석 달 후 오랜 친구 펠릭스 브라운에게 보낸 편지에서 그는 이렇게 한탄한다. "우리는 땅 주인의 명을 거스르며 울타리로 막힌 풀밭을 몰래 들어서는 코흘리개처럼 우리에게 '금지된' 언어로 글을 쓰는 처지가 됐어. 그러니 문학작품보다는 차라리 아주 객관적인 보고서를 쓰는 것이 더 의미가 있을지도 모르겠군."

사실 그는 몇 년 전부터 줄곧 현 상황을 진지하게 숙고하는 문학작품을 쓰고 있었다. 그는 1933년 말 유대인 친구에게 보낸 편지에서 "히틀러 무리를 가장 효과적으로 격퇴하는 길은 우리가 좋은 책을 써서 우리에게 가해진 불의를 세계에 알리는 것"이라고 쓴다. 베네데토 크로체는 무솔리니 치하에서 핍박을 받으면서도 "문화를 구함으로써 파시즘에 맞설 수 있다"고 굳게 믿었는데, 츠바이크 또한 그런 마음으로 창작을 이어간다. 종교 개혁기의 인문주의자 카스텔리오와 에라스뮈스의 평전이 이렇게 태어난다. 츠바이크는 폭력이 난무했던 종교 개혁기에서 자신의 시대와의 유사점을 발견하고는 과거를 이해함으로써 현재를 이해하고자 한다. 그는 에라스뮈스와 카스텔리오의 삶에서 지식인이 독재에 맞서 어떻게 처신해야 할지를 모색한다. 이 두 작품이 자신의 정체성을 찾으려는 절실함에서 비롯되었다면, 전쟁이 발발한 후 신대륙으로 떠나기 직전에 쓴 키케로 에피소드(『광기와 우연의 역사』의 첫 장)는 마치 자신의 운명을 예견하듯 지식인의 좌절과 망명객의 비애를 비장한 언어로 그리고 있다.

1939년 9월 프랑스와 영국이 독일에 선전포고하면서 제2차 세계대전이 본격적으로 시작된다. 오스트리아 출신인 그와 독일 출신인 로테는 영국 정부에 의해 '적국 외국인'으로 분류되고 언제 수용소로 끌려갈지도 모른다는 공포에 떨어야 한다. 전쟁이 시작된 지 며칠 후, 30년 넘게 그의 변함없는 멘토이자 친구였던 지그문트 프로이트가 망명지 런던에서 사망하면서 '어제의 세계'는 한 발짝 더 종말을 향해 나아간다. 1940년 5월 그의 마음의 고향 프랑스가 순식간에 나치 독일에 정복되자 그는 일기에 담담히 쓴다.
“약병을 마련해 두었다.”

3. 신대륙에서의 마지막 날들

프랑스가 독일군에게 점령당한 직후 츠바이크 부부는 영국을 떠나 뉴욕에 도착한다. 급히 떠나느라 중요한 책들은 물론이고 오랫동안 작업한 대작 『발자크 평전』의 원고조차 챙기지 못했다. 그는 죽는 날까지 자신의 진정한 조국 유럽과 단절되었다는 상처를 극복하지 못했고 신대륙을 자신의 새 고향으로 받아들이지 못했다. 신대륙에서 보낸 1년 반 동안 그는 한곳에 정착하지 못하고 북미와 남미를 떠돌며 3~6개월 간격으로 거주지를 바꾸었다. 그는 물심양면으로 유럽의 피난민들을 도왔지만, 사람들에게 적당한 거리를 취하지 못했기에 그의 능력 밖에 있는 도움을 청하는 지인들 때문에 무척 힘들어했다. 유럽의 유대인들이 겪는 끔찍한 수난에 대한 소문은 바다를 건너 신대륙에까지 퍼졌고 그의 우울증은 심해졌다. 그런 상황에서도 그는 정치적 발언을 삼갔고 다른 망명 작가들과는 달리 나치 독일에 맞선 정신적 투쟁에 동참하기를 꺼렸으며 인도주의적 차원에서 피난민을 돕는 일에만 힘을 보탰다. 이런 태도로 인해 그는 많은 비난을 받아야 했다. 대다수 작가가 신대륙에서 인정받지 못하고 금전적 어려움을 겪는 데 반하여 츠바이크만은 계속 인기 작가로 성공을 거두었기에 동료들의 질시도 따가웠다.

이러한 힘겨운 상황에서 유일한 구원은 늘 그랬듯이 글쓰기였다. 중년에 접어들 무렵 새로운 시작을 위해 글쓰기를 내려놓고 쉬고 싶었으면서도 우울증 때문에 쉴 수 없었다면, 오스트리아가 독일에 병합된 이후 그에게는 글쓰기를 계속해야만 할 더욱 절실한 이유가 생겼다. 예술가로서 야만의 시대와 맞서 싸우는 방법은 오직 글쓰기라는 게 그의 신념이었다. 그는 오스트리아가 독일에 합병된 후 펠릭스 브라운에게 "마음을 정리하기 위해 1, 2년 쉬고 싶지만 이제 어쩔 수 없이 계속 일할 수밖에 없다"라고 쓴다. 그렇기에 그는 마지막 순간까지 양 끝에 불이 붙은 초처럼 심신을 불살라가며 글쓰기를 계속해야 한다.

1941년 봄, 그는 전쟁으로 인해 사라져버린 유럽의 황금시대, 지성인과 예술가들이 자유로이 국경을 넘어 소통하며 하나의 유럽을 꿈꾸었던 벨에포크를 기억해내어서 대중의 뇌리에 영원히 새기고자 한다. 그렇게 태어난 작품이 회고록 『어제의 세계』이다. 이 책은 찬란했던 벨에포크를 추억하는 것을 넘어서 미래에 대한 낙관으로 넘쳤던 과거가 어쩌다가 지금의 야만에 이르렀는지를 여러 각도에서 묻고 있다. 그는 참고할 도서가 부족한 상황에서 대부분 기억에 근거하여 몹시 빠른 속도로 글을 써나갔다. 딸들과 함께 망명한 프리데리케도 합류하여 그를 도와 기억을 재구성했다. 그렇게 전처와 현처의 도움을 받아 가며 그는 불과 반년 만에 방대한 분량의 원고를 완성한다. 이처럼 집중적인 작업은 우울증에 맞서는 데는 효과적이었지만 그는 과로로 인해 탈진했고 본래 병약했던 로테는 천식의 악화로 힘들어한다. 그래서 그는 유럽의 피난민들이 우글대는 뉴욕을 떠나서 공기 좋은 휴양지로 가기로 한다.

1941년 9월 그와 로테는 마지막 거주지인 페트로폴리스에 도착한다. 페트로폴리스는 리우데자네이루에서 60km 떨어진 고산 지대의 호젓한 휴양지인데, 츠바이크는 이곳을 오스트리아의 유명 관광지 "젬머링•의 축소판"이라고 불렀다. 츠바이크 부부는 6개월 예정으로 방갈로를 빌렸는데 이곳에 아는 사람이라곤 베를린의 유명 언론인 에른스트 페더 부부뿐이었다. 츠바이크는 적막함을 벗 삼아 창작에 몰두했고 아내 혹은 페더와 자주 체스를 두었다. 그는 평소 습관대로 네 작품(소설 『클라리사』, 『몽테뉴 평전』, 「체스 이야기」, 『발자크 평전』)을 동시에 집필했다. 그러나 원래 우울증에 시달리던 작가에게는 외로운 생활이 부정적으로 작용했다. 그 무렵 유대인 집단 수용소에 수용소에 관한 끔찍한 소문이 끊이질 않았고 친척들과 친구들이 고통스럽게 사망했다는 소식이 이어졌다. 그는 살아남은 자의 슬픔에 시달리며 먼저 간 친구들을 부러워한다. 같은 해 11월 동료작가 프란츠 베르펠에게 쓴 편지에서는 "시대가 강요하는 부조리 속에서 내 정체성을 찾을 수 없음"을 한탄한다. 한 나라의 국민이 아닌 유럽인이자 평화주의자, 반전주의자인 자신의 자리가 이 세상에는 없기에 자신은 구시대의 유물에 불과하다는 느낌에 괴로운 것이다. 설상가상으로 로테는 천식이 심해지면서 질식 직전에 이르는 일이 잦아진다.

이제 전쟁은 전 세계로 번지고 추축국 군대는 기세등등하게 연합군을 몰아붙인다. 그의 절망감에 결정타를 가한 것은 다름 아닌 일본이다. 일본군이 12월 7일 진주만을 기습하자 미국은 즉시 참전을 선언한다. 1942년 1월, 여태까지 중립을 유지했던 브라질 정

• 소설 「아찔한 비밀」의 무대이다.

부도 자국 내 공군기지를 미국에 개방하고 추축국과의 절교를 선언한다. 이제 전쟁은 그가 사는 브라질까지 와 있고 전쟁을 피해 갈 곳은 더는 없다. 2월 16일 영국 보호령 싱가포르가 일본군에게 함락되며 연합군이 잇따라 패배하자 그는 암울한 앞날을 예감하고는 생을 끝낼 결심을 하게 된다. 천식에 시달리던 로테도 기꺼이 그의 결정에 동의한다. 마지막 일주일 동안 그는 로테와 함께 원고와 서류를 정리하고 방금 완성한 「체스 이야기」의 원고 3부를 출판사와 번역가에 각기 부친다. 극단적 선택을 하기 나흘 전 프리데리케에게 쓴 편지를 보면 왜 그가 이런 선택을 할 수밖에 없었는지를 알 수 있다. 그는 이제는 창작에서조차 기쁨을 느낄 수 없음을 실토한다. "글쓰기에 내 원래 에너지의 4분의 1만을 동원할 수 있으며, 창작한다기보다는 오랜 타성에서 일할 뿐이오. 다른 사람에게 감동을 주려면 나 스스로 확신을 품고 열광해야 하겠지. 하지만 오늘날 어느 누가 그럴 수 있겠소!" 미래에 대한 희망을 상실했고 삶의 유일한 버팀목이었던 글쓰기마저 불가능해진 지금, 츠바이크에게는 살아갈 이유가 없다. 안타깝게도 소설 『클라리사』와 『몽테뉴 평전』과 『발자크 평전』은 미완성으로 남게 된다.

유럽을 떠나기 직전 그는 『광기와 우연의 역사』에서 망명객 키케로의 심정을 이렇게 묘사했다. "망명지에서의 삶이 얼마나 서글픈지를 한번 경험한 사람은 위험한 상황이 오면 성스러운 흙으로 돌아가고 싶은 유혹을 느낀다. 평생 도망 다니며 구차하게 살고 싶지 않기 때문이다." 마치 1년 반 후 그의 심정을 미리 써놓은 듯해서 섬뜩하기까지 하다. 2월 22일 저녁 츠바이크는 브라질 당국에 보내는 공식 유서를 작성한다. 이어서 그와 로테는 제각기 마지막 편지를 쓴 후 수면제를 과다 복용함으로써 함께 삶을 마무리 짓는다. 그의 유서에는 이렇게 쓰여 있다. “육십을 넘어 다시 한번 온전히 새로운 시작을 하려면 엄청난 힘이 필요하다. 그런데 나는 고향을 떠나 오랜 세월을 떠돌아다니느라 내 힘을 다 써 버렸다. 그러니 제때 꿋꿋한 태도로 삶을 마무리하는 게 낫다고 생각한다.” 쉰 살 생일에는 우울증에 시달리면서도 새로 시작할 힘이 있다고 형에게 호언장담하던 그였건만 8년에 걸친 망명 생활은 그에게 마지막 남은 힘마저 앗아가 버린 것이다. 그는 프리데리케에게 보내는 마지막 편지를 이렇게 끝맺는다. “이제 내가 편안하고 행복하다는 걸 당신은 알 거요.”

TUESDAY, FEBRUARY 24, 1942.

AUTHOR AND WIFE DIE IN COMPACT

Mr. and Mrs. Stefan Zweig — The New York Times

ZWEIG AND WIFE COMMIT SUICIDE

merous biographies—"Mary Queen of Scotland and the Isles," "Erasmus of Rotterdam," "Marie Antoinette," "Romain Rolland," "Joseph Fouche," "Mental Healers: Franz Mesmer, Mary Baker Eddy, Sigmund Freud," "Master Builders," studies of genius in various

TREASURY ... REFUGEE ...

두 번째 아내 로테Lotte Altmann와 슈테판 츠바이크(위)

「뉴욕타임즈」에 실린 부고(아래)

작품 해설

「감정의 혼란 Verwirrung der Gefühle」

「감정의 혼란」은 1927년 발간된 동명의 소설집에 실린 중편소설로 소설집 삼부작 프로젝트인 "사슬"을 완결짓는 작품이기도 하다. 에로티시즘을 다룬 츠바이크의 소설 중 최고봉이라 꼽히며 출간 즉시 세계적 베스트셀러가 되었을 뿐 아니라, 거의 100년이 지난 지금도 널리 사랑받는 명실상부한 현대문학의 고전이다. 이 작품 역시 액자소설로서 "추밀고문관 R. v. D의 개인 기록"이라는 부제가 달려 있다. 환갑 기념 문집을 헌정 받은 영문학 교수 R. v. D가 스무 살 청년 롤란트의 시점으로 돌아가 문집에 전혀 언급되지 않은 한 스승을 회상한다는 비교적 짧은 틀 이야기에 그가 쓴 개인 기록이 이어지며 기록의 말미에 스승의 고백이 이야기 속 이야기로 담긴 중층 구조이다. 거의 장편소설에 달하는 분량이며 숱한 은유와 상징으로 짜여 있기에 다른 작품보다 더 상세한 해설이 필요한 경우이다.

1. 작품의 배경

롤란트의 기록은 그가 40년 전 열정에 넘치는 언어를 구사하는 영문학 교수를 알게 되면서 겪은 감정의 혼란을 적고 있는데 부제가 '개인 기록'이라는 점에서 결코 공개를 위한 글이 아니다. 원래 츠바이크는 초고에서 부제를 '한 노인의 기록'이라 했는데 완성본에서 '추밀고문관•의 개인 기록'으로 수정함으로써 롤란트의 글, 즉 내부 이야기가 오직 글쓴이 자신을 위한 것임을 강조하고 있다. 다시 말해서 유명 교수 R. v. D는 부당하게도 자신의 환갑 기념 문집에 전혀 언급되지 않은 스승을 추억하며 자신의 마음속 빚을 덜기 위해서 비밀 기록을 작성했기에 독자는 관음증 환자가 되어 그의 비밀을 엿보는 셈이다.

그런데 이야기 후반부에야 밝혀진 비밀은 과히 충격적이다. 롤란트가 열렬히 숭배하는 스승은 동성애자이며 롤란트를 몰래 사랑하고 있었다! "너만큼 사랑한 사람은 없다"라고 교수는 롤란트에게 고백하고, 롤란트 역시 작품의 마지막 문장에서 평생 "선생님만큼 사랑한 사람은 결코 없었음"을 인정하지만 두 사람은 교수의 고백을 끝으로 영원히 결별하게 된다. 동성 간의 사랑이 터부시되는 당시 분위기에도 불구하고 이 작품이 널리 사랑받았다는 사실은 공적인 금기 아래에서 꿈틀대던 감정들을 츠바이크가 제대로 포착하여 형상화하였음을 시사한다. 당시 프로이센과 오스트리아는 동성애 금지법을 적용하며 동성 간의 성행위를 엄히 처벌했다. 작품의 배경인 독일에서는 1872년부터 1994년까지 이 법이 유효했으며 이 기간에 14만 명 이상이 유죄판결을 받았다. 이러한 분위기에서는 동성애를 다루는 작가들도 위축될 수밖에 없다. 토마스 만은 1912년 소설 「베네치아에서의 죽음」에서 주인공이 미소년에게 느끼는 사랑을 신비로운 은유와 상징으로 표현함으로써 동성애의 직설적 서술을 피했고, 헤르만 헤세는 1930년 소설 『나르치스와 골드문트』에서 두 인물의 동성애적 감정을 암시하는 데 그쳤지만, 츠바이크는 소설 막바지에 교수의 입을 빌어 동성애자

• 추밀고문관Geheimrat이란 직책은 원래는 독일 영방국가에서 군주의 비밀 자문단에 속하는 고급 관리에게 부여되었다. 시간이 흘러 이 단어는 원래 의미에서 멀어지고 19세기부터는 교수를 비롯한 고급 공무원들을 부르는 호칭이 된다. 독일어 부제에서 비밀geheim이란 단어는 개인 기록이라는 말과 합쳐지면서 독자의 관음증을 더욱 부추긴다.

의 성적 욕구와 고통, 그리고 대도시 슬럼가에서 벌어지는 일들을 사실주의적인 강렬한 언어로 서술하고 있다.

이렇듯 내부자에게나 가능할 법한 사실적인 세부 묘사 덕분에 이 작품에서 자전적 요소를 읽어내려는, 다시 말해 츠바이크에게 동성애적 성향이 있음을 밝히려는 시도는 발간 직후부터 지금까지 꾸준히 존재한다. 그러나 츠바이크는 절대 자신의 삶을 여과 없이 작품의 소재로 활용하지 않으며 모든 경험을 여러 차례 굴절하고 각색한 후에야 텍스트화하기로 유명하기에 섣불리 추측하기보다는 개개 사실에 근거해서 소설의 이해를 시도해야 할 것이다.

츠바이크는 롤란트와 마찬가지로 만 스무 살이었던 1902년 베를린에서 여름학기를 보냈는데 그곳에서는 동성애가 성행했다고 츠바이크는 『어제의 세계』에서 회고하고 있다. 그 시절 그는 동성애자들의 단골 술집을 드나들며 그들과 어울렸고, 중년을 훌쩍 넘겨서도 아무런 편견 없이 동성애자들과 친하게 지냈다. 1924년 열여덟 살 어린 동성애자 작가 에리히 에버마이어를 알게 되었는데 둘 사이에는 우정 이상의 감정이 존재했다고 한다. 프리데리케는 1927년 스위스에 머무는 남편이 에버마이어를 만나러 간다고 편지에 쓰자 "친애하는 카사노바, 당신 편한 대로 한번은 이랬다, 한번은 저랬다 하는 게 가장 좋겠군요"라는 말로 이성애와 동성애를 넘나드는 남편을 놀리고 있다. 실제로 그는 1926년 말 한 친구에게 쓴 편지에서 "에로티시즘에 관한 한 나는 경계를 느끼지 않는다"라는 말로 자신의 양성애 성향을 암시하고 있다.

츠바이크는 1924년 11월 에버마이어가 동성애를 소재로 쓴 소설을 읽은 후 답장에서 자신이 구상하는 작품을 언급하며 이렇게 쓴다. "땅 밑에서 뿌리를 맞대고 있는 온갖 세계가 실제로 서로 맞닥뜨리게 만들어서 피하려야 피할 수 없는 진실이 드러나도록 할 작정입니다. … 땅 밑의 은밀한 고리들이 모든 범주와 영역과 계층에까지 이어지며 선원들로 시작해서 황제 가문까지 이어지고 있음을 나는 독일 베를린에서 감지했습니다. 드디어 누군가가 나서서 이 사실을 대담하게 세계 속에 숨어 있는 한 세계로 그려내야 합니다." 또 그는 절친한 작가 에르빈 리거를 통해서 정체성을 드러낼 수 없는 동성애자의 고뇌와 습성을 상세히 알고 있었다. 그는 로맹 롤랑에게 리거를 비서로 추천하면서 이런 말을 덧붙인다. "그는 종종 자유에의 욕구를 통제하지 못하는 약점을 지니고 있습니다. 두세 달 넘게 그를 붙잡아둘 수는 없습니다. 그 기간을 넘기면 그는 자신의 삶을 살려 들지요. (그것은 비밀에 가득 찬, 열정적이고 비극적인 삶입니다.) 하지만 그는 항상 돌아옵니다." 츠바이크는 리거가 정기적으로 잠적하는 습관이 그의 동성애에 기인함을 암시하고 있는데 리거가 부분적으로 교수의 모델임을 알 수 있는 대목이다.

츠바이크는 베를린에서 한 학기를 마친 후 같은 해 가을 벨기에에서 시인 에밀 베르하렌을 만난다. 그는 베르하렌에게 깊이 매료되어서 그의 작품을 널리 알리기 위해 번역하고 비평을 쓰는 등 노력을 아끼지 않았다. 베르하렌은 이성애자라는 차이가 있지만, 아버지 같은 친구를 위해 헌신하는 츠바이크의 모습에서는 창작 장애를 겪는 스승이 야심작을 완성하게끔 서기를 자청하는 롤란트가 연상된다. 필자는 소설집 『보이지 않는 소장품』의 해설에서 츠바이크가 친아버지와 정서적 유대를 형성하지 못했기에 늘 그 공백을 메워 줄 정신적 아버지, 즉 베르하렌과 롤랑과 프로이트

같은 멘토를 섬겼다고 언급했는데 실제로 츠바이크는 베르하렌과 롤랑이 독일어권에서 널리 알려지도록 애썼으며 프로이트가 노벨상을 받게끔 지원을 아끼지 않았다. (하지만 츠바이크의 노력은 결실을 거두지 못했다.) 바로 그런 면모를 롤란트에서 볼 수 있다.

작가의 가족사를 다룬 연구들은 여러 차례 부모와 아들 간의 소원함을 지적했다. 그래서인지 작품에 등장하는 아버지들(「아찔한 비밀」, 「불안」, 「보이지 않는 소장품」)은 대개 엄격하고 까다롭고 권위적이며 아이를 주눅 들게 한다. 롤란트는 엄하고 고지식한 훈장이며 감정 표현에 서툰 아버지에게 서먹함을 넘어 적대감을 느끼기까지 한다. 그랬던 만큼 그는 아버지가 갖지 못한 열정과 영감을 화려한 언어로 표출하는 교수에게 단번에 매료되며 그를 숭배하고 사랑하게 되지만 결국에는 사회의 관습을 뛰어넘지 못하고 스승과 결별하게 되고 완성 직전이었던 스승의 저서 『글로브 극장의 역사』는 흔적 없이 사라져버린다. 노인이 된 롤란트의 회상에는 친아버지와 스승에 대한 연민과 죄책감 등 복잡한 감정이 배어 나오는데 이는 작가의 실제 상황과도 관련이 있다. 작가의 아버지 모리츠 츠바이크는 1926년 3월에 사망하고 츠바이크는 아버지를 애도하던 시기에 롤란트라는 인물을 통해 이상적 아버지를 갈구하는 아들의 모순된 감정을 형상화한다. 이렇듯 「감정의 혼란」은 츠바이크의 지극히 사적인 면모가 몇몇 변형을 거쳐서 숨은그림찾기처럼 텍스트 전반에 녹아 있어서 작가를 이해하는 데 많은 단서를 제공한다.

2. 동성애에 관한 상반된 입장: 고대 그리스와 세기말 프로이센

본 줄거리의 시간적 배경은 1880년대 후반으로서 성에 관한 학문적 담론이 본격적으로 시작된 시점이다. 빈 출신 의사 리하르트 크라프트-에빙은 1886년 저서 『광기와 성』에서 프로이트에 앞서 성을 공론화하였는데, 동성애를 사악한 원죄의 산물이나 범죄 성향의 표현이라 간주했던 통념과는 달리 선천적으로 타고난 신경병의 일종이라고 정의했으며 동성애자가 치료를 통해 성적지향을 바꿀 기회를 얻어야 한다고 주장했다. 오랜 세월 침묵되어왔던 동성애는 크라프트-에빙의 선구적 연구로 인해 정신과 치료의 대상이 되었고 이십 년 후 프로이트에 의해 본격적으로 심리학의 연구대상이 된다.

프로이트는 1905년 『성 이론에 관한 세 논문』에서 크라프트-에빙과는 달리 동성애는 질병이 아니며 모든 인간은 양성애 성향을 지닌다는 논지를 펼친다. 1916년 『정신분석학 강의』에서는 대부분의 노이로제 환자에게서 동성애 충동을 찾아낼 수 있으며 자신을 동성애자로 자각하고 있는 소수보다 훨씬 많은 이들이 잠재적인 동성애자라고 주장하며 동성애의 강한 충동을 억누른다면 편집증에 걸릴 수 있다고 경고한다. 프로이트는 늘 그렇듯이, 동성애에 관한 궁극적인 결론을 유보하며 새로운 임상 경험을 할 때마다 자신의 학설을 보완해 나갔는데• 꾸준히 동성애에 대한 관용적인 입장을 강조한다. 1935년 자신의 환자인 동성애자 청년의 어머니에게 보낸 편지에서 그는 동성애자 중에는 출중한 인물이

• 1922년 저작 『질투, 편집증 및 동성애에 나타나는 몇몇 신경증적 메카니즘』에서 동성애를 집중적으로 다루었다.

많다면서 동성애 자체를 수치스러워하거나 악덕이나 질병으로 보아서는 안 된다고 쓴다.

츠바이크 역시 대다수 인간에게는 이성애와 동성애 성향이 공존한다는 프로이트의 견해에 동의한다. 1926년 5월 인젤 출판사 대표 안톤 키펜베르크에게 보낸 편지에 그는 이렇게 쓴다. "저는 의도적으로 청년의 여성 편력을 두드러지게 다룸으로써 그가 마음속으로는 스승과 같은 성향의 인물이라는 오해가 생기지 않도록 했습니다. … (대부분이 생각하듯이) 한 방향만 지향하는 인간만 있는 것이 아니라 거의 모든 인간에게는 숨겨진 반대 성향이 존재하고 있음을 분명히 드러내고자 했던 겁니다. 그래서 감정의 혼란이 생기는 것이고 그것이 이 작품의 주제이니까요."

이성애가 항상 인간의 본성으로 간주되지 않았음을 확인하려면 고대 그리스로 시선을 돌리면 된다. 서양문화의 근원인 고대 그리스에서 동성애자들은 예술과 문화에서 큰 역할을 담당했음에도 불구하고 고대 이후 기독교가 득세하면서 동성애는 신의 뜻을 거스르는 죄악으로 낙인찍히게 되고 1,000년가량 언급조차 되지 못했다. 15세기 후반기에 인문학자 마르실리오 피치노는 플라톤의 전작을 라틴어로 번역했는데, 플라톤의 『향연』이 널리 알려지며 플라토닉 러브라는 개념이 생겨난다. 『향연』에서 언급된 에로스, 즉 플라토닉 러브는 본래 성인 남성과 소년 사이의 배움을 동반하는 사랑, 즉 소년애Pederasty에서 시작하며 궁극적으로는 차차 사랑의 대상을 넓혀가는 상승 과정을 거쳐 지혜를 사랑하기에 이르는 여정을 총괄적으로 칭한다. 플라토닉 러브가 육체적 사랑을 배제한다는 주장은 이 개념이 기독교 문화에서 수용되는 과정을 거쳐 생긴 오해로, 플라톤은 에로스의 지적 상승을 위한 여정에 육체적 사랑을 배제하지 않았다.

고대 그리스에서는 성인 남성이 소년을 사랑하는 소년애가 하나의 주류 문화였다. 플라톤을 비롯한 고대의 철학자들은 여자와의 사랑은 번식이라는 본능에서 나오는 불순한 사랑이며 번식이 동반되지 않는 미소년과의 사랑이야말로 순수하고 진정한 사랑이라며 소년애를 찬미했다. 고대 그리스 신화에도 올림포스의 신들이 소년을 탐하는 일화가 자주 등장한다. 그 대표적인 예인 가뉘메데스의 상이 교수의 서재를 장식하고 있음은 매우 의미심장하다. 실제로 작가는 여러 은유와 상징으로 독자가 고대 그리스에서의 소년애를 떠올리게끔 이끈다. 그리스 문화에서 가장 유명한 소년애 커플은 『향연』에 등장하는 소크라테스와 알키비아데스인데, 「감정의 혼란」은 교수가 등장하는 시점부터 플라톤의 『향연』과의 연관(상호텍스트성)을 꾸준히 이어간다. 롤란트가 교수의 연설을 듣고 변모하는 과정의 묘사에는 『향연』 마지막 장에서 미소년 알키비아데스가 소크라테스의 연설이 뿜어내는 마력을 언급하는 대목이 거의 그대로 인용되어 있다. 알키비아데스는 소크라테스의 연설을 듣고는 "심장 아니 영혼을 물렸다"라면서 스승의 언어는 "젊고 재능 있는 영혼을 … 뱀보다 더 집요하게 파고들기"에 "그 영혼은 무슨 짓이라도 하게 되고 어떤 말이라도 하게 된다"라는 말로 스승을 향한 사랑을 뜨겁게 토로한다. 롤란트는 스승의 사랑을 독점하고 싶어서 다른 청년들을 견제하며 질투하는데 이 또한 알키비아데스가 하던 행동이다. 알키비아데스는 소크라테스가 "아름다운 청년에게 매력을 느껴서 들뜬 상태로 늘 젊은이들 주변을 서

성거린다"라고 전하는데 이는 젊은 학생들을 대면해야만 열정적 연설이 가능한 영문학 교수의 상황과 일치한다. 교수 스스로 자신이 가르치는 "청춘의 신선한 꽃봉오리들은 마치 프로이센의 엄격한 법령 안에 숨어 있는 김나시온에서 튀어나온 그리스 청년들"과도 같다고 표현하면서 동성애 금지법 아래의 프로이센에 숨어 있는 고대 그리스의 잔재를 암시한다. 이런 상황에서 교수는 "끊임없이 유혹에 노출"되며 "탄탈로스의 고통"을 겪어야 한다. 이렇듯 츠바이크는 동성애를 엄격히 금지하는 19세기 후반과 동성애를 인정하던 고대 그리스를 대비시킴으로써 동성애에 관한 두 개의 상반된 입장을 제시한다.

3. 행간 읽기

해설의 서두에서 츠바이크의 작품은 쉽게 읽히기에 그 안에 담긴 복합적이고 심오한 내용이 독자에게 전달되지 않고 비껴갈 위험이 크다고 썼는데 그 위험에 가장 많이 노출된 작품 중 하나가 바로 「감정의 혼란」이다. 츠바이크는 자신이 지극히 민감한 소재를 다룬다는 것을 잘 알고 있었기에 독자가 거부감 없이 사건에 빠져들게끔 문학적 은유와 비유, 상징을 풍부히 활용해서 내용을 암시하는 방식으로 이야기를 전개하고 있기 때문이다. 작품의 주인공이 최고의 지식인인 교수이며 수준 높은 내용의 강연이나 독백 등이 삽입되어 있다는 점도 행간 읽기를 더욱더 어렵게 한다. 사실 스무 살 청년 롤란트야말로 독해력이 부족한 독자의 전형이다. 그는 작품의 후반부까지 왜 교수가 자신을 살갑게 대하다가 돌연 싸늘하게 돌변하는지 알지 못한 채 감정의 혼란에 빠져들어서 선생님이 자신을 싫어한다고 교수 부인에게 울부짖기까지 한다. 롤란트보다 빨리 교수가 동성애자임을 간파한 독자들도 텍스트에 포진한 은유와 상징을 모두 읽어내기는 쉽지 않다. 더구나 다른 문화에서 자란 한국 독자들은 텍스트 이해에 중요한 단서를 놓칠 수 있다. 츠바이크가 다양한 지식과 교양에 기반해서 깔아놓은 정교한 복선을 제대로 읽어내면 더 많은 즐거움을 누릴 수 있다고 믿기에 필자는 몇 가지 독해를 시도해보려 한다.

롤란트가 처음으로 교수를 방문하여 서재에서 그를 기다리는 장면은 문화적 상징으로 넘치기에 마치 행간을 읽으라고 요구하는 소리가 들리는 듯하다.

> "책상 위에는 라파엘의 그림 「아테네 학당」이 걸려 있었는데 선생님이 특히 사랑하는 그림이었다. (…) 이 그림을 본 것은 그때가 처음이었다. 소크라테스의 고집스러운 얼굴은 왠지 모르게 선생님의 이마와 비슷해 보였다. 뒤를 돌아보니 파리에 있는 가뉘메데스의 흉상을 축소한 흰 대리석상이 빛나고 있었고 그 옆에는 어떤 중세 독일의 거장이 만든 성 세바스티아누스 상이 서 있었다."

롤란트는 지금 동성애 내지는 소년애에 관한 온갖 암시와 상징을 마주하고 있다. 소크라테스와 가뉘메데스와 성 세바스티아누스는 제각기 동성애를 대표하는 아이콘이다. 소크라테스는 사랑하는 소년을 배움으로 이끄는 스승이며 가뉘메데스 신화는 고대 그리스가 추구했던 소년애의 즐거움을 상징하는 반면, 세바스티아누스는 중세 초기의 미남 순교자로 로마 황제 디오클레티아누스의 총애를 받았다는 소문 탓에 비공식적으로 동성애자들의 성자가 된 인물이다. 손을 뒤로 묶인 채 몸을 화살에 잔뜩 꿰뚫린 세바스티아누스 상은 오랜 세월 고통의 아이콘으로 군림해 왔다. 롤란트는 아직은 그런 상징을 읽어낼 능력이 없지만 “비극적 아름다움이 향락적 아름다움 옆에 서 있다는 게 우연만은 아님”을 예감한다. 사실 교수는 자신의 동성애를 억누르며 고통스럽게 살아왔던 탓에 빼어난 재능에도 불구하고 창작 장애에 시달리느라 변변한 저서 하나 쓰지 못한 비극적 인물이다. 20년 넘게 셰익스피어 시대의 문학을 다룬 『글로브 극장의 역사』라는 대작을 쓰려고 했지만 여태 완성하지 못하고 포기해버린 그에게 롤란트가 찾아오며 대전환이 일어난다. 동성애의 아이콘들이 발산하는 “정신적 아름다움”으로 가득 찬 교수의 서재에서 롤란트와 교수는 회심의 대작을 함께 만들어내는 에로틱한 모험을 하게 된다.

다른 행간을 하나 더 읽어보겠다. 롤란트는 미처 알아채지 못하는 결정적 단서가 독자에게만 제공되는 경우이다. 교수가 가장 사랑하는 셰익스피어 시대의 연극에서는 여성 역할을 변성기 이전의 소년 배우들이 맡았던 만큼 연극인들은 성의 질서가 혼란스럽고 동성애 내지는 소년애가 만연했던 환경에 노출되어 있었다. 영화 「셰익스피어 인 러브」에서 레이디 비올라가 남장을 하고 나타나서 줄리엣을 연기하며 청년 셰익스피어를 감정의 혼란에 빠트리는 장면을 떠올리면 이해가 쉬울 것이다. 이 시기에 가장 많은 스캔들을 일으켰던 동성애자는 한때 셰익스피어와 쌍벽을 이루었던 극작가 크리스토프 말로이다. 무신론자였던 말로는 예수가 창녀의 아들이며 동성애자라고 주장해서 질타를 받다가 서른도 되지 않은 나이에 의문사한다. 롤란트는 자신이 받아 적은 스승의 원고 중에서 하필 크리스토프 말로를 다룬 부분에 열광한다.

> "여전히 감탄의 마음을 주체하지 못한 채 나는 찬사를 덧붙였다. '그 누구도 말로를 이처럼 거장다운 솜씨로 그려내지는 못할 겁니다.' 그러자 선생님은 홱 몸을 돌리며 입술을 깨물더니 정서한 종이를 팽개치며 한심하다는 어조로 뇌까리셨다. "그따위 바보 소리는 하지 말게! 자네가 거장다운 솜씨에 대해 아는 게 대체 뭔가?" 이 무뚝뚝한 말은 나의 하루를 망치기에 충분했다. (선생님은 견딜 수 없는 수치심 때문에 황급히 무뚝뚝한 말 뒤로 숨으실 수밖에 없었으리라)"

동성애자임을 숨기고 사는 교수의 고통을 암시하는 대목이다. 교수는 말로의 고통을 자신의 고통으로 느끼며 그의 초상을 설득력 있게 그려내었기에 롤란트의 찬사에 마치 자신의 실체가 누설되는 듯 느꼈을 것이고 그래서 이토록 예민하게 반응했을 것이다. 나이가 든 롤란트는 이제 교수가 왜 그렇게 반응했는지를 알고 있다.

4. 성의 경계를 넘나들기

행간 읽기에서 특히 놓치지 말아야 할 것은 엄격히 분리된 남녀의 정체성이 뒤섞이며 성의 경계선이 부분적으로 무너지는 지점이다. 이성애만을 사랑의 정당한 형식이라고 보는 문화에서는 남자와 남자의 사랑이라는 주제 자체가 성의 질서를 정면으로 위

반하기에 등장인물들은 남자다운 남자와 여자다운 여자라는 사고틀에 맞지 않는 모습을 보일 수밖에 없다. 언뜻 보아 성의 경계선을 어지럽히는 듯한 인물은 교수 부인이다. 그녀는 "고대 그리스 청년처럼 홀쭉한", 운동으로 다져진 근육질 몸매를 지닌 양성적 존재로 등장하며 남녀라는 이분법을 넘나든다. 교수는 "소년 같은 육체를 통통 튀듯 발랄하게 움직이는 소녀"에게 끌려서 결혼했다고 회고한다. 롤란트는 그녀와 자신이 "소년들의 우정 비슷한 것을 맺고" 있었으며 둘 "사이에는 아무런 긴장감도 없었기"에 교수와의 관계에서 겪는 "정신의 과도한 압박"을 그녀와 시간을 보내며 풀 수 있었다고 쓴다. 그런데 이처럼 이분법적 성의 경계를 혼란에 빠트리던 교수 부인은 아이러니하게도 결정적 순간에 남편과 롤란트가 가까워지는 것을 방해한다. 또 남편이 잠적한 동안 롤란트와 불륜을 저지름으로써 두 남자의 이별을 앞당긴다. 이렇듯 그녀는 표면적으로는 성의 경계를 넘나들지만, 궁극적으로는 기존의 성의 질서를 수호하는 역할을 한다.

교수는 남성성과 여성성을 동시에 지닌 이중적 인물로 묘사된다. 롤란트는 교수의 첫인상을 이렇게 묘사한다. "얼굴 윗부분은 사상가다운 골격이고 대담한 인상을 물씬 풍겼지만 깊이 팬 눈 밑부터는 매끄러운 곡선으로 된 턱과 바르르 떨리는 입술 때문에 여인처럼 여려 보였다." 교수는 아름다운 청년들을 대하며 느끼는 열정을 문학에 대한 열정으로 치환하여 불꽃 튀는 연설로 승화시킨다. 연설하는 동안 그와 학생들은 하나가 되고 이를 통해 교수는 사회적으로 용납되는 방식으로 자신의 성적 욕망을 충족한다. 즉 그는 연설을 통하여 양심, 초자아, 사회가 용납할 수 있는 형식에서의 성적 희열과 심미적 쾌락을 만끽하는 것이다. 화자 롤란트는 이 순간을 너무나도 관능적인 언어로 독자에게 전달한다. 강연을 마친 직후 교수의 "얼굴은 창백했지만 모든 신경이 꿈틀대며 요동치는 듯 살며시 떨고 있었다. 눈은 희한하게도 넘치는 쾌락에 흠뻑 취한 듯 반짝였는데 그 모습이 마치 격렬한 포옹에서 막 풀려난 여인 같았다." 연설을 통해 학생들과 하나가 되면서 교수가 느끼는 희열은 성적 행위에서 얻는 쾌락과 상응하기에 잠시나마 성의 경계는 무너지고 교수는 격렬한 포옹에서 막 풀려난 여인이 느낄 법한 쾌락을 맛보았으리라.

교수의 연설에 흠뻑 빠진 롤란트 역시 차차 변하게 된다. 그는 교수의 저서를 받아쓰는 작업을 시작하면서부터 교수와 함께 둘의 정신적 자식, 즉 저서를 잉태하여 출생하는 에로틱한 모험에 말려든다. 롤란트가 첫 작업을 마친 밤에 홀로 교수의 원고를 낭독하는 순간 그에게 놀라운 변화가 찾아온다.

"글자들을 말로 바꾸는 순간 나는 내 음성이 아닌 다른 음성으로 말하고 숨쉬기 시작했다. 마치 어떤 존재가 내 입안에서 말을 바꿔치기한 듯했다. 순간 나는 선생님의 억양대로 낭독하며 다듬는 연습을 너무 열심히 반복한 덕분에 내가 아닌 선생님이 내 입을 빌어 말하는 지경에 이르렀음을 깨달았다. 그 정도로 나는 그의 존재의 반향이 되었고 그의 말의 메아리가 되어 있었다."

롤란트는 선생님이라는 존재를 열심히 학습한 결과 자신이 "그의 존재의 반향"이자 "그의 말의 메아리"가 되는 통합의 단계에 접어든다. 이처럼 학습으로 시작된 통합은 에로스의 마력에 의해 완성되어 그는 선생님의 존재를 평생 자신 안에 담고 살게 되지만, 그 전제는 비극적이게도 영원한 결별이다. 교수는 떠나기로 작정한 롤란트에게 어둑한 서재에서 자신의 비밀을 고백하는데 롤란트는 이렇게 반응한다.

"나는 불처럼 용솟음치며 파고드는 목소리를 내 안에 받아들였다. 여자가 남자를 자기 몸 안에 받아들이듯이 전율하면서 고통스럽게…"

롤란트는 교수의 고백을 듣는 행위를 남녀의 성적 합일에 비유하면서 자신을 여성의 위치에 놓고 있다. 이로써 그는 결정적으로 성의 경계를 넘어서게 되고, 아이를 잉태하듯 스승의 목소리를 받아들여 둘을 합친 새로운 자아로 탄생하게 된다. 소설 초입에서 스탕달이 언급한 "마법의 순간", 즉 "온갖 엑기스를 빨아들인 꽃이 순식간에 응축되어 결정結晶을 이루는" 바로 그 순간이 온 것이다. 비록 교수의 야심작은 미완으로 남고 둘은 영영 결별하지만, 롤란트는 그후 40년을 스승과의 영혼의 합일을 이룬 상태에서 살아왔음을 고백한다.

"이 모든 것이 40년 전 일이지만 지금도 강의 도중 말이 절로 술술 나오고 열을 올리다 보면 문득 내가 아닌 다른 누군가가 내 입을 빌려 말하고 있음을 느끼고 주춤하곤 한다. 그러고는 이내 그 누군가가 고인이 되신 소중한 선생님임을 깨닫는다. 내 입속에서 숨 쉬는 존재는 선생님뿐이다. 열광에 휩쓸려 날아오를 때면 나는 선생님과 하나가 된다. 그때의 시간이 나를 만들었음을 알고 있다."

이렇듯 성의 경계선을 넘나드는 행위는 사회적 규범을 헤치지 않는 선에서 오로지 지적 열정에 힘입어 이루어지며, 롤란트는 이 순간을 겪은 후 사랑하는 이를 영감의 원천으로 품은 새로운 자아를 구축하게 된다. 하지만 그 대가는 가장 사랑했던 사람과의 이별이다.

5. 미화되지 않은 동성애

물론 이 작품에는 지적 열정과는 전혀 무관하게 성의 경계를 넘나드는 사람들이 등장한다. 교수는 "짙은 화장을 하고 산책로를 어슬렁대는 소년들"과 "향수를 잔뜩 뿌린 이발사 조수", "치마를 두른 변태 남자들"과 교류했다고 고백한다. 성의 경계를 넘나들며 성욕을 채우는 남자들에 관한 서술은 악몽의 장면처럼 그로테스크하다. "정상적인 성의 궤도를 일탈한 이들은 도시의 맨 밑바닥에서 이처럼 뒤틀리고 뒤집힌 형태로, 소심하면서도 기괴한 몰골로 서로를 찾고 알아냈다." 교수는 "교사의 가면 뒤에 숨긴 에로스의 얼굴"을 학생들이 알아채지 못하게 주의하면서 "늘 자신의 감정을 위아래로 갈라놓아야 했다. 대학교에서 접하는 젊고 지적인 학생들을 애타게 동경하기만 했고, 암흑세계의 동지들과는 관계를 맺으면서도 아침에 눈을 뜨면 몸서리를 쳐야 했으니까 말이다." 세기말 프로이센에 귀양 온 소크라테스의 신세가 이럴까? 플라톤은 『향연』에서 에로스를 섬기는 자는 사다리를 한 계단씩 오르듯 하나의 육체를 사랑하는 것에서 출발하여 영혼의 아름다움을 사랑하는 단계로 상승해나간다고 소크라테스의 입을 빌어 말했건만 교수는 그런 사다리를 빼앗긴 채 육체적으로 성의 경계를 넘어 남자와 성관계를 가진 후에는 "역겨운 늪에서 허우적대며 환멸이라는 독약을 삼켜야만 했다".

키펜베르크는 1926년 5월 편지에서 이 부분을 포함해서 대도시의 동성애자들의 행태를 사실적으로 묘사한 부분을 모호하고 암시적인 문장으로 수정하기를 권했다. 츠바이크는 왜 그런 부분이 필요한지를 다음과 같이 설명한다. 긴 문장이지만 작품의 이해를 위해 인용해 보겠다.

> "교수가 조야한 모험을 겪는 것 또한 필요하다고 봅니다. 이유는 이렇습니다. 이 주제를 다룬 소수의 독일 문학들은 대부분 직접 연루된 사람들에 의해서 쓰였는데 그런 남자들의 관계를 늘 이상적으로 묘사했습니다. 그들이 겪는 사랑의 모험은 순결하며 지적인 금발의 청년과 천상에서 겪는 사랑의 체험입니다. 그렇게 해서 이런 성향은 미화되지요. 사람들은 남녀의 사랑이 열등한 것이라는 인상을 얻을 지경입니다. 나는 몹시 지적 남자가 숭고한 것에 연루된 것과 마찬가지로 역겹고 비속한 것에 말려든다는 비극을 한 번쯤 그려내야 한다는 의무를 느꼈습니다. 그래서 베를린을 비롯해 독일에 수천 명씩 있는, 화장을 한 거리의 소년들이 던지는 희미한 실루엣을 집어넣은 것입니다. 작가들은 겁에 질려 고개를 돌리며 그들을 묘사하지 않습니다. 그래서 나는 이 부분을, 잔인하고 비극적인 부분을 도드라지게 그려냄으로써 이 작품이 동성애를 찬양하고 이상화한다는 오해를 방지하려 했습니다. … 아마 그 무리에 속하지 않는 사람이 그 주제에 객관적이며 예술적으로 다가가

는 것은 처음일 겁니다. 바로 그 사실이 나의 작업에 특별한 의미를 부여하리라 생각합니다. 드러나지 않는 고리에 속하지 않는 나야말로 상황의 비극성을 감상적으로 미화하려는 시도 없이 묘사할 수 있으니까요."

이렇듯 츠바이크는 동성애를 미화하는 일 없이 세기말 프로이센에 불시착한 소크라테스와 알키비아데스의 비극을 섬세한 심리묘사로 정교하게 전개한다. 지그문트 프로이트는 위에서 언급한 "상황의 비극성"을 츠바이크에게 보낸 편지에서 이렇게 풀이하고 있다.

"한 남자는 다른 남자에게 심리적으로 강하게 끌리는데도 왜 그 남자의 육체적 사랑을 받아들일 수 없을까요? 그렇게 한다고 해서 에로스의 본성을 거스르지는 않을 겁니다. … 남자가 남자를 사랑한다는 건 … 인간의 본성을 거스르는 일도 아닙니다. 인간의 본성은 양성애를 지향하니까요. 네, 더 나아가자면 남자가 남자를 사랑할 수 없다는 건 늘 있던 일이 아니라 우리 시대에만 유효한 듯하며 모두에게 유효하지도 않습니다. 남자가 남자를 사랑하는 것이 불가능한 경우 그 불가능을 극복할 수는 없습니다. 그것과 충돌하는 자는 지독한 고통을 겪어야 합니다. 자연적으로 보이지만 자연적으로 해명되지 않는 혐오감은 무엇에 근거하고 있을까요?"

프로이트는 이 작품을 "예술의 최고봉"이라고 극찬한다. "당신은 빼어난 솜씨로 솔직하고 진실하게 진정성 있는 작품을 썼으며 온갖 위선이나 감상성을 배제했습니다. 이보다 더 잘 쓸 수는 없음을 흔쾌히 인정합니다."

「아모크 Der Amokläufer」

「아모크」는 1922년 출간된 소설집 『아모크. 열정에 관한 노벨레』에 「모르는 여인의 편지」를 비롯한 4편의 노벨레와 함께 실려 있다. 이 두 작품은 출간 즉시 폭발적인 인기를 끌며 소설집 『아모크』는 세계적 베스트셀러가 된다. 「모르는 여인의 편지」의 여주인공이 오랜 세월에 걸쳐 한 인기 작가를 남몰래 사랑하고 있다면, 이 작품의 주인공은 오만한 귀부인에게 매료된 후 스토커처럼 저돌적으로 여인을 쫓는다. 두 주인공의 행태는 이렇듯 상반되지만 둘 다 자신을 파괴하는 자학적 사랑에 휘말려 비극적 죽음을 맞이한다는 점에서 두 인물은 한 동전의 양면처럼 서로 맞닿아 있다. 소설집 『아모크』에 실린 다른 소설들도 상식적인 일상을 파괴하는 열정을 다루고 있는데, 아모크란 단어는 많은 한국 독자에게는 생소하기에 이 개념을 우선 설명하겠다.

아모크는 말레이어 'amok'을 발음 그대로 옮긴 것으로, 원래는 통제할 수 없는 격노에서 나오는 광기를 의미한다. 탐험가 제임스 쿡(1728~1799)이 동남아시아에서 아무런 동기 없는 광적인 연속 살인을 목격하고 여행기에 기록함으로써 서구에 알려진 현상이다. 1888년 독일의 마이어 백과사전은 아모크를 이렇게 정의한다.

"자바섬 등지에 사는 여러 말레이 부족들 사이에서 행해지는 야만적 관습. 마약에 취한 사람이 단검을 들고 거리로 뛰쳐나가 우연히 마주친

사람들을 해치거나 죽이다가 스스로 목숨을 끊거나, 타인들에게 제압 당하는 것을 말한다."

이 정의가 수십 년 동안 거의 수정되지 않고 통용되면서 – 본 작품에서도 주인공에 의해 거의 글자 그대로 인용된다 – 아모크는 특정 문화권에서 나타나는 문화관련증후군culture bound syndrome의 대표적 사례로 알려지게 된다. 그러다가 20세기 후반부터 독일어권에서 '아모크'라는 외래어는 특정 지역이나 인종과는 무관하게 연속 살인, 즉 다수의 무고한 이들을 살상의 목적으로 무차별 공격하는 행위를 통틀어 지칭하는 용어로 뿌리를 내린다. 그런데 흥미롭게도 이 외래어의 수용과 토착화 과정에는 에드워드 사이드가 지적한 '오리엔탈리즘'의 논리가 작동하고 있다. 사이드는 18~19세기의 서구 지식인들이 식민주의적 관점에서 동양을 부정적으로 규정하는 담론 체계를 쌓아왔다고 주장하며 그것을 오리엔탈리즘이라 정의했다. 다시 말해 오리엔탈리즘은 동양 문화와 동양인에 대한 일방적이며 편향된 서양의 해석을 뜻한다. 사이드에 따르면 오리엔탈리즘의 핵심은 두 가지로 요약될 수 있다. 첫째, 서양은 우월하고 동양은 열등하다. 둘째, 동양은 창조적이지 못하며 정적이기 때문에 창조적이고 동적인 서양이 동양을 계몽해야 한다. 이런 사고 안에서는 서양은 주체이며 동양은 교화의 대상인 타자가 되어버린다. 따라서 서양인들은 낙후된 동양을 식민지화함으로써 도와준다는 논리로 식민지화를 정당화하였다는 게 사이드의 주장이다.

실제로 다수 학자는 20세기 초부터 동남아시아에서 아모크가 크게 줄어든 것을 서구 문명의 기여로 돌렸다. 반면에 식민지에 근무하는 유럽인이 정신착란 상태에서 원주민들에게 잔인한 폭력을 가하는 사례가 늘어나자 1890년경 독일에서 '열대광증Tropenkoller' 이란 용어가 등장한다. 열대광증은 학문의 검증을 거치지 않은 비과학적 개념으로, 법정에서 백인 범죄자의 책임회피용으로 남용되곤 했다. 유럽인이 열대 기후와 미개한 환경에 장기간 노출되며 원주민과 밀접하게 접촉할 경우 열대광증에 걸린다는 논리인데, 그 안에는 유색인종, 즉 타자의 미개함이 백인에게 전염된다는 두려움이 숨어 있다. '제국의 시대'의 절정인 20세기 전후(에릭 홉스봄•)로 열대광증에 걸린 백인을 소재로 한 통속소설들이 유행하며 인기를 끌었는데 「아모크」는 바로 이러한 시대적 배경에서 탄생했다. 이러한 배경지식을 알고 읽으면 츠바이크가 위에 설명한 담론들을 고스란히 주인공의 입을 빌어 인용하는 동시에 정신분석학의 도구를 빌어 그 주장의 권위를 흔들고 있음을 포착할 수 있을 것이다.

「아모크」는 액자소설로서, 이름 없는 일인칭 화자가 1912년 3월 인도에서 유럽으로 가는 여객선 갑판에서 우연히 만난 독일 의사로부터 들은 얘기를 10년이 지나서 독자에게 전하는 구조로 되어 있다. (츠바이크도 1909년 3월 인도의 콜카타에서 여객선을 타고 3월 나폴리에 도착하는데 이는 일인칭 화자의 경로와 일치한다.) 틀 이야기의 서두에서 화자는 웅장하면서도 섬세한 표현으로 갑판에서 맞이하는 열대의 밤을 신비롭고 몽환적으로 묘사한다. 그의 묘사에는 이국

• 에릭 홉스봄은 1987년 저서 「제국의 시대」에서 1875년에서 1914년까지를 제국주의의 절정기로 서술하고 있다.

의 낭만적 정취에 대한 감탄과 자연을 정복한 자의 관능적 쾌감이 하나로 녹아 있다. 화자인 '나'는 남십자자리•의 광채에 취하여 "마치 여자라도 된 양, 내 육체를 나를 에워싼 부드러운 것들에게 내맡기고 싶다는 관능적인 … 욕망"을 느끼는가 하면, 배가 바다의 물결을 헤집으며 전진하는 "찬란한 장관을 보며 현실의 권력자다운 기쁨"을 느끼는데 이런 묘사에는 성적 상징과 암시가 가득하다. 이렇듯 열대의 밤은 만물을 감싸 안는 에로티시즘을 강하게 발산하며 '나'를 자아와 타자의 구분이 사라지는 황홀한 무아의 상태로 이끈다.

하지만 바로 그 순간부터 갑자기 정반대 방향으로 이야기가 진행된다. '나'는 홀로 있는 의사와 갑자기 마주치면서 에로틱한 꿈에서 깨어나고, 하루 후 의사가 들려주는 이야기는 이국의 낭만적 정취를 여지없이 깨트리며 에로스에 숨은 파괴적인 마성을 거친 민낯 그대로 보여준다. 내부 이야기의 화자인 의사는 며칠 전 네덜란드령 동인도(인도네시아)의 특정되지 않은 장소에서 나흘에 걸쳐 겪었던 일을 자정부터 날이 밝을 때까지 들려준다. 그는 8년 전 팜파탈형의 여자에게 푹 빠져서 신세를 망친 후 어쩔 수 없이 네덜란드 정부의 파견 의사로 인도네시아에 10년간 근무하게 된다. 열대의 적막한 환경에 고립된 지 8년째로 극심한 무기력증에 빠져 있던 그를 인근 도시의 귀부인이 방문하면서 사건은 시작된다. 오만하고 굳건한 인상을 풍기는 여인은 그에게 임신중절수술을 요구하며 그를 거액의 돈으로 사려 든다. 전부터 "교만하고 건방진

• 남십자자리는 대항해 시대에 선원들에게 길잡이가 되며 신앙심을 북돋우던 별자리이며 서구 문명의 약진을 상징해 왔다.

여자들"에게 푹 빠져 꼼짝 못 하고 끌려 다니던 그는 8년 만에 다시 똑같은 상황에 부닥친다. 그는 불륜으로 임신한 듯한 여인과 잠시 기 싸움을 벌이지만, 그녀의 경멸에 찬 웃음소리에 무너져 내리며 황홀감까지 느낀다. 이제 그는 자기통제력을 상실하고 광적인 열정에 빠져 아무 조건 없이 여인의 뜻을 받들고자 스토커처럼 그녀를 따라다니지만, 그녀는 그를 피해 중국 여인에게 낙태 시술을 받다가 사망한다. 그녀는 죽기 직전 그를 불러서 자신의 사망 원인을 아무도 모르게 하겠다는 약속을 받아낸다. 그는 자신의 경력과 연금을 포기하고 인도네시아를 당장 떠난다는 조건으로 그녀의 허위 사망진단서를 받아낸다. 그런데 이 배에 탄 그녀의 남편은 부검을 의뢰할 목적으로 아내의 시신이 든 관을 동반하고 있다. 의사는 여자의 비밀을 지킬 의무가 아직 남아 있다는 말로 이야기를 마치고는 사라지고 일인칭 화자는 다시는 그를 보지 못한다. 틀 이야기의 화자는 배가 나폴리에 정박하고 그녀의 관을 배에서 내리는 과정에서 "갑판 위쪽에서 뭔지 모를 묵직한 것이 떨어지며 관을 바다 깊이 내리박는" 사고가 일어나며 여인의 관이 영원히 사라졌다고 보고한다. 이 사고를 다룬 신문에는 "마흔 가량의 남자 시체가 항구로 떠밀려 왔다는 짧은 기사"도 실려 있다. 두 기사의 연관성을 아는 건 '나' 뿐이다.

자신을 경멸하는 여인에게 절대적으로 복종하려 들며 그녀의 거짓 명예를 지키려고 자신의 경력은 물론 목숨까지 내던지는 남자의 심리를 어떻게 이해해야 할까? 그는 본인도 인정하듯이, 그녀를 만난 후부터 마지막 순간까지 광기 어린 망상에 빠져 자기통제를 상실한 상태이다. 의사는 자신의 상태를 아모크라는 '문화관련증후군'으로 일반화하여 정의하려 든다. 유럽인이 낯선 환경에 적응하지 못하고 심리적으로 무너지다가 어떤 계기로 인해 아모크 내지는 이른바 열대광증에 걸리는 과정을 필연적이며 전형성을 지닌 것처럼 설명하려 하지만 그의 논리는 조야한 오리엔탈리즘에 근거하며 설득력이 떨어진다. 게다가 의사는 모순투성이의 인물이며 신뢰가 가지 않는 화자이다. 그는 고등교육을 받은 지성인이고 유럽의 문학을 원어로 읽는 교양인이며 유능한 의사이지만, 자학적 성향에 미숙한 자의식을 지녔으며 극렬한 인종차별주의자이다. 인도네시아 체류 초반기에는 "인류애와 문명을 전파하는 선교사"를 자처하며 오리엔탈리즘을 대변하는 듯하지만 몇 년 후 냉소와 무기력증에 빠져 지낸다는 점에서 오리엔탈리즘의 위선을 역설적으로 드러내는 인물이기도 하다. 그는 팜파탈 유형의 여인에게 끌려서 신세를 망치기를 거듭하는 반복강박증• 환자로서 결국 반복강박증의 근원인 '죽음충동'에 자신을 내맡기기에 이른다. 또 그는 오만한 여자들에게 정서적으로 학대당하는 것을 즐기는 마조히스트이며, 약자인 아시아인을 폭력적으로 대하는 사디스트이기도 하다. 프로이트는 1924년 『마조히즘의 경제적 문제』라는 논문에서 우울증에 걸린 인간의 자기파괴적 행동을 분석한 후 사디즘과 마조히즘이 밀접하게 연관되어 있다는 결론을 내린다. 마조히즘의 경우 타고난 공격 욕구 내지는 사디즘이 자신을 향할 뿐이기에 마조히스트는 자신을 공격하는 사디스트라는 얘기

• 프로이트는 "반복강박Wiederholungszwang"의 개념을 1914년에 쓴 저서 『기억, 반복, 습득Erinnern, Wiederholen und Durcharbeiten』에서 처음으로 사용하였다. 그는 1920년의 저서 『쾌락 원리의 저편』에서 '반복강박'은 무의식에 있는 '죽음충동Todestrieb'이 표현되는 것이라고 주장했다.

이다. 의사의 마조히즘은 속죄하려는 욕망, 즉 의사로서 도와야 하는 의무를 저버린 자신을 벌하려는 과장된 욕망에서 정점을 이룬다. 그렇기에 그는 죽은 여인의 거짓 명예를 지키기 위해 제 목숨을 내던질 만큼 자신을 공격하는 사디즘 성향의 마조히스트인 것이다.

이렇듯 사디즘과 마조히즘으로 뒤얽힌 의사의 모순된 내면은 제국주의의 하수인으로 살아가는 한 백인 남자의 뢴트겐 사진이 되어서 그의 내면뿐 아니라 찬란해 보이는 제국주의 시대의 정신이 얼마나 곪아 있는지를 설득력 있게 보여준다. 그렇기에 의사의 아모크는 그 자체로 해석 대상이 되기보다는 그의 내부와 그의 시대를 이해하기 위한 단서로 읽혀야 한다. 그의 일탈적 행동 또한 다른 사람이 아닌 자신을 공격하고 해치기에 통상적 의미에서의 아모크와는 다르다. 그가 반복해서 열정에 휘말려 현실에서 일탈한다는 사실은 그에게는 삶의 본질과 의미가 존재하지 않음을 의미한다. 츠바이크는 이 작품에서 세기 전환기의 숱한 만성적 노이로제 환자 중 한 명을 야만의 현장인 식민지로 밀어 넣는 상상의 실험을 하고 있다. 2년 후 시작될 세계대전으로 붕괴할 제국주의 시대에 작별을 고하는 예식을 치르듯이 말이다. 그렇게 그는 유럽 문명의 치부에 확대경을 들이댐으로써 한 백인 남성의 병리학적 심리뿐 아니라 제국주의의 심층에 자리한 파멸의 징후를 일그러진 이미지로 부풀려 보여준다. 일그러진 이미지의 원형을 추리해 탈식민주의적 독해를 시도하느냐는 개개 독자의 선택이다.

「책벌레 멘델 Buchmendel」

1929년 발표되었으며 같은 해, 소설집 『미니 연대기』에 「보이지 않는 소장품」과 함께 수록되었다. 동시대의 정치적 현실을 다룬 몇 안 되는 작품 중 하나로, 괴짜 책 장수 멘델이 제1차 세계대전의 소용돌이에 휘말려 비참한 최후를 맞는 이야기를 액자소설의 형식으로 담아내고 있다. 츠바이크의 후기 작품답게 "사슬" 삼부작의 주요 주제였던 에로틱한 열정 대신 책에 대한 열정을 다루고 있으며 유대인 주인공을 전면에 내세워 '글의 민족'이라는 유대민족의 오랜 이미지를 되새기고 있다.

틀 이야기의 일인칭 화자는 직업이 작가인데, 어느 날 소나기를 피해 우연히 들어간 빈의 한 카페에서 까맣게 잊었던 20년 전 일을 불쑥 기억해낸다. 메스머에 대한 자료를 찾기 위하여 "다시없을 기억력의 천재" 멘델을 여기서 만나 도움을 받았던 것이다! (츠바이크는 이 작품을 쓸 당시 메스머에 대한 에세이를 준비 중이었다.) 화자의 회상과 함께 시작되는 내부 이야기는 벨에포크의 빈 카페 분위기를 생생히 그려낸다. 꾀죄죄한 행색에 왜소한 몰골의 갈리치아 출신 유대인은 30년 넘게 날마다 카페 글루크의 탁자를 종일 독차지하고 책과 팸플릿을 읽으며 고객을 맞이한다. 멘델은 고등교육을 받은 적이 없음에도 불구하고 책에 관한 정보에서는 최고의 전문가이다. "그는 어제 나온 책부터 200년 전에 나온 책까지 모든 책의 발간 장소와 저자, 새로 살 경우와 헌책으로 살 경우의 가격을 … 정확하게 기억해냈다." 멘델이 이처럼 비상한 기억력을 지니게 된 비밀은 집중이다. 그는 "책 말고는 세상에 대해 아는 게 아예 없는" 괴짜이며 "존재하는 모든 현상이 활자화되어서 책 속에 담겨

야만, … 그것을 현실로 받아들였다." 더 특이한 것은 책의 내용에는 아예 관심이 없고 "책의 제목과 가격, 겉모습과 표지"에만 관심이 있다는 사실이다.

"빈의 몇 안 되는 독실한 애서가들은 어려운 문제에 부딪히면 너무나도 당연하다는 듯이 성지로 순례 가듯이 멘델이 머무는 카페 글루크로 향했다." 카페 글루크는 "멘델의 비공식적인 강의실로 유명해졌고" 그가 늘 앉는 "네모난 탁자는 애서가가 계시를 경청하는 제단"이 된다. 화자는 카페 글루크를 국제적 교류의 장이며 문화가 존중받는 신성한 오아시스로 그려낸다. 지성인들이 곳곳에서 멘델을 찾아오며 카페가 명성을 얻게 되자 카페 주인은 그를 극진히 대우한다. 이 카페는 "그의 전 세계"였고 "그는 카페 글루크가 아닌 다른 곳에서 일하는 걸 생각조차 할 수 없었다." 멘델은 카페에서 책과 관련된 만남을 갖는 것 이외에는 그 누구와도 교류하지 않는, 독특한 자폐 증세를 보인다. 그는 책 밖의 세계를 모르기에 자신의 비상한 능력을 활용하여 돈을 벌거나 안정된 직장을 찾으려고도 하지 않는다. 그저 카페 글루크에 종일 앉아서 책 목록들을 암기하는 틈틈이 책에 관해 상담을 청하는 사람들에게서 사례를 받는 거로 만족할 뿐이다.

지금까지의 멘델에 대한 설명에서 사반트 증후군Savant syndrome• 을 떠올리는 독자가 있을 듯하다. 이 용어가 낯선 독자는 영화 「레인맨」을 떠올리면 된다. 더스틴 호프만이 연기한 레이먼드라는 인물은 자폐성 장애와 천재성을 동시에 지닌 경우로, 일상에서 늘 똑

• 사반트라는 단어는 프랑스어로 학자를 의미한다.

같은 루틴을 고집하고 외부세계에 대한 인지력이 떨어지지만 비상한 암기력을 지니고 있다. 사반트 증후군은 인지 부조화 등의 장애를 갖고 있으면서 언어나 암기, 암산 같은 특정 분야에서 비장애인과는 다른 천재성을 갖는 현상이나 사람을 말하는데 자폐증 환자 중 극소수만이 사반트 증후군에 해당한다. 레이먼드의 실제 모델이었던 킴 픽은 사반트 증후군을 지닌 천재였다. 사반트 증후군자는 일반인과 의사소통이 충분히 가능한 경우가 많기에 질병으로 인식되지 않기도 하며, 사례에 따라서는 고기능성 자폐의 일종으로 분류된다. 한스 아스퍼거, 레오 칸너 같은 오스트리아의 심리학자들이 자폐증의 여러 형태를 학술적으로 밝혀내기 시작한 것은 1940년대부터인데 츠바이크는 예리하고 면밀한 관찰과 사실에 근거한 상상력으로 사반트 증후군 증세를 보이는 괴짜 천재를 생생히 그려냄으로써 학문의 성취를 앞서 나간다.

20년 전의 멘델을 기억할 뿐인 '나'는 이제 그의 자리는 비어 있고, 카페에는 멘델을 아는 사람이 없다는 사실에서 "무상함에서 오는 씁쓸함"을 맛본다. 그동안 멘델을 까맣게 잊고 있던 것을 부끄러워하는 그때, 멘델을 기억하는 유일한 인물인 화장실 청소부가 등장하여 이후 이야기를 들려주면서 내부 이야기의 후반부가 시작된다.

내부 이야기의 전반부에서 일인칭 화자는 여유롭게 기억력과 집중에 관한 세련된 명상을 펼치는 데 반하여 후반부에서 청소부 여인은 소박한 언어로 전쟁으로 인한 문화의 몰락과 정신의 황폐화를 통렬히 증언한다. 전쟁이 일어난지도 모르고 살던 멘델은 적국 영국과 프랑스에 보낸 엽서 때문에 스파이로 의심받는데, 심문

과정에서 그가 러시아 국적의 소유자임이 드러나면서 집단 수용소로 보내진다. 수용소에서 2년을 보낸 후 폐인이 된 멘델은 간신히 카페 글루크로 돌아오지만, 비상한 기억력을 상실한 탓에 책 장수로 일할 수 없게 되고 카페에는 골칫덩이가 되어버린다. “세계가 이전의 세계가 아니듯이 멘델 또한 이전의 멘델이 아니었다”라는 말로 화자는 이 인물이 갖는 상징성과 대표성을 강조한다. 결국 멘델은 7년 전에 굴욕적으로 카페에서 쫓겨나고 곧 폐렴으로 사망했다고 청소부 여인은 진심으로 슬퍼하며 전한다. 그의 비참한 죽음은 정치와 무관하게 한구석에서 존재할 수 있었던 소우주의 몰락을 의미하며 나아가 벨에포크, 즉 ‘어제의 세계’의 몰락을 의미한다.

멘델이 유대인이라는 것은 어떤 함의를 지닐까? 고대시대부터 유대민족은 글의 민족이라 불릴 정도로 다수가 글을 읽고 쓸 줄 알았으며 글을 신성시해왔다. 지금도 유대민족은 경전을 줄줄 외우는 비상한 암기력을 자랑한다. 멘델은 이런 특성을 온몸으로 구현하는 인물일 뿐 아니라 “검은 옷에 안경을 쓰고 헝클어진 수염을 늘어트린 채 책을 읽으면서 몸을 흔드는” 전형적인 탈무드 학자의 모습까지 갖추고 있기에 그가 겪는 수난을 유대민족과 떼어놓고 해석할 수는 없을 것이다. 그가 적국의 스파이로 오해받고 집단 수용소에 끌려가 고초를 겪는 사건은 오랜 역사에서 유대인이 겪었던 숱한 박해를 연상시키는 동시에 15년 후 수백만 유대인의 미래를 예견하는 듯해서 소름이 끼칠 정도이다. 이렇듯 독자는 책벌레 멘델을 유대민족의 수난을 상징하는 인물로 읽으며 츠바이크의 혜안을 감탄하게 된다.

또 츠바이크는 이 인물 안에 자기 자신의 책에 대한 열정을 새겨 넣음으로써 희화화된 자화상을 창조해냈다. 멘델은 진정한 예술가가 꼭 알아야 할 "완벽한 집중이라는 위대한 비밀", 그리고 "정신에만 몰입하는 삶이 어떤 것인지를" "청년이었던 나에게 처음으로 느끼게 해 주었다." 그런데도 화자가 지금껏 그를 잊고 지냈다는 사실은 화자의 책이, 아니 많은 책이 본래의 의미를 잃어가고 있다는 위기의 징후이기도 하다. 마치 12년 후 자신의 운명을 예감이라도 하듯 츠바이크는 "정신에만 몰입하는 삶"을 살던 멘델을 전쟁의 잔인함 속에서 죽음으로 이끈다. 마지막에 남는 것은 기억을 가능하게 하는 글쓰기뿐이다. 츠바이크는 일인칭 화자의 입을 빌어 "책을 쓰는 목적은 협소한 자신의 존재를 뛰어넘어 사람들을 연결하고, 인생의 가혹한 적인 무상함과 망각에 맞서 자신을 방어하는 것임을" 강조하며 작품을 마무리한다.

「체스 이야기 Schachnovelle」

「체스 이야기」는 마지막 망명지인 페트로폴리스에서 극단적 선택을 하기 직전 완성한 마지막 작품이라는 점에서 츠바이크의 유언장과도 같다. 그의 단편소설 중 가장 널리 읽히며 2021년에 영화화되고(여섯 번째) 세계 곳곳의 연극무대에도 자주 오를 정도로 80년이 지난 지금까지도 신선함을 잃지 않고 있다. 츠바이크의 작품 중 드물게도 동시대의 정치 현실을 다루고 있으며 해석의 가능성이 무궁무진하다는 매력을 지니고 있다.

1941년 9월 그는 프리데리케에게 보낸 편지에서 체스에 관한 노벨레를 구상 중이라고 쓴다. 호젓하게 살다 보니 무료함을 달래려고 체스 교본을 사서 거기 실린 거장들의 게임을 로테와 날마다 따라 두었는데 그러다가 영감을 얻었다는 얘기다.

그가 언급한 책은 타르타코버가 쓴 『초현대적인 체스 게임: 1914년에서 1924년에 걸친 거장들의 명 대국 150편 모음집』인데 1924년 출판된 후 지금까지 체스 서적의 고전으로 통한다. B 박사의 이야기에 등장하는 책이 바로 이것이다. 실제로 츠바이크는 마지막 몇 달 동안 체스 게임에서 위안을 찾았다. 아내 외에도 이웃 친구 에른스트 페더와 정기적으로 체스를 두었고 심지어 자살하는 날 저녁에도 페더와 체스를 두었다고 한다. 외롭고 힘든 일상에서 체스를 두며 체스의 본질에 대해 명상하는 작가의 모습은 틀 이야기의 일인칭 화자와 내부 이야기의 주인공 B 박사에 고루 투영되어 있다.

먼저 작품의 구조를 보자. 이 작품은 대단히 정교하게 구성된 액자소설이다. 「아모크」와 마찬가지로 대양을 항해 중인 장거리 여객선이 틀 이야기의 공간적 배경이며, 츠바이크와 닮은 점이 있는 일인칭 화자('나'는 기인에 관한 호기심이 강렬하고 체스를 취미로 즐긴다. 아내와 함께 뉴욕에서 부에노스아이레스행 배를 탔는데 리우데자네이루에서 하선할 예정이다)가 비밀을 지닌 인물을 만나서 그의 과거를 듣게 된다는 점 또한 「아모크」와 일치한다. 반면에 두 가지 차이가 있는데 첫째, 틀 이야기와 내부 이야기가 18년 전에 쓰인 「아모크」보다 훨씬 더 유기적이고 심층적으로 맞물려 있다는 점이다. 여객선 안에서 닷새 동안 펼쳐지는 틀 이야기 안에는 체스 세계 챔피언 첸토비치와 체스의 숨은 고수 B 박사에 관한 내부 이야기가 각기 담겨 있다. 출항 직전에 화자는 친구로부터 첸토비치의 성장 과정에 관한 이야기(내부 이야기 1)를 듣고는 무식한 체스 천재 첸토비치에 대해 호기심을 불태운다. 항해 나흘째 되는 날 챔피언이 대전료를 받고 화자를 포함한 아마추어 경기자들을 상대로 체스를 두는 자리에 미지의 인물 B 박사가 불쑥 등장하여 경기자들에게 훈수를 두며 다 진 경기를 무승부로 돌려놓는다. 화자와 마찬가지로 오스트리아 빈 출신인 B 박사는 직접 자신의 이야기를 '나'에게 들려준다(내부 이야기 2).

두 내부 이야기의 공통점은 두 사람이 체스의 거장으로 성장하기까지의 과정을 각기 담고 있다는 것이다. 그런데 그 과정은 달라도 너무 다르고 두 인물 또한 그러하다. 첸토비치는 감정의 동요 없이 천천히 경기에 임하는 게 장점이며 상상력이 부족해서 블라인드 체스를 두지 못하는 게 약점인데 반하여, B 박사는 특수한 상황 탓에 블라인드 체스의 대가가 되었지만, 체스 중독증에 걸린 전력이 있는 만큼 경기 중 감정을 다스리지 못하는 약점이 있다. 바로 다음 날 극명하게 다른 두 경기자가 체스 시합을 벌이게 됨으로써 두 내부 이야기에 적재된 문제점과 긴장이 틀 이야기로 옮아간다. 이로써 다시없을 사건이 박진감 있게 펼쳐지며 클라이맥스를 향한다.

둘째, 츠바이크의 액자소설 대부분이 본 줄거리인 내부 이야기를 상대적으로 적은 분량의 틀 이야기가 에워싸는 형식이며, 내부 이야기를 주된 줄거리로 내세우는 데 반하여(「모르는 여인의 편지」, 「보이지 않는 소장품」, 「어느 여인의 24시간」, 여기 실린 세 소설이 다 그러하다), 이 소설의 경우 틀 이야기 또한 극적 절정을 향해 가는 독자적 줄거리를 가지고 있다. 이런 특성은 틀과 내부 이야기의 분량에도 반영

된다. 위에 언급한 액자 소설들에서는 틀 이야기보다 내부 이야기가 압도적으로 많은 분량을 차지하는 데 반하여 이 작품에서는 틀 이야기와 B 박사의 내부 이야기의 분량이 엇비슷하다.

이제 체스 챔피언 첸토비치를 살펴보자. 그는 책벌레 멘델과 마찬가지로 외부세계 전반에 무관심하며 오직 한 분야에만 집중하여 천재성을 발휘하지만, 그 외에는 멘델과는 전혀 다른 인물이다. 오직 책에만 열정을 쏟아부으며 물욕이 전혀 없는 멘델과는 달리 첸토비치는 자신의 분야에 대한 열정 내지는 광기를 보이지 않으며 자신의 재능과 명성을 돈벌이를 위해 마구잡이로 사용한다. 또 거의 문맹에 가까우며 상상을 초월하게 무식하면서도 벼락출세한 사람답게 허영심 많고 오만하고 무례하기에, 전혀 호감이 가지 않는 인물이다.

마치 풍자극에서 튀어나온 듯 희화화된 이 인물의 묘사에서 몇몇 비평가들은 히틀러에 대한 풍자를 읽어낸다. 히틀러와 첸토비치의 유사점은 사실 놀라울 정도로 많다. 둘 다 오스트리아-헝가리 제국의 변방 출신이고, 아버지를 일찍 여의었으며, 정규 교육과정에서 낙오되었다. 둘은 오로지 한 분야에서만 비상한 재능을 발휘하는데, 첸토비치는 체스에, 히틀러는 연설에 탁월하다. 둘은 비천한 출신인 데다가 교육을 제대로 받지 못했기에 세련된 상류층이 모이는 자리에서는 우스꽝스러운 존재일 수밖에 없다. 굳이 첸토비치라는 인물을 히틀러에 대한 풍자로 한정하지 않고, 조야해진 정치에 대한 좀 더 포괄적인 은유로 읽는 것도 가능하다. 정말 심각한 문제는 교양과 문화를 중시하던 어제의 세계가 사라진 지금, 첸토비치와 같은 일차원적 인간이 일면적인 재능을 앞세워 승승장구하고 있다는 사실일 것이다.

다른 한편으로는 정치적 배경과 무관하게 첸토비치의 성공을 오늘날 인공지능의 부상과 연관 지을 수도 있다. 첸토비치는 통상적으로 체스 챔피언이 응당 갖추어야 할 열정과 상상력을 지니고 있지 않으며 아무런 감정의 동요 없이 지치지 않고 끈질기게 상대를 공략한다는 전술로 승리를 거두기에 화자는 그를 "비인간적인 체스 기계"라고 부르는데 이 대목에서 오늘날의 독자는 자연스럽게 인공지능을 떠올릴 것이다. 실제로 1997년 IBM의 인공지능 딥 블루가 세계 체스 챔피언 가리 카스파로프를 상대로 승리했다. 결국에는 감정이 없는 인공지능이 감정에 동요하는 인간을 지배하게 되리라는 디스토피아적 시각에서 보면 첸토비치라는 인물은 휴머니티의 종말을 알리는 징후로 읽힌다.

그의 적수이자 이 작품의 주인공인 B 박사는 타고난 체스 천재라기보다는 비현실적인 극한 상황에서 후천적으로 천재성을 습득한 특이한 경우이다. 그는 첸토비치와는 정반대의 성장 배경을 가진 인물이다. B 박사는 오스트리아 제국의 명문 출신으로 빈에서 교양 시민으로 성장했고, 법률가로서 가업을 이어받아서 황제 가문과 가톨릭 세력의 재정을 관리하였다. 그는 첸토비치와는 정반대로 예의 바르고 박식하고 호감이 가는 인물이기에 그를 작가의 대변인 내지는 자화상이라고 보는 독자들이 많다. 심지어 B 박사를 20세기의 에라스뮈스라고 평가하는 비평가도 있다. 하지만 B 박사는 빈의 교양 시민이라는 점을 빼고는 작가와 공통점이 없다. 그는 유대인이 아니며, 휴머니스트인지, 반전주의자인지도 분명치 않기에 그를 성급히 작가의 자화상 내지는 이상적 자아라고 정의

하기보다는 이 인물 자체를 들여다보아야 할 것이다. 그가 활동하던 당시 오스트리아의 정치적 상황을 알면 이 인물이 지닌 모순성이 더 명료히 드러난다.

그는 오스트리아 파시즘 체제하에서 비밀리에 황제 가문과 가톨릭 세력의 재정을 관리하며 그들의 이익을 대변하는 변호사이다. 오스트리아 파시즘은 1934년 내전 이후 돌푸스와 슈슈니크가 통치하던 1938년까지의 오스트리아 정치 상황을 말한다. 돌푸스는 1934년 5월 이후 사민당과 나치당의 활동을 모두 금지하며 일당 독재 체제로 돌입했다. 그해 여름 총리 돌푸스가 나치당원들에 의해 집무실에서 암살되자 무솔리니는 즉시 개입하여 내란을 막는다. 이어서 집권한 슈슈니크 정부는 더 많이 무솔리니 정부에 종속되며 파시즘적 성향을 늘려나간다.

츠바이크는 이러한 오스트리아 파시즘에 대해 매우 비판적이었지만 늘 그렇듯이 공적으로 의견을 표명하지는 않았다. 슈슈니크 정부는 벨기에에 망명 중인 합스부르크 왕가의 복귀에 긍정적이었기에 B 박사의 업무는 민감한 정치적 이슈에 관련되었으며 엄청난 폭발력을 지니고 있었다. 따라서 B 박사는 슈슈니크의 파시즘 정부와 물밑거래를 하는 처지라고 볼 수 있다. 그의 정치적 성향은 직접 언급되지 않지만, 그의 부친이 가톨릭 성직자 정당의 의원이었고 삼촌이 황제의 주치의였으며 그가 부친에 이어서 왕실과 수도원의 재정을 관리했다는 점에 미루어 암묵적인 군주제 지지자로 짐작된다.

이러한 사실에서 B 박사는 '어제의 세계'를 대표하는 교양 시민 중에서도 한층 더 구시대적 인물임을 알 수 있다. 그가 나치 정권에 의해 체포되어서 장기간 심문받은 이유는 민주투사여서가 아니다. 게슈타포는 왕실과 수도원의 숨겨진 재산에 대한 정보를 원했고 그는 의뢰인의 이익을 보호하는 변호사의 직업윤리를 지키려 했기 때문이다. 이렇듯 B 박사는 나치즘에 맞서 정치적으로 저항한 적이 없으며 유대인도 아니기에 나치의 희생양으로서의 상징성은 미약하다. 그런데 첸토비치가 전혀 호감이 가지 않는 인물로 묘사된 데 반하여 그의 맞수인 B 박사는 전적으로 호감이 가는 인물로 묘사되어 있다. 독자는 정신적 아사 직전의 상태에서 홀로 체스를 두며 무시무시한 무無와 영웅적 싸움을 벌이는 B 박사를 경탄하며 응원하게 된다. 츠바이크가 벨에포크를 대표하는 교양 시민 중 굳이 속속들이 구시대적 인물을 긍정적 주인공으로 삼은 이유는 무얼까? 새 시대에는 몰락할 수밖에 없는 교양 시민의 비극을 더 절박하고 필연적으로 묘사하려는 건 아닐까?

B 박사의 체험담은 실제 사실에 근거하고 있다. 그가 1년가량 갇혀 있던 메트로폴 호텔은 빈의 중심가에 있는 호화 호텔인데 소유주가 유대인이었기에 합병 후 곧장 압류되어 게슈타포 본부로 쓰였다. 작품에 잠시 언급되었듯이 슈슈니크 총리와 유대인 금융 재벌 루이스 나타니엘 로스차일드•도 여기 갇혀 있었다. 메트로폴 호텔의 수감자들에게 가해진 심리적 고문은 악명이 높았다. 가장 유명한 수감자인 슈슈니크 총리는 1938년 3월부터 메트로폴 호텔에서 24시간 감시를 받다가 같은 해 가을 뮌헨으로 이송되었는데 키가 183cm이던 그의 몸무게는 40kg을 조금 넘겼다고 하

• 로스차일드는 14개월이나 갇혀있었기에 그를 B 박사의 모델로 보는 견해도 있다.

니 수감 생활이 얼마나 고통스러웠을지 짐작할 수 있다. 츠바이크는 합병 후 오스트리아에서 벌어진 만행에 대해 알고 있었기에 역사적 사실에 기대어 B 박사가 "무無의 상황"을 통한 고문을 겪게끔 설정한다.

그가 무無와 맞서 싸우는 동안 체스 게임은 약에서 독으로 변모하는 과정을 거친다. 우연히 체스 교본을 손에 넣은 그는 책에 실린 명 대국들을 블라인드 체스로 따라 두면서 무無로 인한 절망을 물리치고 정신을 연마한다. 그러나 3개월 후 모든 명 대국들을 샅샅이 꿰게 되면서 다시금 무無와 마주하는 위기에 처하게 되자 이제 그는 자신을 둘로 나누어 체스를 두기 시작한다. 이 과정에서 그는 "게임 강박증"에 걸려서 "광기 서린 분노"로 자기 자신을 공격하기에 이른다. 이 대목의 묘사는 츠바이크가 단순히 프로이트의 이론을 학습해서 작품에 적용하는 수준을 넘어서 예리한 관찰과 상상력으로 심리학의 학문적 성과를 앞서서 선취하고 있음을 보여주는 예이다.

B 박사는 자신을 "흑을 쥔 자아와 백을 쥔 자아"로 쪼개어 게임을 벌임으로써 "인위적인 조현병"을 자초한다. 오늘날의 학문 용어로 말하면 일종의 해리성 정체성 장애(解離性正體性障碍, Dissociative Identity Disorder)를 겪게 된 것이다. 해리성 정체성 장애란 흔히 이중인격 또는 다중인격이라고 불리는 정신질환으로써 어떤 정신적 충격이 계기가 되어 해리된 정신 상태 일부가 육체를 장악하는 증상이다. 이 용어가 낯선 독자는 조남주의 소설 『82년생 김지영』을 떠올리면 이해가 쉬울 것이다. 이 전문 개념이 정립되기 수십 년 전에 츠바이크는 "흑을 쥔 자아와 백을 쥔 자아"로

분열된 인물을 창조함으로써 미지의 정신질환의 양상을 미리 탐색하고 있다. B 박사는 흑과 백으로 분열된 자신이 영원히 끝나지 않을 싸움을 벌이는 황당한 광기에 휘말리게 된 이유를 이렇게 설명한다.

> "저는 (…) 쌓이고 쌓인 분노를 오래전부터 무엇에든 터뜨리려고 벼르고 있었으니까요. (…) 제가 품은 분노와 복수에의 욕망은 격렬하게 게임으로 흘러들었습니다. 제 안의 무언가는 이기고 싶어 했는데 제가 싸울 수 있는 상대는 제 안에 있는 또 다른 저뿐이었습니다. 그래서 체스를 두는 동안 저는 병적이다시피 한 흥분 상태에 점점 더 심하게 빠져들었습니다."

부당한 수감 생활로 인한 "분노와 복수에의 욕망"을 어쩌지 못하며 자신을 파괴해가는 B 박사! 그의 모습에서 "괴물과 싸우는 이는 괴물이 되지 않게끔 주의해야 한다"라는 니체의 말(『선악의 저편』) 이 절로 떠오른다. 이렇듯 유럽의 교양 시민 B 박사는 나치즘의 악마성에 오염되어가고 이성을 연마하는 게임인 체스는 광기의 장으로 변모한다.

내부 이야기 2에서 해소되지 않은 이 문제는 소설의 절정인 체스 경기에서 봇물이 터지듯이 불거져 나온다. 겸손하고 정중한 신사 B 박사는 자신의 승리를 예감한 순간 "마치 상대를 덮치려는 고양이처럼 몸을 잔뜩 웅크"리며 공격성을 보인다. 그러고는 상대의 항복을 초조히 기다리면서 옛날 감방에서 그랬듯이 흡연실을 왔다 갔다 하기 시작한다. '나'는 그가 "항상 똑같은 크기의 공간

안에서만 걸음을 떼고 있음"을 깨닫는다. "그가 이렇게 왔다 갔다 하면서 무의식적으로 예전의 감방 크기를 따르고 있음을 알아차린 나는 소름이 돋았다."

원래 딱 한 게임만 하려 했던 그는 수월히 승리한 후 몹시 흥분하여 두 번째 시합을 서둘러 시작한다. 그가 첸토비치에게 건네는 말은 "사나웠고 무례하기까지 했다".

> "순식간에 두 경기자 사이에는 뭔가 새로운 것이, 다시 말해 위태로운 긴장감과 뜨거운 증오심이 자리 잡고 있었다. 이제 그들은 자신들의 능력을 게임에서 서로 겨루어보려는 두 파트너가 아니라, 제각기 상대를 쳐부수리라 맹세한 두 적수였다."

이 순간부터 첸토비치는 B 박사에게 자신의 분열된 한 부분이자 또 다른 '나'와 구분할 수 없게 되어버린다. 자신의 절반이 또 다른 절반에게 원수 같은 존재였듯이 이제 첸토비치는 B 박사에게 불구대천의 원수이며 반드시 이겨야 할 상대가 된다. 그는 수감 중 자신의 절반에게 역정을 냈듯이 이제 일부러 시간을 끄는 첸토비치에게 똑같은 말로 버럭 화를 내기까지 한다. B 박사의 돌변한 모습에서 독자는 그가 괴물과 싸우느라 괴물이 되어버렸음을 감지하며 섬뜩해질 것이다.

첸토비치가 고의로 시간을 끌며 B 박사를 괴롭히자 그는 머릿속에서 다시 자신의 감방으로 소환되어서 옛 상황을 재차 겪게 된다. 그는 불안해하며 물을 거듭 들이켜고 좁은 방을 뱅뱅 맴돌기를 되풀이하다가 급기야는 "미친 사람처럼 멍한 눈으로 허공을 꿰뚫어 보면서 … 생판 다른 게임을 고안해" 낸다. 다시 말해 그는 과거를 기억하는 것을 넘어서 과거로 돌아가서 눈앞의 체스판을 잊고 다시 호텔 방에서 혼자 체스를 두는 것처럼 행동한다. 이 대목에서 츠바이크는 심리적 트라우마라는 카테고리가 학문적으로 자리 잡기 훨씬 전에 트라우마 환자의 주요 증상 중 하나인 플래시백• 을 B 박사의 구체적 행동을 통해 정확하고도 상세하게 그려낸다.

B 박사는 첸토비치가 두 번째 경기에서 지연작전을 펴자 불쾌한 현실에서 도피해서는 상상 속에서 혼자 새 게임을 펼쳐나간다. 그러다가 이를 현실의 체스판으로 착각하며 승리를 외쳐버리는데, 이 장면은 추상적 정신세계의 이상을 현실 세계에 그대로 적용하려 했던 당대 지식인의 모습을 떠올리게끔 한다. 이렇듯 츠바이크는 단세포적이면서 승리를 탐하는 첸토비치를 통해 파시즘을 풍자하는 동시에, 내면으로 침잠하려는 B 박사를 통해서 지식인의 서글픈 한계를 엄혹히 지적하고 있다. B 박사는 화자 '나'의 개입으로 광기에서 깨어나며 위기를 간신히 벗어나지만 아마도 치명적인 트라우마를 지닌 망명객으로 지속적인 심리적 위기를 겪으며 살아갈 수밖에 없으리라 추정된다. B 박사가 자신의 패배를 선언하고 겸손히 퇴장하는 모습은 이 작품을 마무리한 후 세상을 홀연히 등진 츠바이크를 연상케 한다.

결국 「체스 이야기」는 첸토비치의 호기로운 허세로 마무리된다. 하지만 그가 과연 궁극적인 승리자인지는 분명치 않으며 결말

• 플래시백flashback은 현실에서 어떠한 단서를 접했을 때 그것과 관련된 강렬한 기억에 몰입하는 현상이다. 이 현상은 단순히 과거를 떠올리는 회상과는 다른 의미로서, 플래시백을 겪는 자는 현실과 완전히 격리된다. 이 용어는 특히 본인 의지와 무관하게 기억에 함몰될 때 사용된다. 외상 후 스트레스 장애PTSD를 겪는 환자의 경우 플래시백은 정상적 생활을 불가능하게 만들기도 한다.

은 열려 있다고 보아야 할 것이다. 따라서 독자가 양극을 이루는 두 경기자의 대결에 내포된 함의를 제각기 독자적으로 탐색할 수 있다는 점이 이 작품의 진정한 매력이 아닐까 싶다.